Destins d'Irlande

KATE HOFFMANN

Destins d'Irlande

Titre original :
THE LEGACY

Traduction française de CHRISTINE MAZAUD

Jade® est une marque déposée par le groupe Harlequin

Photos de couverture
Ciel : © JUSTIN FOULKES/BANANA PANCAKE/GETTY IMAGES
Coucher de soleil : © SASHA WELEBER/GETTY IMAGES
Château : © CHRIS LADD/GETTY IMAGES
Lettre manuscrite : © MASTERFILE/ROYALTY FREE DIVISION

Prologue

« 14 avril 1845

» Aujourd'hui, je me suis mariée. Je m'appelle Jane Flaherty... Jane McClary, maintenant, puisque j'ai épousé ce matin Michael McClary dans l'église de notre paroisse. Je commence ce journal pour pouvoir le relire plus tard et me rappeler ce qu'ont été les premiers jours de mon mariage. Pour pouvoir aussi raconter à mes enfants les menus détails de ma vie. Voilà, je commence.

» C'est la dame qui m'emploie comme couturière qui m'a donné ce livre. Elle s'appelle Mme Grant et elle dit que je suis très douée pour tirer le fil et l'aiguille. Elle m'a dit qu'il serait utile que je tienne les comptes du foyer quelque part, alors elle m'a offert ce livre comme cadeau de mariage. Mais au lieu de m'en servir comme livre de comptes, je vais plutôt écrire sur ces pages ce qui me vient à l'idée, mes pensées et mes rêves. C'est grâce à sa gentillesse si je suis capable d'écrire et de lire aujourd'hui, parce qu'elle me l'a enseigné au début, quand je suis venue travailler pour elle. A mon tour j'enseignerai la lecture et l'écriture à mes enfants et ils l'apprendront ensuite aux leurs. Comme cela, ils verront le monde sur les pages de beaux livres.

» Mon Michael vient de rentrer pour dîner, alors j'arrête là. »

*
**

— En Amérique?

Jane McClary se laissa glisser tout doucement au fond de sa grosse chaise rustique et posa les deux mains sur la table. Son cœur battit plus fort et elle fixa son mari, chavirée par la nouvelle. Les yeux de Michael brillaient d'excitation comme le jour où ils s'étaient rencontrés pour la première fois.

— Oui, en Amérique.

Michael lui prit les mains et les serra dans les siennes. Elles étaient calleuses et rêches.

— Notre avenir est là-bas. Il y a du travail et des terres à cultiver. Il y a des gens qui partent tous les jours de Dublin, de Cork, de partout, pour Liverpool. Les bateaux sont pleins et il y en a encore beaucoup qui vont partir.

— Mais nous sommes d'ici! s'insurgea Jane. Nos familles sont ici.

Michael hocha la tête.

— Mais pas notre avenir.

Il fit le tour de leur pauvre maison des yeux.

— Je travaille tellement dur que j'ai mal au dos et que mes doigts saignent et malgré ça on ne progresse pas. Et toi, tu couds jusqu'à point d'heure, tu t'uses les yeux, tout ça pour une poignée de shillings. Ça ne peut pas durer comme ça, Jane. Que ferons-nous quand nous aurons une famille? Ce sera encore plus difficile de partir. Si on doit s'en aller, c'est maintenant.

— Mais nous ne pouvons même pas nous offrir un passage, comment ferons-nous pour en acheter deux?

— Nous n'en achèterons pas deux, dit-il. C'est trois livres dix. Nous avons un peu d'argent de côté et Johnny Cleary dit qu'il me prêtera le reste. Il a vendu tout son troupeau de moutons au marché aujourd'hui. Quand j'arriverai là-bas, je trouverai du travail et je t'enverrai de l'argent pour que tu viennes à ton tour. Nos bébés naîtront en Amérique, Jane, et là-bas ils vivront bien et ils seront en bonne santé. Ils auront un avenir, alors qu'ici, en Irlande, ils n'en auront jamais.

Jane inspira une longue bouffée d'air et souffla lentement. Elle avait vu des amis et des proches prendre la même décision et, malgré les histoires horribles qu'elle avait entendues sur les dangers de la traversée de l'Atlantique, tous ceux qu'elle connaissait étaient arrivés sains et saufs. Et puis, Michael avait raison, l'Irlande n'avait rien à offrir à un homme ambitieux et lui, il avait toujours eu de l'ambition. Mais c'était aussi un rêveur, se dit-elle tout bas. Comment pouvait-elle lui refuser ça ? Elle était sa femme et avait fait la promesse de le suivre partout, comme Ruth dans la Bible.

— Quand partiras-tu ? demanda-t-elle.

— Dans une semaine, dit-il.

— Si tôt ?

Jane laissa ses mains glisser sur ses genoux et se tordit les doigts nerveusement. Cela ne faisait pas trois mois qu'ils étaient mariés et déjà il allait partir et la laisser toute seule.

Il plongea la main dans sa poche et en sortit un petit bout de papier journal.

— Tiens. Lis ça. C'est Johnny qui me l'a donné. Il dit qu'il y a plein de travail qui nous attend là-bas. Du bon travail, avec de bonnes payes.

Jane prit le morceau de journal. C'était une réclame.

— « On demande des Irlandais forts et travailleurs pour le montage des voies ferrées. Un dollar la journée, gîte et repas compris, lut-elle tout haut. Se rendre au 17 Carney Street, Boston, à l'arrivée. »

Elle releva les yeux et fixa Michael.

— Dans combien de temps pourrai-je venir te rejoindre ? demanda-t-elle.

— On dit que la traversée dure entre six et sept semaines, huit si la mer est mauvaise. Je travaillerai tout l'hiver et je t'enverrai l'argent pour que tu viennes ici au printemps. Le temps passe vite, tu verras, tu te rendras à peine compte que je suis parti que déjà tu seras de nouveau auprès de moi. En attendant, tu pourras coudre les rideaux pour notre grande maison d'Amérique. Je te promets, Jane, ce ne sera pas une petite baraque en pierres noires avec un toit de chaume qui fuit. Ce sera une très grosse maison de bois avec des vraies grandes fenêtres avec des vrais carreaux et une cheminée en marbre où je ferai du feu pour que tu aies bien chaud le soir.

Jane posa la main sur son ventre. Le bébé devait naître au printemps. En mars, si elle avait bien calculé. Elle n'en avait pas encore parlé à Michael. Elle avait préféré attendre encore un peu pour être sûre. Mais elle n'allait pas le lui dire maintenant. Elle allait garder son secret pour elle parce qu'elle savait que, si elle lui disait, il ne partirait plus.

Elle s'écarta de la table, se leva et alla prendre le pot à beurre en grès sur l'étagère au-dessus de l'évier. Dedans, il y avait de quoi acheter une jolie robe, une nouvelle paire de souliers et peut-être assez pour se payer un dîner dans un bon restaurant de Dublin.

Jane revint vers la table et vida le petit pot sur le plateau de bois patiné par le temps. Elle se mit à compter.

— Une livre neuf, murmura-t-elle. Nous pouvons

vendre la vache. Ça te fera de l'argent pour t'acheter de la nourriture et un manteau chaud. J'ai entendu dire que les hivers sont terribles, en Amérique, et je ne veux pas que tu tombes malade parce que tu n'as rien de décent à te mettre.

— Comment feras-tu pour le lait et le beurre si tu n'as plus la vache?

— Je me fournirai en ville. Mme Grant me paie des bons gages, assez pour me nourrir, et Jack Kelly convoite notre lopin de terre depuis longtemps. Il sera bien content de l'exploiter quand j'aurai fini ma récolte. Je pourrai vendre les pommes de terre puisque tu ne seras pas là pour les manger et, avec ce que je cultiverai dans le jardin, ça suffira. Ça ira bien comme ça pour moi, dit Jane avec un pauvre sourire. Tu as épousé une fille intelligente, Michael McClary, tu ferais bien de ne pas l'oublier.

Michael fit oui de la tête, se leva et s'approcha d'elle. Il passa les bras autour de sa taille et la serra contre lui.

— Nous aurons une belle vie en Amérique, lui dit-il en lui embrassant le front. Je l'ai vu dans mes rêves.

Jane ferma les yeux et appuya sa joue contre la poitrine de Michael. Son cœur battait, de grands coups forts et réguliers que Jane essaya de garder à la mémoire dans son propre cœur. Elle aurait bien besoin de se rappeler comment c'était quand Michael la serrait dans ses bras. Car bientôt viendraient les nuits où, quand elle étendrait le bras en travers du lit, elle ne trouverait que le drap rêche. La place vide. Mais elle serait courageuse, parce qu'elle aimait cet homme et qu'elle le suivrait au bout du monde s'il le lui demandait.

1

ROSE

Dublin 1924

A l'abri sous le porche de l'église, Rose Byrne regardait luire le verglas qui avait recouvert les pavés d'une pellicule glissante. Le ciel, là-haut, était si noir, si sombre que, pour un peu, elle n'aurait su dire si on était le matin ou le soir. Elle avait cessé d'écouter la cloche de l'église qui égrenait les heures. Entendre ce carillon lui donnait l'impression que le temps passait encore plus lentement.

Cela faisait presque trois jours qu'il pleuvait sans relâche et elle était trempée jusqu'aux os. Aurait-elle de nouveau chaud un jour? Elle ferma les yeux et essaya d'imaginer les étés ensoleillés de son enfance. C'était si bon, à l'époque, de gambader dans la prairie, autour du cottage de sa grand-mère Patrick, à Wexford; de s'allonger dans les herbes folles et les fleurs sauvages que butinaient des papillons de toutes les couleurs…

En ce temps-là, la vie était simple, ses rêves étaient intacts et l'avenir riche de promesses.

Tandis que depuis cinq ans…

Cinq ans seulement, et pourtant, il lui semblait que ça faisait une éternité tant les choses avaient changé. Elle s'était mariée à dix-neuf ans, était partie avec son mari, Jamie Byrne, pour Dublin, où il avait trouvé du travail en usine. Ils vivaient dans un petit appartement près du fleuve, un petit deux pièces plein de courants d'air avec une fenêtre sale qui donnait sur un autre logement. Qu'il était loin le cottage de sa grand-mère !

Au début, elle aurait bien pu vivre n'importe où, dans n'importe quoi — un trou dans le sol avec des piquets pour soutenir le toit —, tant Jamie et elle étaient heureux d'être ensemble. Malgré les troubles qui agitaient le pays et bien que Dublin fût au centre de l'agitation, ils avaient prêté peu d'attention à la vie politique irlandaise.

Mais, peu à peu, la grogne avait gagné Jamie. Il avait beau se tuer au travail, sa paie leur permettait tout juste d'acheter de quoi vivre. Bientôt, gagné par la frustration, il avait passé ses soirées dans les pubs au lieu de rentrer à la maison.

Rose avait trouvé du travail à faire chez elle comme blanchisseuse et couturière pour un riche commerçant irlandais et sa famille. Quand elle avait découvert qu'elle était enceinte, après six mois de mariage, Jamie et elle s'étaient réjouis de la future naissance de leur premier enfant. Un moment de trêve.

Hélas ! le bébé était mort-né, un mois à peine avant la date prévue de la naissance, et quelques mois plus tard Rose avait fait une fausse couche.

Quand elle s'était de nouveau trouvée enceinte, elle avait supplié Jamie de la ramener à Wexford où sa grand-mère Patrick lui avait légué le petit cottage en héritage. Là-bas, elle respirerait de l'air pur et ses chances de mener sa grossesse à terme seraient plus grandes ! suppliait-elle. Mais Jamie était déjà engagé dans la lutte pour la libération de l'Irlande, dans une révolution fomentée depuis des années dans les pubs et les usines et qui couvait dans l'Irlande tout entière. Il avait refusé net de partir.

Lutter, c'était son devoir envers leur enfant mort-né, avait-il affirmé. Il voulait que ses enfants grandissent dans une Irlande libre, une Irlande qui leur offrirait de meilleures conditions de vie que l'Irlande d'aujourd'hui. Rose écoutait, effrayée à la pensée de mettre un enfant au monde dans ce climat de guerre civile et, alors que son terme approchait, elle assistait impuissante à l'escalade du conflit dans lequel son mari prenait quotidiennement des risques qui mettaient ses jours en danger.

Jamie avait juré allégeance à l'IRA, déterminé qu'il était à obtenir l'indépendance de l'Irlande, qu'il voulait une et indivisible du nord au sud, de l'est à l'ouest. Une République unifiée et libre. Mais les combattants de l'Etat libre, les Free Staters, qui souhaitaient laisser les comtés du nord, l'Ulster, signer un traité avec la Grande-Bretagne, l'avaient emporté.

Son engagement dans une cause perdue avait fini par lui coûter la vie. Jamie Byrne, mari de Rose Catherine Doyle, avait été tué en octobre 1921 alors qu'avec trois autres républicains ils étaient en embuscade au bord d'une route à la sortie de Dublin. Il avait été enterré par le gouvernement dans une fosse commune. A la sauvette.

Une quinte de toux lui déchira la poitrine et l'enfant blotti contre elle, ses grands yeux bleus rivés sur elle, gigota sous la couverture de laine mouillée.

— Ne t'inquiète pas, la rassura Rose. On va trouver un endroit pour vivre où il y aura un bon feu pour nous réchauffer et un vrai toit pour nous protéger de la pluie. On mangera chaud et, tu verras, bientôt j'irai beaucoup mieux.

— Dors, maman, murmura Mary Grace en tendant sa petite main pour caresser la joue de sa mère.

Rose remonta la couverture sur le nez de l'enfant puis regarda ses ongles. Ils étaient sales. A force de traîner dans l'eau boueuse, son jupon blanc était devenu tout gris. Et ses cheveux, d'un beau roux flamboyant autrefois, étaient maintenant ternes et sales.

Mary Grace Byrne était née une semaine après le meurtre de Jamie. Cela faisait trois ans. Rose avait presque souhaité que les anges la prennent elle aussi. Ils lui avaient ravi tellement de gens qu'elle aimait — sa mère, son frère, sa grand-mère et Jamie, l'amour de sa vie. Bien qu'elle soit née avec un mois d'avance, Mary Grace avait hérité des cheveux noirs de son père, de sa nature indomptable et de sa belle santé.

Pendant un certain temps, elles avaient vécu sur l'héritage, et grâce à l'argent que lui rapportaient le lavoir et la couture. Rose avait essayé de trouver du travail dans une usine mais sa santé ne lui permettait pas de travailler de longues heures. L'argent avait eu tôt fait de fondre et le propriétaire avait donné des signes d'impatience. Elle avait été contrainte de vendre la machine à coudre que sa grand-mère lui avait donnée en cadeau de mariage. Avec cette vente, tout espoir de faire entrer de l'argent s'était définitivement évanoui.

Il y a trois mois, Mary Grace et elle, expulsées de leur logement pour ne pas avoir acquitté leur loyer, s'étaient retrouvées à la rue. Maintenant, elle devait faire les poubelles pour trouver quelque chose à manger. Elles avaient ainsi rejoint les rangs des pauvres et des indigents qui vivaient de ce que les rues de Dublin pouvaient leur offrir. Elle savait se cacher durant le jour et sortir la nuit en évitant les autorités qui l'auraient sans doute emmenée de force dans un refuge et lui auraient enlevé sa fille. Il arrivait parfois qu'un passant pris de pitié lui lance une pièce, assez pour acheter un peu de pain et de lait pour Mary Grace.

Elle commença à fredonner une chanson, une comptine qu'elle se rappelait de son enfance, tout en berçant sa fille sur son cœur. Si seulement elle avait pu avoir une famille vers qui se tourner !, se dit-elle. Ses parents avaient disparu. Sa mère était morte en donnant naissance au plus jeune de ses frères. Son père l'avait alors confiée aux bons soins de la mère de Brigitte, Elisabeth Patrick, et il était parti sans dire un mot sur sa destination ni sur ses intentions de retour. C'est tout juste si Rose se souvenait de lui. Mais quand elle était tombée amoureuse de Jamie, elle avait pensé qu'elle avait rencontré l'homme qui saurait la protéger durant toute sa vie. Comment avait-elle pu être aussi naïve ?

Rose se mit à trembler et serra sa fille plus fort contre elle. Allaient-elles pouvoir vivre encore longtemps dans ces conditions ? Pouvait-on survivre en vivant comme des rats ?

L'hiver était déjà là ou presque et il commençait à faire vraiment froid. Elle n'avait pas mangé depuis trois jours et, si elle ne sortait pas et ne trouvait pas de nourriture pour elles deux, elle serait dans l'obligation de prendre très vite une décision. Mourir avec son enfant et rejoindre sa famille au ciel — ou bien abandonner la petite fille sur les marches de l'orphelinat Saint-Vincent. Les sœurs prendraient certainement grand soin d'une aussi jolie petite chose.

Elle posa les lèvres sur le front lisse de Mary Grace puis lui passa la main dans les cheveux.

— Tu es une petite fille solide, n'est-ce pas ? Tu viens d'une longue lignée de femmes fortes. On est encore jeunes, nous deux. On va se débrouiller, je le jure sur ce que j'ai de plus sacré.

Rose fouilla dans le ballot qu'elle trimbalait et qui représentait toute sa fortune et tous ses biens. Oui, toute sa vie était contenue dans ce misérable morceau de lainage en loques. Elle en sortit un petit livre relié de cuir et, avec soin, en feuilleta les pages écrites d'une écriture soignée. Sa famille n'avait pas possédé grand-chose. Pas d'héritage digne de ce nom à faire passer. Mais sa grand-mère lui avait légué le journal intime de Jane McClary dans lequel elle relatait les horribles années de famine due à la mauvaise récolte de pommes de terre.

Il avait toujours été confié à l'aînée des filles de la famille et, quand Rose s'était mariée, sa grand-mère le lui avait donné, des larmes plein les yeux.

— C'est à toi de continuer cette histoire, dorénavant, avait-elle murmuré. C'était ce que j'avais de plus précieux. Je l'ai donné à ta mère le jour de son mariage, et maintenant il est à toi.

Ça n'irait pas chercher bien loin, se dit Rose, songeuse. Si seulement cela avait pu être une broche ou un bracelet, elle aurait pu le vendre et en tirer quelques sous pour acheter à manger. Mais la génération précédente aussi aurait pu faire la même chose — et alors il n'y aurait plus eu d'héritage à transmettre. Mais, d'une certaine façon, Rose savait que c'était ainsi que les choses devaient se passer, que les mots de Jane McClary avaient été écrits spécialement pour elle... pour lui donner l'énergie, la force, le courage de rester en vie quand tout espoir semblait perdu.

Elle ouvrit une page au hasard et tourna le livre en direction de la lumière du jour. Avec le journal intime était venue l'instruction. Jane avait appris à sa propre fille à lire et à écrire, et la grand-mère de Rose, Elisabeth, avait enseigné à la mère de Rose, Brigitte. Et quand le temps serait venu, Rose enseignerait à sa propre fille, Mary Grace, et cette dernière saurait qu'elle était issue d'une longue lignée de femmes courageuses, indépendantes et obstinées.

« 10 août 1845
» Michael est parti. En direction de Liverpool, d'abord, d'où il embarquera pour Boston en Amérique. J'ai essayé de faire bonne figure avant son départ mais mon cœur était complètement à l'envers. Le bébé qui grandit en moi a dû le sentir. Il y a des rumeurs de catastrophe sur la récolte de pommes de terre mais ici tout semble aller bien. Michael trouvera du travail quand il débarquera et il m'enverra de l'argent pour moi et notre enfant. Je prie pour que la traversée se passe sans souci et que vienne vite le jour où nous nous retrouverons. »

Depuis qu'on le lui avait confié, Rose avait lu et relu le journal intime. Et aux heures les plus sombres, il lui avait redonné courage et espérance. Jane avait connu la famine et, pour que sa fille Elisabeth survive, elle avait bien failli mourir de faim. Elisabeth avait survécu et donné naissance à sept enfants dont Brigitte, la mère de Rose, et ensuite elle avait élevé Rose. Elisabeth Byrne Patrick avait vécu jusqu'à l'âge de soixante-quinze ans et était morte dans son sommeil six mois avant la naissance de Mary Grace.

Tous ses enfants en vie étaient depuis longtemps partis pour l'Amérique et il n'était resté qu'un seul héritier pour la pleurer, Rose. Vivrait-elle aussi longtemps que sa grand-mère ? Trouverait-elle à se remarier et donnerait-elle à sa fille des frères et des sœurs avec qui jouer ? Ou quitterait-elle cette terre comme l'avait fait sa mère, toute jeune, sans faire de bruit, en ayant à peine vécu ?

Rose repoussa la couverture de laine et passa la main sous la chemise de sa fille, taillée dans un vilain tissu rêche. Elle en sortit une petite médaille en or et regarda les mots écrits en gaélique sur le pourtour.

— *L'amour triomphera*, murmura-t-elle.

Jamie lui avait donné le médaillon en cadeau de mariage, il avait le même, c'était elle qui le portait aujourd'hui autour de son cou. En vendant l'or, elle pourrait tenir encore une semaine, peut-être deux. Demain, elle trouverait un endroit où vendre les deux médailles.

Elle ferma les yeux puis, lentement, se laissa glisser contre le mur de pierres rugueuses jusqu'à ce qu'elle se retrouve assise avec Mary Grace blottie sur ses genoux. Tirant la couverture sur leurs têtes, elle ferma les yeux et laissa le sommeil l'emporter dans un monde où les soucis n'existaient plus.

L'amour triompherait.

L'amour qu'elle avait pour sa fille était si fort qu'il ne pouvait pas compter pour rien.

*
* *

19

Lady Geneva Porter monta lentement les marches de la cathédrale de Notre-Seigneur-Jésus-Christ. Elle se faisait un devoir de se rendre à la cathédrale chaque fois qu'elle venait à Dublin, pour tenter de trouver un certain réconfort au contact de la grandeur de l'architecture gothique et de la beauté des vitraux. Même en un jour lugubre comme aujourd'hui, elle y trouvait chaleur et lumière.

C'était toujours la même raison qui l'attirait ici. Sa mère lui avait dit, un jour, que les prières que l'on récitait dans une cathédrale montaient plus vite au ciel que celles que l'on disait dans une église ordinaire. Elle ne savait pas si c'était vrai mais elle l'espérait. Elle plongea la main dans la poche de son manteau et caressa la couverture de la bible qu'elle avait emportée avec elle, puis elle tendit la main à Edward.

Son fils n'était plus près d'elle aussi Geneva se retourna-t-elle pour chercher le petit garçon. Il s'était approché d'un gros pilier et, du haut de ses sept ans, regardait un tas d'oripeaux, oubliés dans un coin.

— Edward, viens ici.

— Qu'est-ce que c'est, maman ?

— Edward ! Ne reste pas là ! Ce sont sûrement de vieux chiffons qui ont été déposés là pour les œuvres de charité. Viens !

Alors qu'elle attendait qu'il revienne, elle le vit donner un petit coup de pied dans la pile de haillons. Horrifiée, elle eut un mouvement de recul : ça avait bougé ! Edward recula lui aussi et elle se précipita pour le prendre par la main.

— Je t'ai dit de venir. Obéis !

— Maman ! Il y a quelqu'un dessous !

Elle l'entraîna vers la porte de l'église mais un cri d'enfant l'arrêta, un cri familier, obsédant.

— Lottie? murmura-t-elle, serrant la main sur son cœur.

Geneva se retourna et, lentement, s'avança vers l'endroit d'où semblait provenir le bruit. Comment avait-on pu oublier un enfant là, au milieu de bouts de tissu? Ces Irlandais, décidément, n'avaient aucun sens des responsabilités, pensa Geneva, en colère. Mais quand, arrivée devant le tas de loques, elle se rendit compte que, dessous, étaient cachés une femme et un enfant, elle se figea.

— Vous croyez qu'elle est morte, maman? demanda Edward, agrippé au bras de sa mère.

Geneva s'agenouilla et souleva la couverture dégoûtante que la femme avait sur la tête et qui lui cachait complètement le visage. La repoussant un peu plus, elle découvrit l'enfant qui était blotti sur les genoux de la femme et qui geignait. C'était une fille au visage barbouillé de crasse et de larmes.

L'enfant tourna ses immenses yeux bleus vers Geneva et lui fit un sourire tout mouillé de pleurs.

— Maman?

Geneva crut que la vie la quittait. Sur le point de défaillir, elle fit un effort pour se ressaisir. Une minute et son cœur recommença à battre normalement. Elle tendit la main vers la petite fille et la toucha.

— Edward, va vite chercher Farrell. Dis-lui d'approcher la voiture.

— Pourquoi?

— Fais ce que je te dis, gronda Geneva.

Elle ôta les cheveux des yeux de la femme et fut frappée par son jeune âge… et sa pâleur.

— Bonjour, murmura-t-elle. Est-ce que vous m'entendez?

La femme remua un peu. Comme aveuglée, elle battit des paupières.

— Mon enfant..., murmura l'inconnue. S'il vous plaît, occupez-vous de ma petite fille.

En tremblant, elle essaya de tendre l'enfant à Geneva.

— Prenez soin d'elle. Je vous en prie.

Geneva attrapa l'enfant et, doucement, la mit debout par terre. Comparée à la mère, l'enfant semblait en assez bonne santé sous la suie et la crasse qui lui barbouillaient le visage. Vu sa taille, elle devait avoir entre deux et trois ans, estima Geneva. Mais ce n'était pas sûr. Les petits Irlandais, élevés dans la pauvreté et la misère, étaient souvent plus petits que ceux qui grandissaient dans le confort d'une bonne maison anglaise.

Des qu'elle fut debout, la petite fille cessa de geindre. Elle tendit les bras à Geneva et se blottit dans ses jupes.

— Maman, dit-elle avec un petit gargouillis. On va à la maison, maman. Maintenant.

— Charlotte? susurra Geneva.

Se rappelant la première fois qu'elle avait tenu la main de sa propre fille, toute rouge et toute fripée, ses yeux se noyèrent de larmes. Quelle émotion quand le médecin leur avait annoncé que c'était le premier bébé Porter à naître en excellente santé!

Geneva releva le menton de la petite fille et la dévisagea avec attention.

— Tu es Charlotte, n'est-ce pas? dit-elle, la voix tremblante. Tu m'as appelée et je suis venue aussitôt. Je savais bien que je te retrouverais.

Elle serra la petite fille contre elle avec tellement de passion que l'enfant poussa un petit cri de surprise.

— Je n'ai jamais arrêté de te chercher. Jamais. Je vais te ramener à la maison, Charlotte.

Sentant une main sur son épaule, Geneva se retourna. Edward se tenait derrière elle.

— Maman, vous allez bien?

Geneva sécha les larmes qui coulaient sur ses joues et esquissa un sourire.

— Bien sûr, mon chéri. As-tu trouvé Farrell?

Edward opina. Quelques instants plus tard, Farrell, vêtu d'une livrée impeccablement repassée, les rejoignait.

— Aidez-moi, ordonna Geneva. Farrell, il faut immédiatement faire asseoir cette femme dans la voiture.

— Lady Porter, je vous demande pardon mais ce que vous demandez ne me paraît…

— Farrell, vous avez entendu ce que j'ai dit. Nous allons emmener cette pauvre malheureuse et sa fille à la maison et vous allez m'aider. Ou je conduirai l'automobile moi-même. Maintenant, aidez-la à se relever.

En grommelant, Farrell lui tendit la main pour l'aider à se mettre debout. Comme ses genoux s'entrechoquaient, il grommela de plus belle et, l'insultant tout bas, la prit dans ses bras et la porta jusqu'à l'automobile.

— Je prends ses affaires, dit Edward.

— Ne sois pas stupide, dit Geneva. Elle n'a certainement rien de valeur.

Mais son fils ne l'écouta pas. Il ramassa la couverture et un petit ballot. Un livre s'en échappa et tomba à terre. Il se pencha pour le ramasser et le mit sous sa veste.

— Maman, elle a un livre.

Le garçon grimpa sur le siège avant de la voiture tandis

que Farrell aidait Geneva et la femme à monter à l'arrière. Geneva prit la petite fille sur ses genoux et l'enveloppa dans sa grande cape dans l'espoir de réchauffer son petit corps contre le sien. Mais elle ne pouvait pas grand-chose pour la jeune femme. On avait l'impression, à la regarder, qu'elle était à moitié morte de faim. Et Dieu seul sait de quelle méchante fièvre elle pouvait souffrir.

Geneva avait été très tentée de l'abandonner là, pour mettre la petite fille à l'abri d'abord, et de revenir ensuite s'occuper de la mère. Mais cela n'aurait pas été très chrétien et Geneva se glorifiait d'adhérer au strict minimum qu'imposait une bonne conduite morale.

Farrell mit le véhicule en marche et prit en direction de la sortie ouest de Dublin.

— Je vous prie de conduire vite, dit Geneva. Mais pas trop vite cependant car le vent est mordant à l'arrière.

Elle rajusta l'épingle de son chapeau puis s'entoura le cou des deux pans de son voile. Ils avaient au moins trente bonnes minutes de route jusqu'à Porter Hall.

— Donne-moi le plaid, Edward, ordonna-t-elle.

A genoux sur le siège, le garçon fit passer la lourde couverture de fourrure par-dessus le dossier. D'un geste maladroit, Geneva en entoura la jeune femme.

— Comment vous appelez-vous? lui demanda-t-elle en la secouant légèrement pour la réveiller.

La femme gémit puis regarda Geneva de ses yeux ternes.

— Où suis-je?

— Comment vous appelez-vous? répéta Geneva.

— Rose, dit-elle. Rose Byrne.

— Et l'enfant?

— Elle s'appelle…

Une quinte de toux l'interrompit. Elle remonta le plaid de fourrure sur sa bouche. Quand elle recouvra sa voix, elle soupira doucement et ferma de nouveau les yeux.

— Elle s'appelle Mary Grace.

Geneva regarda l'enfant qu'elle tenait sur les genoux. Mary était un prénom très commun chez les Irlandais. Une petite fille sur deux dans le pays se prénommait Mary. Mais Grace était un nom prédestiné pour une petite fille trouvée dans une église.

— Grace, murmura Geneva.

Elle tapota la joue de la petite fille.

— Tu es gracieuse.

Le reste de la route passa relativement vite. Rose dormit tout le temps tandis qu'Edward, tourné vers l'arrière, le menton posé sur le dossier de son siège, regardait le spectacle qu'il avait sous les yeux.

— Qu'allons-nous faire de cette fille ? demanda-t-il.

— Elle s'appelle Mary Grace, et sa mère, Rose. Je pense que nous allons nous occuper de toutes les deux jusqu'à ce qu'elles aillent bien, ensuite nous les laisserons repartir. C'est un acte de charité d'aider ceux qui sont moins favorisés que nous dans la vie, Edward, et ceci est une leçon que tu ferais bien de retenir. Ce n'est pas par hasard que nous sommes allés dans cette église aujourd'hui. Il y avait une raison. C'est la volonté de Dieu qui nous y a conduits.

Quand ils arrivèrent à Porter Hall, Geneva donna l'ordre au chauffeur de s'arrêter devant la porte de la cuisine. Farrell porta Rose jusque dans la maison tandis que Geneva et Edward les suivaient, assez loin derrière, la petite fille entre eux deux. Quand ils virent le curieux équipage entrer, les deux domestiques et Cook, la cuisinière, restèrent sans voix. Mais Geneva n'était pas d'humeur à se répandre en explications interminables.

— Faites chauffer de la soupe, ordonna-t-elle. Farrell, montez Rose au deuxième étage et mettez-la dans la chambre jaune, en face de mes appartements. Betsy, fais chauffer de l'eau. Il faut les débarbouiller toutes les deux. Je veux que l'on m'apporte des couvertures et une robe de chambre propre. Il faut les nourrir toutes les deux aussi, peut-être du lait chaud et du porridge pour commencer.

Les domestiques la dévisagèrent, l'air de se demander s'ils devaient ou non exécuter ses ordres. Geneva le remarqua et les maudit tout bas.

— Ne restez pas comme cela à me regarder la bouche ouverte. Faites ce que je vous dis. Tout de suite.

Sur ces mots, elle prit la petite fille dans ses bras, la cala sur sa hanche et se dirigea vers l'escalier du fond, celui qui menait aux appartements du deuxième étage. Farrell avait déjà installé Rose dans la chambre jaune. Geneva déposa la petite fille au pied du lit.

— Dois-je aller chercher lord Porter ? s'enquit Farrell. Monsieur est à l'usine, aujourd'hui.

— En quoi pourrait-il nous aider ? rétorqua Geneva. Allez plutôt quérir le médecin, cela nous sera plus utile. J'informerai moi-même lord Porter de ce qui s'est passé, quand il rentrera.

Geneva s'agaça. Depuis le décès de Charlotte, trois ans plus tôt, et la dépression nerveuse qui s'était ensuivie, les domestiques épiaient ses moindres faits et gestes. Elle soupçonnait d'ailleurs qu'ils avaient reçu l'ordre de la surveiller et d'informer son mari de toute activité ou de tout comportement qui leur paraîtrait suspect. Ils ne lui en devaient pas moins le respect. Mais en définitive c'était tout de même lord Porter qui leur payait leurs gages. Ce rebondissement allait à coup sûr jeter un doute sur sa santé mentale. Mais Geneva avait déjà commencé à réfléchir à un plan qui lui permettrait de garder Rose et sa fille à Porter Hall. Une fois que la jeune femme aurait recouvré ses forces, on lui offrirait un travail. Il y avait un va-et-vient incessant de domestiques aux cuisines. Elle pourrait commencer là et faire son chemin. Et puis, quand l'enfant serait plus grande, elle pourrait à son tour assurer quelques menus travaux.

Geneva dévisagea la petite fille et se demanda comment une enfant d'aussi basse extraction pouvait être aussi jolie. Peut-être Geneva pourrait-elle la prendre sous son aile et l'élever comme sa propre fille ? Charlotte commençait à apprécier la belle musique et la peinture quand les anges étaient venus la lui ravir.

Le médium que Geneva avait consulté à Londres, un mois plus tôt, l'avait assurée que Charlotte reviendrait, que son esprit se manifesterait à elle avant le troisième anniversaire de sa mort. Et voilà qu'elle réapparaissait sous les traits de cette ravissante petite fille. Une véritable renaissance à laquelle Geneva osait à peine croire. Et pourtant, c'était vrai. Tous les signes étaient là, exactement comme le médium l'avait annoncé.

Elle examina l'enfant avec plus d'attention. La petite fille ne portait qu'une chemise en tissu grossier et des haillons en guise de sous-vêtements. Elle les lui retira, l'examina, vérifia qu'elle avait bien cinq doigts à chaque main et tous ses orteils.

— C'est bien, dit-elle. Tu n'as pas l'air en trop piteux

état pour quelqu'un qui commence de si horrible façon ses débuts dans la vie.

La petite fille la regarda sans rien dire. Elle était de petite taille, certes, mais pas gringalette. Ses bras et ses jambes n'étaient pas maigrichons.

— Tu es une jolie petite créature, tu sais.

Elle l'enveloppa dans une couverture puis la prit dans ses bras et la porta jusqu'au feu qui flambait derrière la grille en fonte.

— Qu'est-ce que c'est que ça ?

Geneva regarda par-dessus son épaule. C'était son aîné, Malcolm, dix ans, qui venait d'entrer.

— C'est une enfant, dit-elle d'un ton joyeux.

— Pas ça, grogna-t-il d'une voix sèche.

Du doigt, il montra le lit où Rose était étendue.

— Ça ! Père sera furieux quand il verra ce que vous avez ramené à la maison. Cette misérable pouilleuse devrait retourner dans le caniveau avec les rats, les poux et tous ces sales Irlandais. C'est sa place. Et elle n'a qu'à ramener avec elle son affreuse petite Irlandaise.

Comment avait-elle pu donner naissance à deux enfants aussi différents que Malcolm et Edward ? se demanda Geneva. Edward était tendre et gentil alors que Malcolm était tout le contraire, méprisant et hargneux. Edward avait hérité la sensibilité de Geneva tandis que Malcolm avait pris la froideur et la brutalité de son père, homme qui n'avait jamais cessé de se prévaloir de ses privilèges.

— La Bible nous dit d'être charitable envers ceux qui ont moins de chance que nous, murmura Geneva en embrassant le front de l'enfant.

Malcolm se renfrogna un peu plus.

— Comment appelez-vous ça, mère ? La charité ? Vous

ne seriez pas plutôt en train d'essayer de remplacer encore une fois votre Charlotte ? La dernière fois ça n'a pas marché et ça ne marchera pas non plus cette fois-ci.

— Personne ne pourra jamais remplacer ta sœur, Malcolm, dit Geneva.

Il était évident que Malcolm était parfaitement au courant de l'événement qui avait nécessité son hospitalisation six mois après le décès de Charlotte. Au départ, elle n'avait pas eu l'intention d'enlever la petite fille qu'elle avait croisée dans le parc ; mais celle-ci ressemblait tant à Charlotte que Geneva en avait été très troublée. Quand elles étaient arrivées à la maison, les autorités avaient aussitôt été appelées et de l'argent avait été versé aux parents de l'enfant pour que l'affaire ne soit pas ébruitée. M. Porter avait acheté leur silence.

— Elle est morte ! hurla Malcolm. Elle ne reviendra jamais et c'est votre faute. Papa vous avait dit de ne pas l'emmener avec vous à Londres. Il vous avait dit qu'il y avait une épidémie là-bas. Mais vous n'écoutez jamais rien. C'est à cause de vous si elle est morte.

Il se précipita sur Geneva, attrapa le pied de la petite fille et le tordit.

— Aïe ! cria-t-elle. Méchant !

— Il n'y avait que Charlotte qui m'aimait dans cette famille et elle est morte à cause de vous !

Submergée par l'émotion, Geneva se tourna vers son fils et le gifla. Ce qu'il venait de lui lancer au visage, elle se le répétait à longueur de journée depuis trois ans. C'était sa faute. Elle avait tué Charlotte. Il ne se serait rien passé si elles étaient restées en Irlande ; mais il y avait une nouvelle exposition à la National Gallery à Londres et elle était certaine que Charlotte serait très intéressée. Alors, elles étaient parties toutes les deux.

— Je suis ta mère et je t'interdis de me parler encore une fois sur ce ton.

Malcolm pouffa de rire.

— Ça ne sera pas une grosse perte, mère. Vous êtes complètement folle et vous ne comprenez pas la moitié de ce qu'on dit dans cette maison.

Il sortit de la pièce comme une fusée, bousculant au passage Edward qui se tenait près de la porte.

Blessée, les lèvres frémissantes, Geneva adressa un pauvre sourire à son cadet qui le lui retourna aussitôt. Il se jeta alors dans les bras de sa mère.

— Ne l'écoutez pas, maman. Je trouve que vous avez bien fait de ramener la pauvre dame et sa petite fille à la maison. On va les soigner toutes les deux. Elles iront beaucoup mieux, bientôt.

— Oui, Edward, nous allons bien nous occuper d'elles, répondit Geneva. Maintenant, va vite voir si tu trouves la servante de maman. Dépêche-toi. Tu lui demanderas d'aller dans la lingerie et de chercher dans le coffre les anciennes chemises de nuit de Charlotte. Je crois que j'en ai gardé quelques-unes pour mes petits-enfants plus tard.

— Je vais y aller moi-même, proposa Edward.

Geneva n'avait qu'un allié dans la maison, c'était Edward. Il avait toujours fait de son mieux pour la rendre heureuse, pour divertir son esprit des sombres pensées qui semblaient l'accabler chaque jour. A l'occasion, il n'hésitait pas à intervenir entre son mari et son fils aîné. Malgré son jeune âge, sept ans tout juste, il était très raisonnable et savait exactement comment s'y prendre pour obtenir ce qu'il voulait. Ce n'était, en général, qu'un moyen de rendre le sourire à sa mère.

— Tu es un gentil garçon, murmura-t-elle en le regardant quitter la chambre. Et je t'aimerai toujours de tout mon cœur.

2

— Il est temps de vous réveiller.

Rose ouvrit les yeux et, reprenant pied dans la réalité, chercha du regard d'où provenait la voix. Etait-ce Mary Grace qui lui parlait? Mary Grace n'avait pas encore appris à aligner beaucoup de mots ensemble. Et elle ne parlait pas avec l'accent anglais. Etait-elle morte et montée au ciel? Etait-ce la voix d'un ange qu'elle entendait?

— Ouvrez les yeux, murmura l'enfant.

Elle sentit des doigts sur son visage, des caresses, et décida de faire ce qu'on lui demandait. Elle battit plusieurs fois des paupières et vit devant elle le visage d'un jeune garçon aux jolis yeux noisette bordés de longs cils noirs. Elle ouvrit la bouche pour parler mais aucun son ne sortit.

— Voulez-vous un verre d'eau?

Oui, fit Rose de la tête. Il approcha de ses lèvres un verre de cristal taillé et la fit boire. Elle sentit le liquide couler dans sa gorge. C'était frais et cela lui fit du bien car elle avait les lèvres et la langue sèches. Quand elle eut assez bu, elle retomba en arrière contre les oreillers de plume.

— Ma fille? murmura-t-elle. Où est-elle? Va-t-elle bien?

Le petit garçon opina.

— Maman l'a mise au lit dans la chambre d'enfant.

— Elle est vivante ? demanda Rose.

Le garçon fronça les sourcils et fit oui de la tête.

— Maman était en train de lui donner à manger quand elle s'est endormie. Elle a avalé un petit bol de porridge et son ventre a gonflé. Il est devenu énorme.

Il posa ses deux mains sur son ventre.

Rose ferma les yeux et sourit. Mary Grace était vivante et elle aussi. Sans qu'elle sache comment elle se retrouvait dans une très belle chambre, dans un lit confortable, et un petit garçon la veillait. Et on avait nourri sa fille. Tout se terminait bien. Dieu avait fini par exaucer ses prières.

— Il y a de la nourriture là, dit-il. Voulez-vous quelque chose à manger ?

— Oui, répondit Rose.

Elle essaya de s'asseoir mais prit conscience qu'elle était faible. Sa tête tournait et ses bras n'étaient même pas assez forts pour la soutenir. Le petit garçon prit un oreiller qu'il coinça derrière son dos et posa un plateau près d'elle sur le lit.

— Le porridge est froid. Le thé aussi. Mais il y a du pain et du beurre et le reste de jambon qu'on nous a servi ce soir au dîner. Je vais aller vous chercher quelque chose à boire. Ça vous convient comme ça ?

— Reste avec moi un instant, dit Rose. Dis-moi qui tu es et où je suis. D'abord, comment suis-je arrivée ici ?

Le garçon s'assit au bord du lit.

— Je m'appelle Edward Porter. J'ai sept ans. Mon père est lord Henry Porter et ma mère est Geneva. J'ai un frère qui se nomme Malcolm.

Il balaya la chambre des yeux.

— Ici, c'est chez moi. La maison s'appelle Porter Hall.

Ma sœur Charlotte habitait ici aussi mais elle a eu la fièvre et elle est morte. Elle est au ciel, maintenant.

— Je suis désolée, dit Rose.

Il haussa les épaules.

— Tout le monde répond ça.

— Elle te manque?

— Oh oui, beaucoup. Mais maman dit qu'elle est au ciel avec les anges et qu'elle nous regarde. Quelquefois, la nuit, elle vient dans ma chambre et elle me parle.

Rose grignota le pain. Miette après miette, elle sentit bientôt qu'elle avait l'estomac plein.

— Comment suis-je arrivée ici?

— Nous vous avons trouvée à l'église, expliqua Edward. Nous vous avons installée dans l'automobile et ramenée à la maison.

— Je suis ici depuis longtemps?

Il hocha la tête.

— C'était ce matin et maintenant c'est le soir. Papa va bientôt rentrer et il sera très fâché contre maman. Malcolm dit qu'il va vous envoyer à l'hospice. Mais vous ne devez pas avoir peur.

Rose repoussa le plateau, se glissa hors des couvertures et jeta les jambes sur le côté du lit. Elle se regarda et vit — oh! surprise! — qu'elle portait une chemise de nuit de dentelle et que ses pieds et ses mains étaient propres.

— Il va falloir que je parte, alors, dit-elle. Tu veux bien m'aider à trouver mes vêtements ?

— Non, protesta Edward. Vous devez rester. Maman va tout arranger, vous verrez.

— Que se passe-t-il, ici?

Une femme élégante dans une très belle robe d'après-midi fit son entrée dans la chambre. Ses cheveux blond cendré étaient tirés en arrière en un joli chignon. Elle avait un ravissant visage et les traits fins et délicats. Rose se souvenait vaguement de sa voix. Ça devait être la mère du petit garçon... Son sauveur, en somme.

— Recouchez-vous, ordonna la dame d'une voix distinguée et dénuée d'accent.

« Une aristocrate », pensa Rose.

— Vous voyez bien que vous êtes beaucoup trop faible pour vous promener dans la chambre. Edward, je croyais t'avoir demandé de veiller sur notre invitée.

— C'est ma maman, dit Edward à Rose.

De nouveau, Rose tenta de se lever mais ses jambes étaient vraiment très faibles et ses genoux s'entrechoquaient. Etourdie par l'effort, elle se rassit au bord du lit. Elle avait la tête qui tournait.

— Merci beaucoup pour votre gentillesse, madame. Mais je ne veux pas vous déranger plus longtemps, votre famille et vous.

La dame fronça les sourcils. Elle croisa les bras.

— Vous avez de l'éducation, dit-elle. Vous ne parlez pas comme une petite Irlandaise ordinaire.

— Je sais lire et écrire, dit Rose. Ma grand-mère me l'a appris quand j'avais six ans, pour que je puisse...

Rose s'arrêta et fit le tour de la pièce des yeux. Un vent de panique la secoua brusquement.

— Où sont mes affaires ? Il faut que je les trouve !

Elle essaya de se lever mais Edward se précipita vers elle et lui tendit le petit livre relié de cuir.

— C'est ça que vous voulez ? demanda-t-il. Je l'avais mis dans ma poche pour être sûr qu'il ne soit pas perdu.

Rose prit le petit journal et le serra sur sa poitrine.

— Oui, murmura-t-elle. Merci. Ça aurait été affreux si je l'avais égaré.

Elle soupira.

— Je voudrais voir ma fille. Pouvez-vous m'emmener la voir, madame ?

— Appelez-moi lady Porter, dit la femme. Mais avant d'y aller, j'aimerais que nous parlions, vous et moi. Mon mari ne va plus tarder à rentrer et nous devons nous mettre d'accord sur l'histoire que nous allons lui raconter. Avez-vous déjà travaillé dans une maison comme celle-ci ?

Rose hocha la tête.

— Non, mais à mon arrivée à Dublin, j'ai travaillé pour une famille irlandaise fortunée. Les Dunleavy. M. Dunleavy a un magasin de tissus et articles de bonneterie.

— Et que faisiez-vous pour eux ?

— Je m'occupais du linge. J'étais blanchisseuse. Je faisais aussi la couture pour Mme Dunleavy et ses filles. Je cousais leurs chemises de nuit et je raccommodais leurs vêtements. Je suis très bonne en couture et je sais me servir d'une machine à coudre. C'est ma grand-mère qui m'a appris. Si on me donne un patron, je peux faire n'importe quelle robe. Et puis je brode aussi.

Elle montra du doigt le plastron de lady Porter.

— Comme ça.

— C'est parfait. Quand vous serez remise du calvaire que vous venez de subir, vous travaillerez pour moi comme blanchisseuse et couturière. De cette façon-là, vous pourrez surveiller votre fille tout en travaillant. Nous trouverons une chambre pour vous au-dessus de la remise des calèches où vous serez… hors de vue.

Interloquée, Rose dévisagea lady Porter. Ce n'était

36

pas possible que la chance lui sourie ainsi, elle devait rêver.

— Oh ! madame, c'est trop aimable à vous ! Vous en avez déjà tellement fait. Vous avez été tellement bonne.

— Pas du tout. Il est de plus en plus difficile de nos jours de trouver du personnel. Or, vous êtes courageuse. A ce que je comprends, le travail ne vous fait pas peur. Vous avez une certaine éducation et cela aussi me plaît. De toute manière, vous ne passeriez pas une semaine de plus dans la rue, nous le savons aussi bien vous que moi. Une chose, cependant : vos gages ne seront pas importants dans la mesure où il faudra que nous entretenions aussi votre fille.

— Je n'ai pas besoin de gages, madame. De quoi manger et un endroit chaud pour dormir suffiront.

— Nous rediscuterons de cela lorsque vous irez mieux. Encore une chose. Et je vous demande d'être tout à fait honnête dans votre réponse. L'enfant. Est-elle née hors des liens du mariage ?

— Oh non ! s'indigna Rose. J'étais mariée. Mon mari était...

Elle s'arrêta. S'ils apprenaient la vérité sur les activités politiques de Jamie, les Porter ne verraient certainement pas d'un bon œil d'avoir à leur service, dans leur maison si britannique, la femme d'un sympathisant de l'IRA.

— Il est mort. Il y a trois ans. Il a eu un accident. Il est tombé d'un toit en aidant un ami à remplacer des tuiles.

Elle se promit de réciter un rosaire pour son mensonge.

— Quelle tragédie ! dit lady Porter. Depuis combien de temps étiez-vous à la rue ?

— Trois mois, dit Rose.

— Vous avez dû faire preuve de beaucoup d'ingéniosité pour survivre si longtemps dans ces conditions. C'est une qualité qui vous sera utile dans cette maison.

Elle tendit la main devant elle.

— Allongez-vous, maintenant, et finissez votre repas. Vous avez besoin d'une bonne nuit de sommeil. Vous verrez Charlotte demain matin.

— Mary Grace, rectifia Rose. Elle s'appelle Mary Grace.

— C'est bien, j'ai entendu. Je suis certaine qu'elle sera contente de revoir sa mère en meilleure condition. Pour l'instant, elle dort et ce serait vraiment dommage de la réveiller.

Lady Porter prit la main d'Edward dans la sienne et se dirigea avec lui vers la porte.

— Viens. Laissons Rose se reposer. Allons voir si Malcolm veut bien se laisser convaincre de se ranger de notre côté avant le retour de son père.

Quand Rose fut seule, elle essaya de nouveau de se lever en s'agrippant au montant du lit. Elle fit quelques pas, puis quelques autres encore et sentit que ses forces lui revenaient. Elle attrapa une petite couverture au pied du lit, s'en entoura les épaules et se glissa hors de la chambre.

Le couloir était faiblement éclairé et calme. Les pieds nus sur l'épais tapis de laine, elle avança sans faire de bruit. A chaque porte elle s'arrêtait et jetait un coup d'œil dans la pièce dans l'espoir de trouver sa fille. Arrivée devant ce qui lui apparut comme une chambre d'enfant, elle entra et, soudainement, réalisa qu'elle n'était pas seule. Lady Porter était assise dans un rocking-chair, près de la fenêtre, Mary Grace dans les bras.

— Comme tu es jolie, ma petite Lottie, roucoulait-elle. Tu es enfin revenue à la maison. Et cette fois, je ne te laisserai pas repartir.

Rose pénétra dans la chambre, prête à corriger l'erreur de la dame. Pourquoi avait-elle tant de mal à retenir le prénom de Mary Grace ? Et pourquoi lady Porter s'ingéniait-elle à lui faire croire que sa fille dormait quand elle était éveillée ? Continuant à observer lady Porter, Rose commença à réaliser que quelque chose n'allait pas chez cette femme. Elle continuait de parler à l'enfant comme si elle avait été beaucoup plus âgée.

A la fin, étreinte par un sentiment dérangeant, Rose retourna dans le couloir. Pour l'instant, elle était obligée d'accepter l'hospitalité des Porter ainsi que le comportement étrange de la maîtresse des lieux. Elle n'avait pas le choix. Les périls qui les guettaient dans les rues de Dublin, Mary Grace et elle, étaient, et de loin, plus grands que les dangers qu'elles risquaient de rencontrer entre les murs de Porter Hall.

— Geneva, tout cela est absurde. Vous ne devez pas ramener à la maison une paysanne irlandaise et son rejeton comme s'il s'agissait d'animaux qu'on ramasse sur la voie publique. Un tel comportement tend à prouver que vous n'êtes pas encore complètement guérie.

Edward se tenait dans le couloir, juste devant la porte de la bibliothèque de son père. Tapi dans l'ombre, il écoutait la conversation de ses parents. Il savait que c'était mal d'écouter aux portes mais c'était la seule façon qu'il avait trouvée pour savoir ce qui se tramait à Porter Hall. Les domestiques en général ne prenaient pas garde à lui dans la mesure où ils pensaient qu'il était trop jeune pour comprendre ce que disaient les adultes. Quant à Malcolm, tellement fier qu'on lui confie des secrets, il les gardait jalousement pour lui, en le narguant.

En fait, il y avait une chose qu'Edward ne comprenait pas du tout — et c'était pour cette raison qu'il continuait d'écouter aux portes. Sa mère avait quelque chose de bizarre mais personne ne lui disait ce que c'était. Après la mort de Charlotte, elle avait été tenue éloignée de la maison. Combien de temps au juste avait-elle été absente ? Il n'aurait su le dire, mais ça avait duré longtemps. S'il fallait encore qu'elle s'en aille, cette fois il voulait qu'on lui explique pourquoi.

— Qu'auriez-vous fait à ma place ? dit-elle. Vous les auriez laissées mourir toutes les deux ? Cette pauvre enfant avait besoin de moi. Pour une fois, je pouvais faire quelque chose.

— Elles sont irlandaises. Dorénavant, elles ont un Etat libre. Elles l'ont voulu, elles n'ont qu'à se débrouiller sans nous maintenant qu'elles l'ont.

— Ne soyez pas ridicule, dit Geneva. La mère était à deux doigts de la mort. Comment vouliez-vous qu'elle s'occupe de cette malheureuse petite fille et de rentrer chez elle ?

— Avez-vous la moindre idée de ce qui se passe hors des murs de cette maison, Geneva ? Avez-vous tenté, ne serait-ce qu'une fois, d'imaginer ce que notre famille a dû affronter tout au long de cette décennie ? Avec les mouvements autonomistes et les soulèvements, avec la guerre civile qui a déchiré le pays, nous avons frôlé la ruine. Et vous avez traversé tout cela sans même vous rendre compte de ce qui se passait autour de vous.

40

— Détrompez-vous, Henry. Je lis les journaux. Je suis parfaitement au courant du climat politique qui règne en Irlande.

— Je suis heureux de vous l'entendre dire. Permettez-moi tout de même de vous expliquer la situation telle qu'elle se présente vraiment. Nous menions une vie agréable ici. Une vie prospère, une vie bénie que mon père s'est félicité que nous puissions continuer de mener quand vous et moi nous sommes mariés. J'ai été heureux de reprendre l'affaire familiale en Irlande. Mais, aujourd'hui, nous vivons ici comme si nous étions... en exil.

— Ce n'est pas juste, Henry.

— Ah non ? Quand les troubles ont commencé, mon père et mon frère n'ont pas hésité à vendre tout ce dont ils pouvaient tirer un bon prix. Ils m'ont laissé les mines et les usines dont ils n'ont pu se débarrasser. « Laissons-les à Henry, murmura-t-il. Ce sera bon pour lui. »

Le père d'Edward se leva et alla se servir un verre de whisky. Il en but une longue gorgée et se retourna vers Geneva.

— Maintenant que ce pays est de nouveau entre les mains des Irlandais, notre propriété vaut ce qu'un imbécile d'Irlandais voudrait bien nous en donner. Nous sommes piégés ici, Geneva. Sans issue possible. A leur merci.

— Le soulèvement a été écrasé. La guerre civile est terminée, dit Geneva. Vous employez des centaines d'ouvriers irlandais qui ne demandent qu'à travailler. Je ne vois pas en quoi nous nous acheminons vers la faillite ou la ruine, Henry.

— J'ai été membre du Parlement, j'ai servi ce pays et maintenant, soudainement, je n'ai plus mon mot à dire sur la façon dont notre gouvernement sert mes intérêts.

Dorénavant, tout est décidé par les Irlandais et leur maudit *Dial Eireann*. Avec ces gens-là à la tête du pays, nous devons nous attendre à une catastrophe économique.

— Irlandais, Britanniques, Etat libre, République, catholiques, protestants, quelle différence cela fait-il ? Nous avons une maison et vous avez un gagne-pain. Nous vivons confortablement. Vous êtes un homme intelligent, tout ce que vous touchez vous réussit. Les temps difficiles sont derrière nous. Nous avons deux fils, nous devons tirer le meilleur de ce qui nous entoure.

Edward pointa le nez dans l'entrebâillement de la porte et vit son père qui fixait son verre.

— Les années difficiles ne font que commencer, Geneva, marmonna-t-il. Aussi longtemps que l'Ulster sera sous contrôle britannique, ce peuple n'aura de cesse d'avoir mis les Anglais dehors. Une nouvelle guerre civile nous guette.

— En ce cas, peut-être est-il temps que nous cessions de nous penser comme Anglais pour nous considérer comme Irlandais. Cela fait bientôt quinze ans que nous traversons toutes les crises qui secouent ce pays. Notre avenir est ici. Nous sommes ici chez nous, nous ne sommes pas des touristes en visite dans ce pays.

— Vous êtes folle, grommela Henry.

Geneva hocha la tête.

— Non, Henry, non…

Sa voix tremblait.

— … je ne suis pas folle. Vous vivez dans un monde de confort et de luxe, vous faites travailler des ouvriers dans vos mines et vos usines et profitez de leur peine tous les jours. Mais vous n'avez jamais un regard pour eux, vous ne les voyez pas. Ce sont des gens bien, Henry.

Ils vivent de rien et essaient de subvenir aux besoins de leurs familles avec des paies qui ne suffiraient même pas à faire vivre une personne, encore moins sept ou huit.

— Vous vivez avec moi dans ce même monde, ma chère, dit-il, à la fois en colère et accusateur. C'est avec mon argent que vous vous achetez ces belles tenues que vous portez. Avec mon argent encore que vous vous offrez vos voyages à Londres et consultez vos médiums et autres diseuses de bonne aventure.

Lady Porter resta sans voix.

— Vous ignoriez que j'étais au courant ? Je sais, évidemment, que des charlatans profitent de votre chagrin.

Il jura et s'assit à son bureau.

Dans la famille, tout le monde avait changé depuis la mort de Charlotte, pensa Edward. Malcolm était devenu une peste. De plus en plus méchant, il ne ratait pas une occasion de s'attaquer à son jeune frère. Son père s'arrangeait pour être le moins souvent possible à la maison et, quand il était là, il se montrait froid et distant. Pour corser le tout, il s'était mis à boire. Quant à sa mère…

Edward soupira tristement. Quelquefois, elle était comme avant, heureuse et insouciante, et riait des histoires sottes qu'il lui racontait. D'autres fois, elle ne mettait pas les pieds hors de sa chambre. Elle restait là, claquemurée, terrée dans ses sombres pensées.

— On ne peut les garder ni elle ni sa fille dans cette maison, reprit-il. Je le refuse.

— Elle a déjà travaillé comme domestique et elle dit qu'elle est une excellente lingère.

— Inutile de nous raconter des histoires, Geneva. Soyons francs, vous n'avez pas besoin d'une lingère. Dites plutôt que vous voulez cette enfant.

43

Edward vit sa mère pâlir. Elle se leva lentement, les mains jointes devant elle.

— Pourquoi refusez-vous de m'accorder cela ? supplia-t-elle, la voix étranglée. Laissez-moi avoir ce dont j'ai tant besoin. J'en ferai mon affaire, je vous le promets. Mais laissez-moi m'en occuper comme je le veux.

— Cette enfant n'est pas à vous, dit-il, presque menaçant. Si je m'aperçois que vous vous attachez trop à elle, je les jetterai toutes les deux hors de la maison. D'autre part, si je remarque un comportement étrange de votre part, vous serez de nouveau internée dans un établissement dont vous ne sortirez que lorsque vous aurez fait la preuve que vous êtes capable de vous comporter de manière convenable. Est-ce bien compris, Geneva ?

Sa mère opina.

— Oui, Henry.

— Il ne s'agit pas que cela devienne obsessionnel ou j'y mettrai tout de suite un terme.

— Je comprends, répondit-elle.

Il prit le facturier posé sur son bureau et l'ouvrit. Il fixa alors son attention sur les colonnes de chiffres et les rangées de nombres.

— C'est tout.

Geneva contourna son bureau et déposa un baiser de convenance sur sa joue.

— Merci, Henry.

Sur ces mots, elle quitta la pièce, la tête haute, les yeux pleins de larmes. Dans le couloir, elle ne remarqua même pas la présence d'Edward qu'elle frôla pourtant dans un crissement de soie froissée.

Aussitôt après le départ de sa mère, les pas étouffés par l'épais tapis persan, Edward entra dans la bibliothèque sans faire de bruit et alla se planter devant le bureau. Son cœur battait à se rompre. Quand son père daigna enfin relever la tête, ce fut pour montrer des signes d'impatience.

— Qu'y a-t-il ?

— Allez-vous encore envoyer maman loin de la maison ?

— Cela ne te concerne pas, dit-il.

— S'il vous plaît, gardez-la à la maison !, implora Edward. Je vous promets que je la surveillerai.

Henry Porter fixa son fils un long moment.

— Me préviendras-tu si elle commence à prendre cet horrible petit oursin d'Irlandaise pour ta sœur Charlotte ?

Croisant les doigts derrière le dos pour annuler son mensonge, Edward opina.

— Oui, père, dit-il.

Son père hocha doucement la tête.

— Tu es un bon garçon. Et je crois que tu comprends qu'il est important que ta mère ne fasse pas n'importe quoi. Tu l'auras remarqué, elle est très troublée depuis quelque temps et cela n'est bon pour personne. Tu dois essayer de la distraire de ses chagrins.

— Je le ferai. Je fais très bien ça.

— Très bien, dit son père. Je suis heureux de constater que tu vois les choses sous le même angle que moi. Tu peux aller, maintenant, Edward. J'ai du travail.

Edward sortit en courant de la bibliothèque et, une fois dans le couloir, desserra les doigts en priant Dieu de ne pas lui tenir rigueur de son mensonge. Ce n'était pas vraiment pécher que mentir pour rendre sa mère heureuse, n'est-ce pas ? Elle avait tellement souffert les années passées. Et si Rose et la petite étaient la clé de son bonheur, alors Edward ferait tout ce qui serait en son pouvoir pour qu'elles restent. Et cela, quels que soient les souhaits de son père.

— Qu'est-ce que tu fabriques là ?

Malcolm, qui marchait dans le couloir, donna un coup de poing si violent à son frère qu'il l'envoya cogner contre le mur.

— Je pensais que tu étais dans la chambre d'enfant en train de jouer avec l'espèce de petit rat cuit que maman a ramené à la maison.

— Ce n'est pas un rat cuit, protesta Edward.

Malcolm adressa à son frère un regard empreint d'un profond mépris.

— Cet avorton va encore prendre toute l'attention de mère, lui voler tout son temps. Elle ne te remarquera plus. Elle ne te verra même plus, elle fera avec toi comme elle fait avec moi. Il va falloir que tu t'y habitues, mon cher. Attends un peu et tu verras, elle ne t'aimera pas plus qu'elle ne m'aime.

— Peut-être que si tu étais plus gentil avec elle, elle t'aimerait de nouveau ? lui reprocha Edward.

— Je m'en moque, je n'ai pas besoin d'elle, répliqua-t-il. Père non plus, d'ailleurs. Tu es le seul de la famille à te soucier encore d'elle, et c'est parce que tu es encore un bébé.

— Non, je ne suis pas un bébé ! gronda Edward en se jetant sur Malcolm.

Il l'atteignit à la poitrine mais Malcolm avait trois ans de plus que lui et une force extraordinaire.

Malcolm saisit le bras d'Edward et le tordit derrière son dos puis il le plaqua violemment contre le mur.

— Ne me touche plus jamais! menaça-t-il.

Edward sentit son haleine chaude sur son oreille.

— Si tu me touches encore, je trouverai un moyen de me venger sur cette petite Irlandaise que tu aimes tellement.

Il tordit un peu plus le bras d'Edward puis plaqua un sourire sur son visage et entra dans la bibliothèque. Resté à l'extérieur, Edward écouta son grand frère parler avec leur père, une conversation détendue et amicale.

Des alliances s'étaient nouées chez les Porter depuis que Charlotte était morte. Avant, c'était sa sœur aînée qui cimentait la famille mais, maintenant qu'elle n'était plus là, tout partait à vau-l'eau, des clans étaient nés, Malcolm et Henry contre Edward et sa mère. Edward avait beau être plus jeune, il ne craignait pas son frère. Malcolm était sûrement plus grand et plus fort mais Edward était, et de loin, plus intelligent. Il n'hésiterait pas à faire tout ce qu'il faudrait pour protéger sa mère, dût-il détruire Malcolm pour y parvenir.

3

Trois ans plus tard

Rose était assise près de la fenêtre dans sa chambre située au-dessus de la remise aux voitures. Le soleil coulait à flots sur ses genoux et éclairait l'ouvrage qu'elle raccommodait. Elle se frotta les yeux, comme si ce geste pouvait suffire à effacer la fatigue qui s'abattait sur ses épaules en début d'après-midi.

Bien que cela fît trois ans maintenant qu'elle avait été sauvée de la rue par Geneva Porter, elle n'avait pas complètement recouvré la santé. Ses poumons étaient souvent congestionnés et sa vue avait commencé à baisser. Tout en restant assez solide pour travailler, elle n'avait pas l'énergie nécessaire pour venir à bout de sa turbulente fille.

Elle rejeta la tête en arrière et ferma les yeux pour se rappeler les premiers mois qu'elle avait passés à Porter Hall.

Il ne lui avait pas fallu longtemps pour comprendre l'étrange fonctionnement de la famille Porter. La « maladie » de Geneva n'était pas du tout une maladie mais une mélancolie chronique qui semblait s'abattre sur elle sans crier gare. Elle avait consulté un nombre incalculable de médecins et avalé des quantités insensées de médicaments, mais la seule chose qui la tirait de sa profonde dépression était Mary Grace.

La petite fille, qui avait six ans maintenant, était le baume qui apaisait le cœur de Geneva. Dès qu'elle sentait qu'elle sombrait, elle venait à la remise pour chercher Mary Grace et passait l'après-midi dans le jardin avec elle à la regarder courir après les papillons et cueillir les fleurs.

Au début, Rose ne s'en était pas émue. Elle croyait que le lien étroit qui existait entre elles deux ne pouvait qu'asseoir sa position dans la maison. Mais cette complicité avait fait naître des jalousies chez les autres employés, plus anciens dans la famille. La servante de Geneva, Ruth, avait détesté Rose dès le départ et sautait sur toutes les occasions qui se présentaient pour semer la zizanie entre Rose et la maîtresse des lieux. Cook était froide ; elle gardait ses distances autant qu'elle pouvait, furieuse de devoir livrer les repas à Rose et Mary Grace dans leur chambre cependant que le reste des domestiques prenait les leurs dans la cuisine. En plus, leur logement avait été arrangé. Pour le décorer, on n'avait pas hésité à descendre du grenier de nombreux petits meubles et bibelots, très jolis, qui lui donnaient une touche presque luxueuse. Les autres, vexés de devoir se contenter de leurs chambres de service mal chauffées, sans goût et sans charme, au troisième et dernier étage du manoir, avaient boudé, naturellement.

Mais Rose ne se sentait pas coupable pour autant. Si Geneva voulait les gâter, c'était tant mieux pour elles. L'affection que lady Porter portait à Mary Grace leur assurait le gîte et le couvert. Elle aurait eu mauvaise grâce à se plaindre. Elle n'y pensait d'ailleurs pas.

Elle jeta un regard en coin à sa fille qui était penchée sur une vieille boîte de bois qu'elle avait trouvée.

— Que fais-tu, ma mignonne ? demanda Rose. Qu'y a-t-il là-dedans ?

Mary Grace prit la boîte dans ses bras et la porta jusqu'à sa mère. Là, elle en souleva le couvercle. Elle contenait tout un choix de ciseaux à bois.

— Où les as-tu trouvés ? demanda Rose.

— Dans l'étable. Sous un tas de foin.

— Sais-tu ce que c'est ?

Mary Grace hocha la tête.

— Non, mais je vais les donner à Edward. Il saura ce que c'est.

— Ce sont des outils pour sculpter le bois, dit Rose. Et je pense que ça plaira à Edward. Il est tout le temps en train de sculpter des bouts de bois avec son canif. Avec des outils comme ceux-ci, il devrait faire des choses encore plus belles.

— Je les lui donnerai en cadeau. Peut-être pour Noël, dit Mary Grace. Ou pour son anniversaire. Il aura dix ans dans...

Elle planta son doigt dans sa bouche en faisant une drôle de mimique et réfléchit.

— Bientôt, dit-elle.

Rose caressa le couvercle de la boîte.

— On pourrait essayer de trouver de la peinture et mettre son monogramme sur le dessus. Ça ferait un cadeau encore plus original et plus personnel.

— C'est quoi un monogramme, maman ? demanda Mary Grace.

— Les initiales d'Edward. Les gens riches mettent leurs initiales sur tout ce qui leur appartient. Comme cela on sait à qui sont les choses. Ils appellent cela leur « chiffre ».

Un coffret de vieux outils était bien peu de chose comparé à tout ce que la famille Porter avait donné à Mary Grace. Des vêtements étaient apparus comme par magie dans sa garde-robe, des poupées neuves s'étaient glissées dans le coffre qui se trouvait au pied de son lit. Des livres pleins de jolis dessins peints à la main s'étaient retrouvés empilés sur la table, en dessous de la fenêtre et, à peu près tous les jours, Mary Grace revenait de la grande maison avec un petit colifichet, un bijou ancien ou un nouveau ruban dans les cheveux.

Même si Jamie avait vécu, il n'aurait pas pu les entretenir sur ce pied. Mais Rose savait que toutes ces babioles luxueuses avaient un prix et qu'on lui demanderait un jour de les payer. Elle ne savait pas à combien cela monterait mais ce n'était pas important. La seule chose qui comptait c'est que sa fille soit heureuse et en bonne santé, et cela valait tout l'or du monde. En fait, cela n'avait pas de prix.

Un coup à la porte, discret pourtant, la fit sursauter. Aussitôt Mary Grace se leva pour aller ouvrir. A la surprise de Rose, c'était Geneva. Lady Geneva n'était encore jamais venue dans le logement de Rose. Quand elle avait besoin de lui parler, elle envoyait toujours un domestique la chercher et elles discutaient dans le boudoir de Madame. Et voilà qu'elle était là, avec le thé servi sur un plateau.

Après avoir sauté dans les jupes de lady Porter, Mary Grace l'aida à disposer les tasses et le service à thé sur la table. On aurait dit qu'elle avait fait cela toute sa vie. Rose les regarda et comprit alors qu'elles avaient dû prendre le thé ensemble de nombreuses fois.

Quand elles eurent fini, Geneva sortit un bonbon de sa poche et le mit dans la main de Mary Grace.

— Allez, va jouer maintenant. Je dois parler à ta mère.

— Merci, lady Porter, dit la petite fille, très polie.

— Edward est dans le jardin. Pourquoi ne vas-tu pas le rejoindre ?

Les deux femmes regardèrent Mary Grace passer la porte en courant, sa jolie petite jupe dansant autour de ses jambes.

— J'espère que je ne vous dérange pas, dit Geneva.

Elle tendit une tasse à Rose.

— Il y a du sucre et du lait. Peut-être prenez-vous les deux ?

Ne sachant que répondre, Rose hocha la tête. Ce n'était pas le choix entre le sucre et le lait qui l'embarrassait, mais l'arrivée intempestive de sa maîtresse. Elle lui voulait certainement quelque chose.

— Tout va bien ?

— Oui, bien sûr.

Geneva se servit une tasse de thé puis prit une des chaises de la table et s'installa devant Rose. En s'asseyant, elle lissa la jupe de son élégante robe puis croisa les chevilles l'une sur l'autre.

— Je suis venue ici pour discuter de quelque chose avec vous. Cela concerne Mary Grace.

— A-t-elle fait une bêtise ? Je fais en sorte de la surveiller de près, mais parfois elle s'échappe et je la perds de vue.

— Elle a six ans et je sais que vous avez l'intention de l'envoyer à l'école paroissiale du village, le mois prochain, quand la classe va commencer. Je suis sûre que vous avez remarqué que c'est une enfant très intelligente.

Geneva s'éclaircit la voix.

— Vous avez certainement remarqué, aussi, que je me suis beaucoup attachée à elle depuis le jour où vous êtes venues toutes les deux vivre ici.

— Oui, répondit Rose. Et je vous remercie de tout ce que vous lui avez donné. Vous ne pouvez savoir à quel point je vous suis reconnaissante. Grâce à vous, elle est à l'abri et en bonne santé. Il n'y a pas plus important pour moi.

— C'est important, bien sûr, mais bientôt cela ne sera plus suffisant, dit Geneva. Un jour viendra où elle aura besoin de se faire une place en ce monde et, pour cela, il faudra qu'elle soit éduquée. J'aimerais prendre la responsabilité de cette éducation.

— Mais je suis sûre qu'elle apprendra tout ce qu'elle devra savoir à l'école, dit Rose. Et je préfère qu'elle reçoive une éducation religieuse.

— Je pense que ce n'est pas lui rendre service que de l'envoyer à l'école paroissiale, dit Geneva. J'aimerais qu'elle ait un précepteur. De cette façon, elle aura la meilleure instruction possible. Et, quand elle sera plus grande, si elle souhaite avoir un métier, elle sera préparée.

— Mais l'école paroissiale peut…

— L'école paroissiale lui enseignera juste ce qu'il faut pour tenir une maison et élever des enfants, dit Geneva. Je parle d'autre chose. D'apprendre le français, l'histoire de l'art et la littérature.

— Je ne vois pas quand elle pourra avoir besoin de ça.

— Elle ne s'en servira peut-être jamais, dit Geneva. Mais cela lui ouvrira l'esprit. Ensuite, elle voudra connaître encore plus de choses, elle sera plus exigeante que la plupart des jeunes filles irlandaises.

— Cela risque surtout de lui donner envie d'avoir des choses qu'elle ne pourra jamais s'offrir, s'entêta Rose.

Ce n'était pas une bonne idée. Chaque once de son bon sens lui disait que plus Mary Grace dépendrait de Geneva, plus elle serait blessée quand, devenue plus grande, elle prendrait conscience que cette vie de luxe n'était pas à sa portée. Peut-être était-ce le prix à payer? Que sa fille soit un jour déçue, brisée?

Mais si elle confiait à Geneva le soin de prendre sa fille en charge, quel rôle jouerait-elle dans sa vie, elle, sa mère? Mary Grace s'était déjà habituée au luxe de sa vie à Porter Hall. Rose voulait croire que le temps qu'elles passaient ensemble, mère et fille, formerait la femme que Mary Grace deviendrait.

— C'est trop généreux, dit-elle. Je suis certaine que lord Porter n'approuverait pas.

Geneva haussa les sourcils et jeta à Rose un regard froid.

— Mon mari vous renverrait à la rue sur-le-champ si je le laissais faire. C'est à ma générosité et à mon affection pour Mary Grace que vous devez d'être encore ici.

Avec pareille réponse, Rose comprit que la décision concernant sa fille ne lui appartenait pas. Soit elle décidait de se battre et elle était certaine de perdre, soit elle se rendait immédiatement.

— Je vois. Mais aurai-je mon mot à dire dans l'éducation de ma fille?

— Vous savez que vous êtes malade, dit Geneva d'un ton redevenu conciliant. Vous vous affaiblissez jour après jour. La tuberculose est une maladie dont on ne se remet pas, ma chère.

A ce mot, un vilain frisson parcourut Rose. Elle savait qu'elle avait les poumons malades mais elle supposait qu'elle pourrait guérir. En fait, elle refusait d'admettre que sa maladie était vraiment sérieuse et que le pronostic vital était engagé. Si elle le reconnaissait aujourd'hui, c'était certain, elle serait renvoyée.

— Ce n'est pas la tuberculose, dit-elle. Mes poumons ont été atteints par la fièvre quand ma fille et moi vivions dans la rue. Mais cela n'a rien changé à mon travail. Je guérirai.

Geneva la fixa un bon moment et sourit.

— Bien sûr. Mais plus longtemps elle restera à la maison avec les précepteurs et moi-même, plus vous aurez de temps pour vous reposer et recouvrer des forces.

— Je… je suppose que vous avez raison, dit Rose.

— Evidemment, j'ai raison. Cela vaut donc accord, répondit Geneva.

Sur ces mots, elle se leva et lissa la taille de sa robe.

— Je suis heureuse que nous ayons pu avoir cette petite conversation. Je vais m'occuper d'engager un précepteur pour Mary Grace. Elle commencera ses études le mois prochain.

Rose se leva et s'inclina.

— Merci, lady Porter. Pour votre générosité. Je suis sûre que Mary Grace fera de son mieux pour vous satisfaire.

Geneva hocha la tête et alla vers la porte qu'elle referma doucement derrière elle. Aussitôt Rose se dirigea vers le placard, l'ouvrit et prit dans ses bras tout ce qu'elle put comme vêtements qu'elle posa sur le lit. Elles ne pouvaient pas rester là. Elles allaient s'en aller, dès ce soir, profitant de ce que toute la famille dormirait. Elle trouverait une autre place chez un autre employeur, peut-être pas aussi confortable qu'ici mais son expérience aidant... Une violente quinte de toux la secoua brusquement, la forçant à se recroqueviller sur elle-même, les genoux entre les bras, pour tenter de reprendre son souffle.

Quand elle réussit à reprendre haleine, elle s'assit près de la fenêtre, les mains plaquées sur la poitrine. Elle n'aurait pas de références à présenter et, sans références, elle ne trouverait pas de travail. Qui l'engagerait ?

Geneva avait raison. Elle était malade. Et elle avait une fille qui n'était pas encore assez grande pour se prendre en charge. Les choix qui se présentaient n'étaient pas meilleurs que ceux qu'elle avait eus le jour où Geneva les avait trouvées, Mary Grace et elle, sous le porche de l'église. L'argent qu'elle avait économisé leur permettrait de vivre trois ou quatre mois, au plus. Ensuite, elles n'auraient qu'à retourner là d'où elles venaient...

Il faudrait qu'elle trouve un autre moyen pour subvenir aux besoins de sa fille.

Rose prit la brassée de vêtements et les raccrocha soigneusement dans le placard. C'est alors qu'elle aperçut le journal intime posé sur l'étagère du haut.

Les yeux fermés, elle le serra sur sa poitrine. Voilà ce qu'elle devait faire ! Depuis son arrivée à Porter Hall, elle ne l'avait pour ainsi dire jamais ouvert. Dorénavant, elle allait commencer à le lire à sa fille. Et quand viendrait le jour où elle quitterait cette vie, sa fille saurait d'où elle venait. Et elle se souviendrait.

Elle ouvrit le petit livre à la reliure de cuir, commença à en lire un passage. Les mots lui revenaient et peu à peu lui redonnaient courage. Elle allait poursuivre, continuer à travailler un jour de plus, et un autre jour et un autre encore et ainsi de suite. Peu importerait le désastre ou la tragédie qui l'attendait, elle continuerait aussi longtemps que Dieu lui prêterait vie.

« *13 septembre 1845*

» *Je ne sais par où commencer. Michael est parti depuis un mois déjà et je l'imagine à bord d'un magnifique bateau à voiles voguant vers l'Amérique et une nouvelle vie pour nous deux. Ici en Irlande, la situation empire de jour en jour et la vie est très troublée. Nous avons commencé la récolte mais une chose terrible s'est produite. Après un jour ou deux hors de terre, les pommes de terre se mettent à pourrir. Il n'y en a pas une seule qui soit bonne à manger et je suis obligée de prélever ce qui reste de notre lopin de terre. Sans la vache pour nous donner son lait, mon estomac crie famine la plupart du temps. Je prie le ciel pour que Michael nous envoie de l'argent dès qu'il sera arrivé en Amérique parce que nos vies, celle du bébé et la mienne, deviennent plus fragiles avec chaque jour qui passe.* »

— C'est beau. Regarde ses petites oreilles. Oh ! Edward, il a l'air tellement vrai !

Grace s'approcha pour mieux voir le petit lapin qu'Edward avait sculpté dans du bois et qu'il tenait dans la main.

— Je le préfère à la tortue que je t'ai donnée, dit-il.

— Moi je trouve tous tes animaux très jolis, répondit Grace.

— Dis-moi ce que tu aimerais que je fasse maintenant ?

Il étala les ciseaux à bois devant lui et prit un petit morceau de châtaignier que Dennick lui avait apporté.

— J'aimerais bien faire un cheval mais j'ai peur que les jambes ne soient difficiles à sculpter.

Grace aligna sa petite ménagerie sur la couverture qu'ils avaient étendue sur l'herbe et aligna les animaux en fonction de leur taille. Edward n'avait pas beaucoup d'amis, sa meilleure amie était sûrement Grace. Evidemment, elle n'avait que six ans mais elle était comme Charlotte et elle s'intéressait beaucoup à tout ce qu'il faisait ou pensait. En vérité, depuis qu'elle était à Porter Hall, Edward avait presque fini par oublier Charlotte et toute la tristesse qui avait suivi sa mort.

Sa mère était plus heureuse qu'elle ne l'avait été depuis longtemps. Bien sûr, il lui arrivait encore d'avoir des moments de chagrin mais ils étaient moins fréquents et semblaient moins profonds. Quant à Malcolm, qui avait beaucoup de mal à supporter Grace et la tolérait à peine, il était trop accaparé par ses camarades de classe pour se préoccuper de ce qu'ils faisaient tous les deux. A dire vrai, cela avait été un soulagement quand Malcolm avait annoncé qu'il désirait poursuivre ses études dans un collège privé à Dublin. Il se levait très tôt le matin et rentrait tard le soir, pour le dîner. Le reste de la soirée, il le passait à travailler dans sa chambre.

Le père d'Edward avait insisté pour qu'Edward aussi soit inscrit dans ce collège. La discussion avait duré des jours et des jours avant que la décision ne tombe. En fin de compte, c'était Geneva qui avait gagné. Edward continuerait à étudier sous la tutelle de son précepteur. Mais la querelle avait aggravé l'animosité entre les deux camps familiaux. Cette fois, la famille Porter était nettement coupée en deux. Edward était le fils de Geneva, et Malcolm appartenait à Henry. Les décisions seraient prises dorénavant en fonction de cette division.

Il souhaitait que son père l'aime autant que Malcolm, mais il y avait des traits de caractère chez son père et son frère qu'il ne comprendrait — et n'accepterait — jamais. Tous les deux étaient centrés sur eux-mêmes et sans cœur. Ils avaient, profondément ancrée en eux, une tendance à la cruauté. Ils se considéraient comme supérieurs aux autres, surtout aux Irlandais. Pourquoi cette haine pour un peuple qu'il trouvait, lui, chaleureux, gentil et tendre ?

— Tiens ! Fais-moi un petit chat, dit Grace.

Il prit le morceau de bois dans sa main.

— Tu es sûre ? Tu ne préfères pas plutôt un animal de la jungle ? Je peux essayer de sculpter un lion.

Un grand sourire sur le visage, Grace fit oui de la tête.

— D'accord, fais-moi un lion.

Elle continua à jouer avec les petits animaux. Les soulevant l'un après l'autre, elle les faisait avancer sur la couverture et leur parlait. Quand elle lui avait offert les ciseaux à bois, il avait réalisé à quel point elle le connaissait. Personne sur cette terre ne le connaissait aussi bien qu'elle.

— Qu'est-ce que c'est que ça ?

Edward se retourna. Malcolm se tenait debout derrière lui. Il avait treize ans maintenant et il avait grandi, surtout depuis son dernier anniversaire. Mais il était également devenu paresseux et affichait son indifférence à l'image qu'il donnait de lui par une tenue très négligée. Il portait l'uniforme de son collège, veste froissée comme s'il avait dormi dedans et pantalon taché de boue. On aurait dit qu'il s'était encore une fois battu à l'école.

— Des sculptures de bois, marmonna Edward en se retournant vers Grace.

— « Des sculptures de bois », répéta Malcolm, empruntant une voix pointue ridicule exprès pour se moquer.

Se penchant sur Grace, il lui arracha le lapin de la main.

Elle se releva aussitôt et essaya de le lui reprendre mais Malcolm attrapa l'animal par les oreilles, les cassa et en éparpilla les morceaux dans l'herbe. Un petit cri s'échappa de la gorge de Grace qui s'accroupit pour tenter de rassembler les débris du lapin cassé.

Soudain, animé d'une rage aveugle, Edward poussa un cri de fureur, écarta les outils et se jeta sur les jambes de son frère aîné qu'il plaqua au sol. L'assaut prit Malcolm par surprise. Le souffle coupé, il ne put réagir sur-le-champ. Profitant de ces secondes de flottement, Edward lui administra quelques coups de poing dans le visage, assez violents pour le faire saigner du nez.

Satisfait, sa soif de vengeance étanchée, Edward s'assit sur ses talons.

— Tu n'es qu'un tas d'ordures, gronda-t-il en tordant le bras de son frère derrière son dos. Pourquoi as-tu fait ça ? Pourquoi veux-tu à tout prix lui faire du mal ?

— Lâche-moi ! hurla Malcolm en se tortillant sous son frère.

Mais il avait beau se débattre, Edward avait le dessus. Il le tenait à sa merci. Dans le passé, quand il se battait avec son frère, les batailles se terminaient toujours par l'intervention des parents ou parce que Edward se rendait ;

mais aujourd'hui, Edward avait l'avantage et il n'était pas disposé à baisser les bras.

— Excuse-toi, exigea Edward.

— Va-t'en ! cria de nouveau Malcolm en donnant des coups de pied à son frère.

Quelques-uns des coups avaient beau frapper fort, Edward n'avait pas mal. Sa fureur était telle qu'il ne sentait rien. Cela faisait longtemps qu'il espérait ce moment, longtemps qu'il attendait d'avoir la chance de se venger de la cruauté gratuite de son frère, longtemps qu'il attendait l'occasion de défendre Grace ! Mais Edward savait aussi qu'il n'avait réussi aujourd'hui que parce qu'il avait pris son frère par surprise. Il était encore trop jeune et trop petit pour se mesurer à son aîné dans des conditions normales.

— Arrête, le supplia Grace en tentant de les séparer. S'il te plaît, Edward, arrête ! Tu n'auras qu'à me faire un autre lapin.

— Non, gronda Edward. Il faut d'abord qu'il s'excuse.

Edward tordit de nouveau le bras de Malcolm qui hurla de douleur.

— D'accord, maugréa-t-il. Je suis désolé. Je suis désolé d'avoir cassé ton imbécile de lapin. Maintenant, lâche-moi.

Edward desserra son emprise et se rassit sur ses talons. Sans perdre une seconde, Malcolm se remit debout et, donnant un coup à son frère, l'envoya promener dans l'herbe.

— Et tâche de ne plus jamais porter la main sur moi ! menaça-t-il.

— Alors, ne reviens plus traîner tes guêtres près de Grace ni près de moi.

Malcolm chassa les brins d'herbe restés collés à ses vêtements et s'en alla vers la maison. S'agenouillant près d'Edward, Grace posa la main sur son épaule.

— Pourquoi est-il aussi méchant ? demanda-t-elle de sa petite voix douce.

— Je ne sais pas, répondit-il.

Avant la mort de Charlotte, Malcolm était très différent. Ils s'entendaient bien tous les deux, ils se soutenaient l'un l'autre et se protégeaient mutuellement. Maintenant, Malcolm abritait une colère qui semblait le rendre de plus en plus enragé au fur et à mesure que les jours passaient. Il prenait plaisir, semblait-il, à exercer sa rage sur la première cible qui se présentait, surtout quand il la sentait fragile et vulnérable. D'habitude, le souffre-douleur, c'était sa mère, souvent aussi, Edward. Depuis l'arrivée de Grace, il avait jeté son dévolu sur elle et c'était elle qu'il se plaisait à torturer.

— Si jamais il t'ennuie, tu me le dis, ordonna Edward.

Elle était si petite, si jeune. Comment pouvait-elle se défendre seule contre cette brute de sept ans son aîné ? Comme il l'avait fait pour sa mère, Edward allait maintenant essayer de protéger Grace.

— Ne dis rien à ta maman, lui demanda-t-elle tout bas. Parce que, peut-être, elle me fera partir.

— Non, dit Edward en lui prenant la main. Elle ne fera jamais ça. Elle t'aime.

Il sourit.

— Moi aussi je t'aime, Grace.

Elle lui rendit son sourire.

— Je t'aime aussi, Edward.

— Que se passe-t-il ici? lança Rose qui approchait dans un froissement de jupons. J'ai entendu des cris. Et Malcolm saigne du nez.

— Ce n'est rien, répondit Edward. Malcolm est tombé de l'arbre.

Elle tendit la main à Grace pour l'aider à se relever.

— Viens, Mary Grace. J'ai besoin de toi pour le repassage. Je ne veux pas que tu ennuies monsieur Edward.

— Elle ne me dérange pas, s'insurgea Edward. Grace est mon amie.

Rose planta les poings sur les hanches.

— Non, dit-elle. Mary Grace est au service de cette maison. Elle travaille avec moi. Il n'est pas question d'amitié ici. Vous n'êtes pas égaux.

Sur ces mots, traînant Mary Grace derrière elle, Rose se dirigea vers son logement. Troublé par les remarques qu'elle venait de faire, Edward les regarda s'éloigner. Bien qu'il comprît la fonction de Rose dans la maison, il n'avait jamais considéré Mary Grace comme une domestique. Sa mère la traitait comme sa fille, l'habillait avec les anciens vêtements de Charlotte et lui faisait cadeau des livres et des jouets de sa sœur.

Mais peut-être était-ce le rôle de Grace dans la maison de redonner le bonheur à sa mère en éloignant d'elle les sombres pensées qui l'assaillaient sans relâche depuis le départ de Charlotte? Bien qu'il n'eût que dix ans, il comprenait les différences qui séparaient les domestiques de leurs maîtres. Il avait vu son père renvoyer sur-le-champ des servantes et des jardiniers au prétexte qu'ils ne lui plaisaient plus, sans se préoccuper de savoir comment ils survivraient sans travail. C'était le cadet de ses soucis.

Il rassembla les outils et la collection d'animaux de Grace et se dirigea vers la remise aux voitures. Bien que ce fût pourtant le cas, Edward ne pouvait se résigner à voir Grace comme une employée. Ce n'était pas correct d'aimer une domestique, de l'aimer autrement qu'il aimait sa sœur. Mais ce qui concernait ses sentiments lui appartenait — et plus Malcolm haïrait Grace, plus il aurait envie d'aimer la petite fille.

Comme il s'apprêtait à entrer dans la remise, la porte s'ouvrit de l'intérieur sur Grace qui tenait un panier d'osier plein de linge dans les bras. Le panier était si gros qu'elle avait du mal à lui faire passer la porte aussi Edward le lui prit-il des mains.

— Laisse, lui dit-elle.

— Je vais t'aider.

Grace hocha la tête.

— Maman dit qu'on ne doit pas être amis. Elle dit que ce n'est pas bien.

— Non, dit Edward. Elle a tort. Mon père est le maître et elle est la servante. Mais cela n'a rien à voir avec nous.

— Elle dit qu'un jour je travaillerai pour toi. Que je ne dois pas t'aimer comme mon frère. Je dois te respecter comme un maître.

Edward lui prit de force le panier de linge des mains et les serviettes tombèrent dans l'herbe.

— Non ! Je ne suis pas d'accord avec ça. Ou alors, si ! Si je suis ton maître, je te demande d'être mon amie.

Elle s'agenouilla pour ramasser les serviettes de table tombées à terre qu'elle replia avec soin, les remettant bien dans leurs plis, et les rangea dans le panier.

— Je... je veux être ton amie, Edward. Mais il faudra qu'on reste des amis en... secret.

— Oui, dit-il. On peut faire comme cela si tu veux. On va jurer de rester des amis secrets, toi et moi. Où veux-tu que nous nous retrouvions ?

— Dans l'écurie, dit Grace. L'après-midi pendant que maman fera la sieste et que lady Porter écrira son courrier. Personne ne nous trouvera là-bas.

Edward opina puis souleva le panier et le lui mit dans les mains. Il posa la petite collection d'animaux dessus et la recouvrit d'une serviette.

— On se retrouve demain après-midi, dit-il.

Grace fit oui de la tête et se dépêcha vers les cuisines. Edward soupira doucement. Grace était à lui depuis l'instant où il l'avait découverte à l'église. C'était la seule personne au monde qui l'aimait pour ce qu'il était, la seule personne qui comptait vraiment pour lui. Il y avait des fois où il était tenté de croire, comme sa mère, que Charlotte s'était réincarnée dans le corps de Grace. Il la retrouvait dans les traits fins et si délicats de son visage, dans sa gentillesse naturelle, dans sa droiture, dans l'éclat de ses yeux bleus et dans sa chevelure noir de jais.

Ils étaient les meilleurs amis mais il ne devait pas le crier sur les toits. C'était parmi les garçons de son âge de la bonne société de Dublin, comme lui, qu'il devait trouver ses amis. C'est ce que son père avait dit. Mais Grace et lui étaient unis par un lien singulier, un lien qui ne se briserait jamais. Et si Edward avait tort de penser comme cela, il s'en moquait. C'était son cœur qui parlait.

4

— Bonjour, monsieur le professeur. Comment allez-vous aujourd'hui ?

— *Très bien, merci, mademoiselle Grace.* Je vois que vous êtes très pressée de commencer votre cours de français, aujourd'hui.

Grace fit un sourire à son précepteur. Il ne lui en fallait pas plus pour lui faire plaisir. Bien qu'il se soit montré un peu froid au début, Grace avait eu vite fait de le mettre dans sa poche. Des sourires, un numéro de charme et, quelques semaines plus tard, le professeur ne jurait plus que par elle. Elle l'avait conquis.

Au départ, elle l'avait soupçonné de la négliger un peu au prétexte qu'elle n'était qu'une petite Irlandaise catholique indigne de lui et de sa culture britannique huppée. Mais Geneva avait mis bon ordre dans cette affaire. Après seulement quelques cours, elle avait fait irruption dans la pièce qui tenait lieu de salle de classe pour s'assurer qu'il accordait bien toute son attention au travail qu'il faisait avec elle.

— J'ai appris mes verbes, dit-elle. Voulez-vous que je vous les récite ?

— Oui. Récitez-moi le verbe « avoir » au futur de l'indicatif.

— *J'aurai, tu auras, il ou elle aura, nous aurons, vous aurez, ils ou elles auront.*

— *Très bien, mademoiselle.* Nous travaillons ensemble depuis combien de temps, maintenant ?

— Depuis que j'ai six ans, dit Grace. Cela fait quatre ans maintenant, professeur.

— Eh bien, je vais vous faire un aveu, vous avez largement dépassé monsieur Malcolm dans vos études.

Il se pencha vers elle comme pour lui confier un secret très important.

— Je lui donne des cours de soutien pour lui permettre de réussir l'examen d'entrée en faculté, mais il se révèle un bien piètre étudiant. Son latin est abominable, son écriture illisible et c'est tout juste s'il est capable de déchiffrer un texte. Monsieur Edward, c'est tout le contraire. Depuis que je lui donne des cours, il apprend tout et réussit en tout. Ce sera un excellent sujet, j'en suis sûr.

— Grace !

Les joues en feu, décoiffé, Edward entra dans la pièce comme une bombe. Le voyant, Grace se dit qu'il était vraiment beau garçon, maintenant. Bientôt quatorze ans… Si elle ne l'avait pas considéré comme son frère, elle l'aurait assez bien vu comme un amoureux… Mais elle était encore un peu jeune, de toute manière.

— Viens, dépêche-toi.

— Mademoiselle Grace prend son cours de français, dit le précepteur. Et quand elle aura fini, ce sera votre tour. Vous et moi avons rendez-vous avec votre livre de mathématiques.

— Ce que j'ai à lui montrer est beaucoup plus important.

Edward traversa la pièce et prit Grace par la main.

— Il faut qu'elle vienne. La leçon est finie.

Tirant Grace par le bras, il sortit de la pièce et l'entraîna vers les écuries en courant. Le vieux bâtiment de pierre était assez éloigné de la maison et, à l'arrivée devant la porte, Grace était tout essoufflée. Elle se pencha, posa les mains sur les genoux, essayant de reprendre haleine.

— Qu'y a-t-il ?

— Iris a eu son poulain ! dit-il. Rawley est venu à la maison me le dire et je voulais te le montrer.

Il ouvrit le lourd portail de bois et entra dans l'écurie. Il faisait sombre à l'intérieur et ça sentait la poussière. Le nez froncé, Grace passa devant les stalles.

Arrivé au fond, Edward enjamba la barrière et tendit la main à Grace.

— Elle est là, dit-il.

Grace grimpa à son tour et regarda le poulain nouveau-né. Il était roulé en boule dans un coin sur un tas de paille fraîche. Comme sa mère, il avait une robe chocolat foncé avec une zébrure blanche sur le front.

— C'est une fille ?

Edward opina.

— Et elle est à toi, dit-il.

Elle resta une seconde bouche bée.

— A moi ? Mais que veux-tu que je fasse d'un cheval ?

— Tu apprendras à monter. Maman dit que, comme toute jeune fille bien née, tu dois savoir monter à cheval. Ce sera ton cadeau de Noël. Elle l'a dit.

— Mais on ne monte pas un poulain. C'est trop petit !

Edward lui donna un coup dans l'épaule.

— Ne fais pas la bébête. Bien sûr que tu ne peux pas

la monter maintenant. Tu commenceras par apprendre sur un poney puis sur une des gentilles juments. Et quand elle sera assez âgée pour être montée, tu seras une championne en équitation !

— Comment allons-nous l'appeler ? demanda Grace.

— C'est toi qui décides, dit-il. Maman a dit que c'était à toi de choisir.

Grace réfléchit un moment. Elle voulait lui trouver un nom qui lui aille vraiment bien. La mère s'appelait Iris. Alors pourquoi ne pas lui choisir aussi un nom de fleur ?

— Pourquoi pas Marguerite ? proposa-t-elle. Ou Violette. J'aime bien Violette. Ou peut-être Pois de Senteur ?

Elle soupira.

— Je ne sais pas quoi choisir.

— Tu n'es pas obligée de te décider tout de suite, dit-il.

— Si. Il faut la baptiser. Maintenant qu'elle est née, il faut lui donner un nom. Les gens ont tous un nom quand ils naissent. Ce sera Violette. Oui, c'est ça. Je vais l'appeler Violette.

Edward sourit.

— C'est un joli nom. C'est celui que j'aurais choisi.

Il sauta de la barrière et tendit la main à Grace.

— Allez, viens. Maman a demandé que tu viennes la voir quand tu aurais vu le poulain.

— Mais… il faut que je retourne prendre ma leçon de français.

— On verra après pour ton cours de français. Elle a une surprise pour toi.

Ils remontèrent vers la maison. Tout émoustillé, Edward

lui parlait de leçons d'équitation, de selles et d'étriers. Elle n'avait jamais envisagé d'apprendre à monter. Cela ne lui paraissait pas d'une grande utilité, compte tenu que les gens remplaçaient leurs équipages — chevaux et carrioles — par des véhicules à moteur.

— Tu sais, j'aimerais autant apprendre à conduire qu'à monter à cheval, dit-elle. A quel âge apprend-on à conduire ?

— Tu veux apprendre à conduire une automobile ? Edward éclata de rire.

— C'est idiot. Pour quoi faire puisque nous avons un chauffeur ? Si nous prenons nous-mêmes le volant nous n'aurons plus besoin de Farrell.

— Ce serait amusant de conduire, tu ne trouves pas ? insista-t-elle. On dévalerait la route aussi vite que la voiture nous le permettrait. Tu m'apprendras à piloter, n'est-ce pas, Edward ? Tu m'apprendras bientôt.

— Oui, mais seulement après que tu auras appris à monter à cheval, dit Edward.

Quand ils entrèrent dans la maison, ils allèrent tout droit au boudoir de Geneva. Elle était assise comme elle le faisait presque tous les matins devant son petit bureau au coin de la fenêtre. Elle était entourée de courrier et, quand Grace s'avança vers elle, leva les yeux de ses lettres et lui sourit.

— Alors, que pense Mademoiselle Grace de son cadeau ?

— Je vous remercie, lady Porter. C'est un cadeau magnifique. Mais je dois demander à maman si elle m'autorise à le garder.

— Cela ne se fait pas de refuser un cadeau, dit Geneva. Ce serait très mal élevé. Tu dois l'accepter, puisque je te l'offre, et dire à ta mère que je n'accepterai pas la moindre plainte de sa part à ce sujet. Est-ce clair ?

— Oui, Madame, dit Grace, intimidée. Maintenant, il faut que je retourne à mes études. Mon professeur m'attend.

— Non, tu vas revenir à l'écurie, dit Edward. Je vais te montrer ton poney et te donner ta première leçon d'équitation. Vous êtes d'accord, mère ? Grace peut manquer ses cours pour une journée ?

Geneva les regarda tous les deux à tour de rôle, une expression étrange sur le visage. Puis elle s'arrêta et opina.

— Je me charge de le prévenir que vous prenez un jour de vacances.

Elle posa son stylo sur son écritoire et se leva.

— Viens, suis-moi. Si tu dois monter à cheval, tu dois porter la tenue appropriée.

Grace suivit Geneva en haut, dans la chambre qu'occupait autrefois Charlotte. Depuis qu'elle vivait dans cette maison, Grace en avait toujours vu la porte fermée. Les serviteurs l'avaient prévenue que la seule personne qui était autorisée à y pénétrer était lady Porter.

— Ma fille avait une très jolie tenue d'équitation, dit-elle. Elle devrait t'aller parfaitement. Elle avait neuf ans quand nous l'avons achetée mais tu es un peu plus petite qu'elle.

— Non, madame, je ne peux pas porter les…

— Bêtise ! Cette pièce est pleine de vêtements.

Lady Porter ouvrit la porte et entra dans la chambre mais Grace resta en arrière, attendant d'être invitée à entrer.

— Quelle jolie chambre !, murmura-t-elle.

Lady Porter se retourna.

— Oui. Je l'avais décorée moi-même avec beaucoup de soin.

— Elle doit vous manquer terriblement.

— A chaque instant de chaque jour, répondit-elle, le visage empreint de tristesse. Une fille est un trésor, un bijou précieux, le reflet de tous les rêves que je faisais étant jeune fille. Les fils appartiennent à leur père jusqu'à ce qu'ils s'en aillent et s'installent dans leur propre vie. Mais il y a un lien particulier entre une mère et une fille que rien jamais ne peut rompre.

Elle se força à sourire et se retourna vers la garde-robe.

Le placard était plein de vêtements. Geneva en sortit tout de suite la tenue de velours bleu nuit qu'elle tendit devant elle et, du revers de la main, la brossa par petites touches.

— Je me rappelle quand nous l'avons achetée, dit-elle. Charlotte se plaisait beaucoup dedans.

Geneva la tendit à Grace.

— Tiens, prends-la et essaie-la.

— Tout de suite ?

Elle fit oui de la tête. Il y avait dans son regard à la fois tant d'espoir et de mélancolie que Grace n'osa pas refuser. Lentement, elle ôta sa robe. Se retrouvant en chemise et en culotte longue, elle passa la jupe, qu'elle laça à la taille. Une blouse en étoffe très fine avec des manchettes bouffantes aux poignets la complétait. Elle passa ensuite la veste de velours bleu. Occupée à la boutonner, Grace ne prêta pas attention à Geneva. Quand elle eut fini, elle releva la tête et vit lady Porter qui la dévisageait avec une sorte d'effroi dans les yeux.

— Lady Porter ? Vous ne vous sentez pas bien ?

Lentement, lady Porter tomba à genoux, les mains jointes sur la poitrine. Un gémissement sourd s'échappa de sa gorge et, un instant plus tard, penchée en avant, elle se mit à pleurer. Grace jeta un regard tout autour de la pièce, cherchant désespérément quelqu'un pour l'aider. Ne voyant personne, elle posa finalement la main sur l'épaule de Geneva mais celle-ci était si désespérée qu'elle ne perçut même pas le geste.

Affolée, Grace sortit de la pièce en courant et descendit à la recherche d'Edward. Il était dans la bibliothèque de son père. Dès qu'il la vit entrer, il comprit qu'il se passait quelque chose d'anormal.

— C'est ta mère, lui dit-elle.

Ils montèrent quatre à quatre les marches jusqu'à la chambre de Charlotte. Voyant sa mère, Edward s'accroupit aussitôt près d'elle et, la prenant par le bras, la força à s'asseoir. Il chercha alors son regard. Quand il l'eut capté, il commença à lui parler d'une voix douce mais avec fermeté.

— Arrêtez, mère. Il faut que vous arrêtiez, maintenant. Ecoutez-moi. Si vous ne prenez pas sur vous de suite, vous allez sombrer.

— Je ne peux pas, sanglota-t-elle. Partout où je regarde, je la vois. Elle m'appelle en pleurant et je ne peux pas l'atteindre !

— Si vous ne vous contrôlez pas, père va vous faire hospitaliser loin de la maison. Et je ne pourrai rien pour vous aider. S'il vous plaît, mère, essayez de vous ressaisir.

— Où est-elle ? Où est Charlotte ?

Hagarde, elle leva les yeux, vit Grace et, à travers le rideau de ses larmes, lui sourit.

— Ah ! tu es là, ma chérie.

Elle tendit la main. Elle tremblait.

Grace regarda Edward, cherchant du secours dans ses yeux. Il secoua la tête. Mais Geneva insistait.

Perdue, Grace s'agenouilla à son tour près d'elle et lui prit la main.

— Il faut réagir, maintenant, mère, murmura-t-elle. Ecoutez Edward. Il sait ce qu'il faut faire.

— Ah ! ma chérie. Regarde comme tu es jolie. Cette couleur te va si bien. Elle t'a toujours très bien convenu.

— Ramenons-la dans sa chambre, dit Edward.

La prenant chacun par un bras, ils longèrent le couloir qui menait à sa chambre. Là, Edward installa sa mère sur le lit et prit un petit flacon de laudanum posé sur un plateau, sur sa table de chevet.

— Ce médicament la calme, d'habitude, dit-il tout en versant une cuillerée du vin d'opium dans un verre d'eau.

Il le passa à Grace.

— Donne-le-lui.

Grace inspira profondément et tendit le verre à Geneva.

— Tenez, mère, buvez cela. Vous vous sentirez mieux.

Elle avala le liquide puis, lentement, s'allongea de tout son long. Quand elle ferma les yeux, Grace s'éloigna du lit. C'était elle qui tremblait, maintenant. Parfois, la vie à Porter Hall semblait magnifique, les jours s'écoulaient pleins de soleil et sans souci. Et puis, à d'autres moments, quelque chose venait érafler le vernis fragile et, sous la surface brillante, apparaissaient les sombres tourments. Ils vivaient tous au bord du drame. L'ombre de la catastrophe planait sur la famille et Grace, au milieu du désastre prêt à s'abattre sur eux, avait l'impression d'être celle par qui l'édifice familial tenait encore debout.

— Est-ce que je lui ressemble ? murmura-t-elle.

Edward secoua la tête.

— Charlotte avait le teint clair, comme ma mère, et les cheveux châtain clair.

Il la regarda.

— Elle avait aussi les yeux de la même couleur que les tiens. Pourtant, je ne comprends pas qu'elle ne voie pas la différence.

Il poussa un soupir d'impuissance.

— Elle me fait peur, parfois.

Grace prit la main d'Edward et la serra très fort. C'était un fardeau trop lourd pour un garçon de quatorze ans. Un poids encore plus lourd pour Grace qui, sans cesse, se trouvait dans l'obligation de mentir. Elle avait trouvé une maison, ici, chez les Porter, et bien qu'elle ne se rappelât pas sa vie d'avant eux, elle savait, parce que sa mère le lui avait raconté, que les jours passés n'avaient été que désespoir et souffrances.

Alors, elle était prête à tout pour demeurer ici, à Porter Hall. Et si cela passait par le mensonge, si elle devait, à l'occasion, prétendre qu'elle était Charlotte Porter, elle n'hésiterait pas à jouer la comédie ! Elle était prête à apprendre le rôle par cœur.

Geneva se redressa péniblement, passa la serviette fraîche sur son front et retomba dans ses oreillers. Cela faisait près d'une semaine qu'elle ne s'était risquée en dehors de sa chambre mais elle commençait tout juste à émerger de son état de stupeur.

Elle avait fini par développer une accoutumance au laudanum, un vin d'opium qu'elle prenait, et il fallait régulièrement augmenter les doses de calmant pour l'apaiser et la plonger dans le sommeil. Mais ensuite, après que la drogue avait enfin imposé le silence à son chagrin, il fallait aussi de plus en plus de temps pour qu'elle recouvre ses esprits.

Elle voulut attraper la bouteille posée sur le plateau près de son lit mais sa main tremblait trop pour qu'elle puisse la saisir. Elle ferma les yeux. Elle ne pouvait s'offrir le luxe de dormir plus longtemps. Ce qu'il lui restait de raison lui disait que la patience de son mari avait ses limites et qu'une semaine couchée était le maximum qu'elle avait le droit de s'accorder. En tout cas, le maximum qu'il tolérait en général.

Edward avait passé le plus clair de son temps à veiller sur elle, s'assurant qu'elle était à l'abri des regards indiscrets de ses domestiques. Il lui apportait ses repas, lui donnait ses médicaments, lui lisait des poèmes de Keats et de Browning. Et quand il ne lisait pas, il lui parlait à voix basse, essayant de la ramener vers un monde qui lui était devenu quasiment impossible à affronter. C'était beaucoup trop demander à un garçon de son âge mais Geneva n'avait personne d'autre sur qui s'appuyer.

Comme on frappait doucement à la porte, elle répondit d'entrer, s'attendant à voir Edward apparaître. C'était Rose. Elle entra et referma doucement derrière elle. Elle portait l'uniforme gris qu'arboraient tous les serviteurs de Porter Hall et avait noué ses cheveux derrière la tête dans un chignon strict qui lui donnait l'air sévère. Elle paraissait très maigre et était très pâle.

— Lady Porter, j'apporte du linge propre. Monsieur Edward m'a demandé de vous l'apporter directement ici.

— Posez-le sur la chaise, dit-elle d'une voix qui trahissait une extrême faiblesse.

— Je vous ai également rapporté la tenue d'équitation que vous aviez donnée à Mary Grace. Je ne pense pas que ce soit une bonne idée qu'elle apprenne à faire du cheval. C'est tellement… dangereux.

Geneva la fixa un moment, essayant de comprendre ce que sa servante lui disait.

— Sa tenue d'équitation ? Quelle tenue d'équitation ?

Décontenancée, Rose soupira.

— Je pose le linge là.

Elle déposa les draps sur la chaise et se tourna vers le lit.

— Comment vous sentez-vous ? Vous avez beaucoup inquiété Mary Grace.

Elle s'arrêta.

— La douleur est parfois intolérable. Surtout la douleur d'une mère.

Geneva ferma les yeux. Elle se sentait engourdie, anesthésiée, comme si toute émotion s'était évaporée de son âme, toute sensation de son corps. C'était comme cela, il y avait des hauts et des bas, la descente aux enfers, brutale, vertigineuse, et la lente, très lente remontée vers un certain bonheur.

— Une mère ne devrait jamais voir son enfant mourir.

— Vous ne pensez pas qu'elle est mieux là-haut ? demanda Rose.

— Comment pourrais-je penser qu'elle peut être mieux ailleurs qu'à la maison avec son père et sa mère ? soupira Geneva. Etes-vous croyante à ce point ?

Rose fit non de la tête.

— Pas tout le temps. Au plus profond de mon chagrin, quand j'aurais aimé croire, je ne croyais plus en rien. C'était comme si ma foi m'avait abandonnée. Et puis j'ai réalisé que je ne pleurais pas sur mon mari et la vie qu'il n'avait pas eue. Je pleurais sur moi, sur tout ce que j'avais perdu.

— Je suppose que vous allez me dire que c'est Dieu qui a voulu que ma Charlotte meure ? Que c'est Sa volonté si elle a eu cette fièvre scarlatine qui l'a emportée ? Je ne peux pas croire dans un dieu qui arrache un enfant si chéri à ce monde. Un dieu qui me reprend mon enfant adoré.

— J'ai perdu deux bébés avant de donner naissance à Mary Grace, dit Rose. Le premier est mort-né, c'était un fils, un bel enfant avec un visage d'ange. J'aimerais me dire qu'ils sont au paradis avec Jamie, mais mon prêtre me dit qu'ils n'y sont pas.

— Vous ne croyez pas que les bébés qui meurent vont au paradis ?

— Ils n'étaient pas baptisés. Les bébés qui ne sont pas baptisés flottent éternellement dans les limbes, quelque part entre le ciel et l'enfer. Comme ils n'ont pas été baptisés, ils n'ont pas pu être lavés du péché originel.

— Vous voulez dire que leurs esprits errent à jamais…

Rose fit oui de la tête.

— C'est difficile de l'admettre. Oui, j'avoue que j'ai beaucoup de mal avec cette idée. J'essaie d'imaginer les limbes comme un endroit pur, simple et innocent où les bébés ne savent rien de Dieu ni du paradis. Ainsi, ils ne savent pas ce qu'ils manquent.

— Croyez ce que vous voulez, répliqua Geneva, retombant dans ses oreillers, un bras replié sur ses yeux.

— Au moins, vous savez qu'elle est au paradis, dit Rose. Cela doit vous apporter du réconfort.

— Je suis fatiguée, murmura Geneva. Laissez-moi, maintenant.

Rose alla vers la porte mais ne sortit pas.

— Vous ne me la prendrez pas, murmura-t-elle. Elle est tout ce que j'ai. J'ai perdu tout le reste.

Geneva se redressa sur les coudes.

— Qu'est-ce que vous baragouinez?

— Mary Grace. C'est ma fille, pas la vôtre. Quoi que vous fassiez pour elle, quoi que vous lui donniez, vous ne pourrez rien y changer.

— Sortez! cria Geneva. Je vous interdis de me parler sur ce ton!

Elle se redressa dans son lit. Une douleur d'une violence inouïe lui vrilla la tête. Tout s'obscurcit autour d'elle. Elle ravala une envie de vomir.

— Faites votre valise, gronda-t-elle. Je vous congédie. Je vous donne un mois d'indemnités, mais j'exige que vous preniez la porte aujourd'hui même.

Geneva attendit que Rose la supplie de la garder. Au fond d'elle-même, elle n'était pas mécontente d'avoir remis cette Byrne à sa place. Depuis le jour où elle l'avait ramenée avec Grace à Porter Hall, Rose s'était toujours montrée un peu trop fière et hautaine pour une servante.

Mais, à la surprise de Geneva, Rose ne chercha pas à plaider sa cause. Elle se contenta de pointer un peu plus haut le menton et de la fixer bien droit dans les yeux.

— Je pense que vous me rendez le plus grand des services, lady Porter.

Sur ces mots, elle pivota sur ses talons bobine et sortit. Quelques instants plus tard, Edward entrait, un plateau à la main. Il scruta le visage de sa mère et le trouva étrange.

— Que se passe-t-il ? dit-il.

— Rien, répondit Geneva en tirant le couvre-lit sur ses jambes. Je viens... je viens de renvoyer Rose.

— Quoi ? s'écria Edward, s'étouffant à moitié de stupeur.

— Tu m'as bien entendue. Elle commençait à en prendre trop à son aise ici. Elle a eu l'aplomb de me dire que je ne pleurais pas la mort de Charlotte comme j'aurais dû. Que je devrais être heureuse qu'elle soit au ciel et non plus ici avec moi.

— Qu'avez-vous fait ! lui lança Edward sur un ton de reproche. Vous ne pouvez pas les renvoyer comme ça !

— J'ai le droit de faire ce qu'il me plaît. C'est moi qui m'occupe du personnel de cette maison. Je l'ai engagée, c'est moi qui la congédie !

— Vous êtes fatiguée, maman, dit-il. Je sais que Rose dit ce qu'elle pense ; c'est une femme fière et orgueilleuse. Mais il y a des fois où vous traitez Grace comme si c'était votre fille et non la sienne. Mère, s'il vous plaît. Laissez-moi aller la trouver, laissez-moi essayer de la convaincre de rester.

— Je ne permettrai pas que l'on me parle encore de cette manière, dit Geneva, de plus en plus furieuse.

— Vous vous rendez compte que vous allez renvoyer Grace à la rue ? dit Edward. Elles vont errer dans le froid et s'exposer au danger jusqu'à ce qu'elles retombent malades toutes les deux et meurent ! Vous êtes prête à laisser mourir la fille de Rose parce que sa mère vous a tenu tête ! Est-ce là toute votre charité chrétienne, mère ? Disparaît-elle comme ça, parce que vous avez des migraines ou que vous avez abusé du laudanum ?

Geneva ouvrit la bouche pour parler mais la referma aussitôt. Ce qu'elle venait de faire était embarrassant. Pire même, elle s'en voulait d'avoir agi ainsi sous l'effet d'une incontrôlable émotion. Depuis l'arrivée de Grace, elle s'était arrangée pour se dominer et rester d'aplomb. Ses intermèdes mélancoliques et ses crises de désespoir étaient devenus moins fréquents et il lui semblait qu'elle commençait à émerger des profondeurs.

Etait-ce le temps qui faisait son œuvre de deuil, ou bien la présence de Grace qui réussissait à éclairer sa vie ?

Certes, elle avait entrepris d'élever la petite derrière le dos de Rose. Mais elle faisait pour Grace comme elle aurait fait pour Charlotte, elle lui donnait tout, lui prodiguait toute la sagesse féminine qu'elle possédait ! Rose devait-elle être jalouse d'une femme qui les avait sauvées, sa fille et elle ? Arrachées à la rue ? Et qui leur avait offert un endroit pour vivre décemment ? Elle les avait nourries, vêtues — et même, en ce qui concernait Mary Grace, elle l'avait instruite.

Sans que cela ne leur coûte un sou !

Alors, en retour, Rose lui devait au moins un peu de compréhension et beaucoup de gratitude.

Les larmes qu'elle refoulait depuis un moment se mirent à rouler sur ses joues. Geneva sentit qu'elle suffoquait.

— Amène-la-moi, dit-elle entre deux sanglots. Dis-lui que je veux lui parler.

Elle ferma les yeux et s'allongea. Etouffée par le chagrin, elle respirait mal, par petites bouffées. Le sang cognait dans sa tête comme un gong. Dire qu'autrefois, il n'y a pas si longtemps encore, sa vie était si douce… Tout lui souriait, elle était une femme comblée. Maintenant, son existence n'était plus que désarroi, confusion et regret, peur et sentiment de vide.

Pourrait-elle un jour être de nouveau heureuse ?

5

Deux ans plus tard

Edward traîna la malle dans sa chambre et la laissa au pied de son lit. L'œil critique, les mains sur les hanches, sa mère le regardait faire.

— Il va vraiment falloir qu'on t'achète une nouvelle malle, dit-elle. J'aurais trop honte de te voir arriver à Harrow avec cette vieille chose en si piteux état.

Il hocha la tête.

— Elle n'a pas besoin d'être flambant neuve, mère. Cette malle a fait le tour du monde. Je la préfère comme ça. Quand on la voit, on a l'impression que je suis un grand voyageur.

— Mais Malcolm en a eu une neuve pour aller à Harrow. Il n'y a pas de raison pour que tu n'en aies pas une neuve toi aussi.

— Malcolm a toujours été plus attaché que moi aux apparences, mère, murmura Edward. Moi, vous savez, je trouve que pour aller au collège, même Harrow, une vieille cantine, c'est bien suffisant.

Quand son frère était parti pour l'université, l'automne dernier, il avait exigé une nouvelle garde-robe complète, soit six costumes, huit paires de chaussures, trois chapeaux et un pardessus en cachemire. Et pas une malle, mais deux.

Edward en avait déduit que son frère compensait par des vêtements chers son manque d'aptitude aux études.

Il passa la main sur la surface de la malle quelque peu patinée par les voyages et regarda les étiquettes collées dessus. Elles racontaient toute une histoire.

— Quand êtes-vous allés à Istanbul ? demanda-t-il.

— Ton père y a effectué un voyage à la fin de ses études à la faculté. Il a fait un très grand périple. Mes parents, eux, ne m'avaient autorisée à visiter que la France et l'Italie. Et là, dit-elle en pointant un doigt sur une étiquette sur laquelle était inscrit *New York*, c'est notre voyage de noces. Nous sommes allés en Amérique lors du voyage inaugural de l'*Olympic*, le sister-ship du *Titanic*. Ta tante Fanny et oncle Richard habitaient New York avant de déménager pour la Californie. J'ai été malade pendant toute la traversée mais cela reste tout de même un voyage fantastique. Ton père a hésité à rester tenter sa chance là-bas. Te rends-tu compte ? Tu as failli être américain !

Geneva traversa la chambre et ouvrit les portes du placard. Plantée devant les vêtements que la femme de chambre entretenait avec beaucoup de soin, elle hocha la tête.

— Ce n'est pas possible. Tu ne peux pas entrer à Harrow avec ces guenilles !

Elle se tourna vers lui.

— Nous partirons un peu plus tôt pour Londres, de façon à avoir du temps devant nous pour t'acheter une garde-robe neuve avant de te déposer au collège.

— Pourquoi ne pas aller plutôt chez Clery à Dublin ? Ce serait plus simple.

— Dans un grand magasin ? Tu n'y penses pas ! Ton père a beau se plaindre que nous courons à la faillite, nos moyens nous permettent encore de t'habiller ailleurs que dans un magasin à succursales de Dublin. A Londres, ton père t'emmènera chez son tailleur de Savile Row qui te fera des costumes sur mesure. Nous les ferons livrer à ton école quand ils seront prêts.

Edward se força à sourire.

— Je ne pense pas que père ait le temps de faire un voyage à Londres.

Depuis les dernières élections, son père était très préoccupé par ses affaires et Edward était persuadé qu'il n'aurait pas le temps de les accompagner. De Valera était maintenant à la tête du gouvernement. Il soutenait l'indépendance totale vis-à-vis de la Grande-Bretagne et défendait l'idée d'une nation irlandaise souveraine qui aurait inclus les comtés du Nord, c'est-à-dire l'Ulster. Il avait aboli le serment d'allégeance à la Grande-Bretagne et supprimé l'impôt sur les terres payable à la Couronne. En représailles, la Grande-Bretagne imposait une taxe de vingt pour cent sur toutes les importations irlandaises, y compris la laine. L'extraction du charbon restait une activité toujours prospère, cependant, l'Irlande ayant à son tour imposé des droits sur l'importation de charbon anglais.

— Je n'ai absolument pas besoin d'un nouveau vestiaire complet, dit Edward. Un ou deux costumes feront l'affaire. Nous sommes la plupart du temps en uniforme.

Cela faisait des années qu'ils n'étaient pas allés à Londres. Jamais depuis que sa mère s'était enlisée dans le monde glauque des médiums et autres diseurs de bonne aventure. Et encore moins depuis que Grace vivait à Porter Hall. Depuis l'arrivée de Rose et de sa fille, Geneva n'avait pas manifesté l'envie de se rendre ailleurs. Rester à la maison semblait la contenter.

Elle sortit une veste du placard et la présenta devant elle.

— Il y a une exposition de peintures des maîtres français à la National Gallery que je veux voir absolument, dit-elle. Et, bien sûr, nous assisterons à un ou deux concerts à l'Albert Hall. Nous ferons du shopping, naturellement, et…

Comme si une idée lumineuse venait de lui traverser l'esprit, elle s'arrêta et sourit.

— Puisque ton père ne nous accompagnera pas, nous emmènerons Grace. Oh! Quel voyage magnifique nous allons faire tous les trois! Edward, va vite la chercher. Tout de suite. Nous allons lui dire tout cela.

— Mère, je ne suis pas certain que Rose donne son accord. Vous savez qu'elle est un peu chatouilleuse, parfois.

Sa mère avait fait attention à ne pas heurter Rose depuis que celle-ci avait failli s'en aller, deux ans plus tôt. Mais récemment, l'obsession de Geneva pour Grace avait recommencé à se manifester et Edward sentait qu'un nouvel affrontement entre sa mère et Rose pointait à l'horizon. S'il devait avoir lieu, il espérait que ce serait avant son départ pour le collège. De cette manière, il serait là pour arrondir les angles et panser les éventuelles blessures morales avant que l'une ou l'autre des protagonistes ne prenne des mesures définitives.

— Elle m'a permis d'engager un précepteur pour Grace, n'est-ce pas? Ce que je propose là s'inscrit dans le cadre de son éducation. Il ne s'agit que d'une autre expérience. Toute jeune fille bien née se doit d'avoir visité les grandes capitales du monde. Dublin n'en est pas une, ajouta-t-elle en agitant la main devant Edward. Maintenant, va. Et ramène-la-moi. Je veux lui annoncer la bonne nouvelle moi-même.

Edward sortit sans empressement de la chambre, convaincu qu'il ne changerait pas un iota à la décision de sa mère. Dès qu'il était question de Grace et de ce que Geneva estimait bon pour elle, il était inutile d'essayer de la dissuader.

Après la dernière querelle, il avait fallu près d'un an à Grace pour se sentir de nouveau bien à Porter Hall. Sa mère était allée jusqu'à faire leurs bagages et avait convaincu Farrell de les conduire à Dublin. Grace avait hurlé de rage, trépigné et imploré sa mère de revenir sur sa décision. C'est finalement Edward, après une journée entière de discussions et de négociations, qui avait obtenu de Rose qu'elle consente à accepter les excuses de sa mère et renonce à partir, en échange… d'une augmentation substantielle de ses gages.

Emmener Grace à Londres relevait d'une mission impossible. A moins que…

Edward sourit. A moins que l'invitation ne soit formulée par lui. Peut-être qu'en présentant lui-même la chose, il réussirait à circonvenir Rose. Peut-être de cette façon-là accepterait-elle ? Et puisqu'il quittait Porter Hall pour entrer au collège, ce voyage serait l'occasion pour eux deux de vivre un dernier grand moment ensemble. Une aventure exceptionnelle.

Il trouva Grace dans le jardin en train d'étendre les draps au soleil. Un vent léger soufflait. Elle s'était coiffée en arrière et avait noué ses cheveux noirs avec un ruban. Sa petite robe en coton toute simple flottait dans la brise.

« Je connais mon amour et il sait que je l'aime, chantait-elle de sa jolie voix flûtée. J'aime l'herbe qu'il foule et… »

Tout en continuant à fredonner, elle se pencha pour prendre un autre drap dans le panier en osier.

A pas de loup, Edward s'approcha d'elle et, arrivé derrière son dos, la prit par la taille. Surprise, elle poussa un cri de frayeur et se retourna.

— Un de ces jours, tu me feras mourir de peur ! dit-elle en le martelant de petits coups de poing. Et tu viendras pleurer sur ma tombe, Edward Porter.

— Sûrement pas ! dit-il pour plaisanter. Je serai bien heureux quand tu ne seras plus là. Tu es une enquiquineuse, Grace Byrne, et je me demande pourquoi ma mère tient absolument à t'emmener à Londres.

Etonnée, elle cligna des yeux et resta bouche bée. Edward lui prit le menton dans le creux de la main et le releva.

— Alors ? Qu'est-ce que tu en dis ?

— A Londres ? Ta mère veut m'emmener à Londres ?

Son expression enjouée s'évanouit.

— Je… je ne pense pas que ma mère m'y autorise, dit Grace. Et je ne peux pas la laisser. Il y a beaucoup de travail et elle a besoin de moi pour l'aider.

— Elle peut bien se passer de toi pendant cinq ou six jours. Mère veillera, j'en suis sûr, à ce qu'elle ait de l'aide à la lingerie pendant ton absence.

— Je peux toujours le lui demander, convint Grace.

— J'ai une suggestion à te faire. Au lieu de dire que c'est ma mère qui t'invite, dis à ta mère que c'est moi. Tu comprends ? De cette façon, je t'aiderai à la convaincre. Je lui dirai qu'il ne sert à rien que tu étudies l'histoire de l'art si tu ne vas jamais visiter un musée. Qu'il est inutile d'apprendre à jouer du piano si tu n'assistes jamais à un grand concert. Mon vœu le plus cher est que nous ayons un dernier grand moment ensemble avant que j'entre au collège. Je suis certain qu'elle acceptera.

— Allons le lui demander tout de suite, dit Grace, à la fois inquiète par la démarche et emballée à l'idée du voyage.

Edward avait raison : explorer une ville aussi grande et merveilleuse que Londres avec son meilleur ami serait une aventure formidable qu'elle n'oublierait jamais. Il lui avait montré des photos dans des livres, lui avait raconté des anecdotes de ses voyages précédents, lui avait décrit les musées, les parcs, les boutiques… Mais faire tout cela à deux, c'était autre chose que le voir toute seule !

Comme ils approchaient de la remise aux voitures, ils aperçurent Rose assise près de la fenêtre, sans doute en train de ravauder des chaussettes. Courbée sur son ouvrage, les lunettes qu'elle avait achetées à un marchand ambulant sur le nez, elle essayait de voir les points minuscules qu'elle piquait dans les mailles. Ils entrèrent et elle leva les yeux. Grace traversa la pièce tandis qu'Edward attendait sur le seuil qu'on l'invite à entrer.

— Tu vas bien, ma fille ?

Un sillon creusait le front de sa mère.

— On dirait que le diable t'a pourchassée !

— J'ai une nouvelle merveilleuse, maman, dit Grace, essayant de reprendre son souffle.

Elle jeta un coup d'œil par-dessus son épaule à Edward resté sur le seuil du logement, et lui fit signe d'entrer.

— C'est quoi, cette nouvelle ?

— Je suis invitée à aller à Londres. Avec Edward et

lady Porter. Ce n'est pas merveilleux, maman ? Je vais voir Londres !

Le visage de Rose se durcit. Elle baissa les yeux sur son ouvrage et joua nerveusement avec le fil et l'aiguille.

— Il n'en est pas question.

— Mais pourquoi ?

— C'est comme ça. Tu ne sortiras pas d'Irlande. Non, aussi longtemps qu'il y aura un souffle en moi, tu ne quitteras pas ce pays.

Sidérée par la colère qui perçait dans la voix de sa mère, Grace fit un pas en arrière.

— Mais pourquoi ?

Rose se leva, laissant tomber son raccommodage à terre, puis elle traversa la pièce. Elle saisit une serviette en lin, la plia soigneusement, puis elle en prit une autre et recommença.

— Tu penses peut-être que je ne vois pas le manège de Geneva Porter ? Elle croit sans doute que je ne suis pas assez intelligente… C'est très habile de sa part d'envoyer son fils pour tenter de me convaincre, mais je ne suis pas tombée de la dernière pluie.

— Mais, maman, je ne comprends pas !

— Parlez-lui, Edward, dit Rose. Dites-lui pourquoi votre mère dépense tant de temps et d'argent pour une simple fille de domestique.

Edward secoua la tête de gauche à droite.

— Je ne sais pas ce que vous voulez dire, répliqua-t-il, refusant d'entrer en querelle avec elle.

La bataille pour s'approprier Grace durait depuis l'instant où Geneva avait posé la main sur elle et elle continuerait jusqu'à ce que sa mère, ou celle de Grace, quitte ce monde à jamais.

— Elle a trouvé quelqu'un pour remplacer la fille qu'elle a perdue, poursuivit Rose. Et maintenant, elle a décidé de faire de toi sa fille. Les cours et les vêtements, les cadeaux. Et maintenant Londres. Tout cela a un prix, Mary Grace.

— Elle est généreuse, dit Grace. C'est tout. Pourquoi refuser ? Ce serait faire preuve de mauvaise éducation.

— De mauvaise éducation ?

Elle hocha la tête.

— Dis-moi comment tu t'appelles, dit sa mère avec sévérité. Dis-le. Dis-moi ton nom maintenant.

— Grace, répondit-elle. Je m'appelle Grace Byrne.

Sa mère fondit en larmes.

— Non. Tu t'appelles Mary Grace. Mary Grace Byrne. Mary est le nom qu'on t'a donné, mais comme lady Porter préférait Grace, j'ai permis que l'on te nomme ainsi. Seulement, je ne la laisserai pas te mettre toutes ces idées de luxe dans la tête. Tu es une petite Irlandaise toute simple et j'interdirai qu'on te gonfle la tête avec des rêves impossibles.

— Mais elle ne le fait pas ! s'indigna Mary Grace. Tu mens !

— Je suis ta mère, Mary Grace. Tu ferais bien de ne pas l'oublier. Tu n'intéresses pas lady Porter pour ce que tu es. Tu ne l'intéresses que parce que tu lui rappelles sa fille décédée. Lorsqu'elle en aura fait le deuil, elle te laissera de côté.

— Crois-tu que je souhaite être domestique toute ma vie ? Tu ne penses pas que je désire peut-être mieux que ça ? Lady Porter, justement, peut m'aider à faire mieux.

— Tu seras servante dans cette maison ou dans une autre. Entends bien ce que je te dis. Si tu t'imagines que les Porter t'accepteront un jour comme une des leurs, c'est que tu es encore plus folle que je l'imaginais, Mary Grace Byrne.

— J'irai à Londres, dit-elle. Tu ne m'en empêcheras pas.

Sa mère la dévisagea un moment puis elle se détourna et s'éloigna. Edward qui l'observait vit ses épaules s'affaisser. Un bref instant, il crut qu'elle allait défaillir. Au contraire, elle se raidit et pointa le menton.

— Vas-y. Fais des erreurs et assume-les. Mais quand tu reviendras, le cœur brisé, tu te rendras compte que ta seule mère, c'est moi, et que tu n'en auras jamais d'autre.

Grace n'aurait jamais imaginé qu'un voyage puisse être aussi extraordinaire. Ils avaient embarqué de nuit à bord du *Lady Leinster*, un bateau express à vapeur qui assurait la traversée de la mer d'Irlande, entre Dublin et Liverpool où l'on débarquait au petit matin. Jamais elle n'avait pensé qu'elle ferait un jour un si grand périple. Le plus loin qu'elle était allée c'était à Dublin, une fois, trente minutes dans l'automobile des Porter. Mais ce voyage était une véritable aventure et tout ce qu'elle voyait était d'autant plus excitant qu'elle le découvrait pour la première fois.

Debout à la proue du navire, Edward et elle avaient regardé l'Irlande s'évanouir dans la brume qui enveloppait l'horizon. Puis, après une nuit dans une cabine confortable, ils avaient pris leur petit déjeuner et regardé l'Angleterre se découper à l'est, plus haute et plus verte avec chaque mille que le bateau avalait.

Une course en taxi des docks jusqu'à la gare et ils avaient

embarqué à bord du *London Midland Scotland*, le train en partance pour la capitale. A bord, un compartiment luxueux les attendait avec une collation légère et un thé. Tout ici avait meilleur goût parce que c'était servi sur le bateau ou dans le train. Jusqu'à l'air qui semblait vibrer différemment et tous ces gens qui virevoltaient autour d'elle et qui étaient furieusement sophistiqués. Grace sut, dès cet instant, qu'elle adorerait voyager.

Il ne planait qu'un nuage sur ce tableau idyllique. Elle était partie sans faire d'excuses à sa mère. C'était à peine si elles s'étaient adressé la parole entre le jour de l'invitation et celui du départ. Dix jours sans un mot ou presque. Rose avait attendu que sa fille se plie à ses vœux et refuse l'invitation mais Grace avait montré le même entêtement que sa mère. C'était décidé, elle irait.

Elle n'avait pas voulu heurter sa mère, pourtant. Elle savait que les craintes de celle-ci n'étaient pas imaginaires, mais elle voulait courir le risque de faire ce voyage. Si cela lui mettait dans la tête des idées de luxe et de grandeur et qu'elle ne puisse les réaliser plus tard, elle en pâtirait et tant pis pour elle : au moins, elle aurait vu du pays et côtoyé d'autres gens ! Ne pas saisir les opportunités lui paraissait un péché encore plus grand que l'orgueil et la désobéissance.

Ils prirent une suite au Savoy, hôtel luxueux avec lumière électrique, ascenseurs aux lourdes portes dorées et portiers en livrée. Leur chambre donnait sur la Tamise et le pont de Waterloo. Après s'être installés et avoir défait leurs bagages, ce qui leur prit un certain temps, Edward invita Grace à venir flâner dans les jardins qui bordaient le fleuve. Geneva refusa la proposition, préférant s'asseoir devant une tasse de thé et se reposer ensuite. Ils dîneraient à 5 heures dans la salle à manger de l'hôtel et feraient une promenade en bateau-mouche sur la Tamise après dîner.

Grace et Edward sortirent. L'impression que le monde était à leurs pieds les assaillit d'emblée. Bien qu'elle fût dans une ville étrangère, elle se sentait en sécurité avec Edward à son côté. Il était déjà venu à Londres et veillait à lui éviter le moindre danger, comme la circulation chargée, les chaussées inégales, et même les pickpockets qui traînaient dans les rues à l'affût d'un touriste à dévaliser.

— Je n'arrive pas à croire que je suis ici, murmura Grace en trottinant près de lui, bras dessus bras dessous. J'aurais bien aimé que maman voie tout ça. Je suis sûre qu'elle adorerait.

— Tu pourras l'amener la prochaine fois. Et comme tu seras déjà venue, tu sauras quels endroits lui faire voir en priorité.

L'optimisme d'Edward fit du bien à Grace mais ils savaient aussi bien l'un que l'autre qu'il n'y aurait jamais de voyage à Londres pour Rose Byrne dans le futur. Ces temps derniers, elle n'était guère sortie de Porter Hall, même pas pour se rendre à l'église. Une promenade dans les jardins tous les trois ou quatre jours, voilà tout ce que ses forces lui permettaient de faire.

— Peut-être, dit Grace.

Ils s'arrêtèrent d'abord à l'Aiguille de Cléopâtre puis continuèrent leur visite. Partout, il y avait quelque chose à admirer : des théâtres, des monuments historiques, des statues de personnages célèbres, des choses dont elle n'avait jamais entendu parler que dans les livres.

— Je me demande ce que peut être la vie dans cette

grande ville, dit Grace. Tu sais, toi, comment vivent les Londoniens ? Tu crois qu'ils pensent que leur vie est normale ?

— Pour eux, tout ce que tu vois là est ordinaire.

Grace éclata de rire.

— Moi qui trouvais les jardins de Porter Hall extraordinaires… Je ne les verrai plus d'un même œil !

— Tu sais, Grace, si tu vivais ici, tu trouverais tout ce qui t'entoure banal, toi aussi. Ce qu'il faut c'est bouger, voir du pays, aller toujours plus loin et savoir quitter une ville avant que l'ennui ne s'installe.

— Tu as raison, Edward. C'est comme cela qu'il faudrait vivre. Ce doit être amusant, d'ailleurs. Tellement plus excitant que la routine d'une vie bien rangée. Il faudra que j'y pense avant d'accepter une demande en mariage. Oui, il ne faudra pas que j'oublie que je dois épouser un homme qui aime les voyages.

— Je serai jaloux, tu sais. Parce qu'il aura la meilleure compagnie qui soit.

Grace sourit.

— En ce cas, tu peux toujours m'épouser, Edward Porter.

Evidemment, ce n'était qu'une boutade. Une plaisanterie pour rire. Mais le visage d'Edward s'assombrit.

— Je doute que mon père me donne son consentement, dit-il d'une voix empreinte de gravité. Je suis censé épouser une jeune fille de bonne famille avec de la fortune. Et Malcolm aussi.

Elle lui donna une tape sur le bras.

— Mon pauvre Edward, ce serait ta mort. Tu aurais le rang social et la fortune pendant que moi je voyagerais de par le monde et vivrais des aventures extraordinaires !

Elle tourna sur elle-même, faisant tournoyer sa jupe autour de ses chevilles.

— Ne t'inquiète pas. Je t'enverrai des cartes postales. Tu les liras tout en prenant le thé avec ta lugubre épouse anglaise. Si je me souviens de toi, tout du moins.

— Moi je ne t'oublierai jamais, promit Edward.

Ils continuèrent à déambuler en silence, s'arrêtant devant toutes les statues et les parterres de fleurs, chacun perdu dans ses pensées. Un tas de questions trottaient dans la tête de Grace. Une en particulier : quelles seraient leurs relations dans quelques années ?

Ils étaient comme frère et sœur par l'attachement profond qui les liait l'un à l'autre, même s'ils n'avaient pas une goutte de sang en commun. Cette tendresse finirait-elle par s'étioler au fil des années ? Quand ils seraient plus grands, fonderaient-ils un foyer chacun de son côté ?

— J'ai du mal à l'imaginer, dit Grace sans se rendre compte qu'elle avait parlé tout haut.

— Quoi donc ?

— Nous. Plus tard. Adultes. Nous ne vivrons plus dans la même maison. Je ne sais pas comment ce sera. Tu crois que nous nous oublierons et que nous ne nous reparlerons plus jamais ?

Edward plissa le front.

— Je ne sais pas, murmura-t-il. C'est difficile à dire.

— Tu vas partir pour le collège. Cela va changer les choses. Tu vas trouver une nouvelle grande amie et moi je resterai à la traîne.

Elle plaqua un sourire sur son visage.

— Mais je comprends. Ça ne veut rien dire pour toi d'avoir une amie qui a douze ans.

— Je ne pense pas souvent à ton âge, dit Edward.

Charlotte ne pensait jamais à mon âge. Nous étions les meilleurs amis du monde. Tu es ma sœur d'adoption, dit-il. Cela n'a donc rien de si bizarre.

Grace hocha la tête.

— Exactement. Et si quelqu'un te dit le contraire, j'espère que tu le remettras à sa place et vite ! Tu me promets ?

Ils flânèrent plusieurs heures ainsi, le long du fleuve, puis ils décidèrent de rentrer en passant par Trafalgar Square. Quand ils regagnèrent le Savoy, l'heure à laquelle ils avaient promis de rentrer était largement dépassée. Mais Geneva, heureuse d'avoir encore du temps à passer avec eux, n'allait certainement pas leur en faire le reproche.

Comme ils traversaient la réception, le responsable du desk appela Edward et l'entraîna discrètement dans un coin.

— Monsieur Porter, je suis au regret, mais, il y a eu un… problème.

— Qu'est-il arrivé ?

— C'est votre mère. Elle a… Elle est… Je ne sais pas exactement comment l'on dit. Le médecin est auprès d'elle. J'ai voulu envoyer un message à votre père…

— Il est absent de la maison. En voyage d'affaires. Où est-elle ?

— Dans sa suite. Si vous le désirez, je vais vous accompagner.

Edward secoua la tête et prit la main de Grace.

— Non, je vous remercie. Je vais y aller seul.

Ils se précipitèrent vers les ascenseurs mais, trouvant l'attente trop longue, Edward s'impatienta. Suivi de Grace, il fila vers l'escalier dont ils avalèrent les marches quatre à quatre jusqu'au quatrième étage. La porte était entrebâillée et, quand ils entrèrent, un homme d'un certain âge était assis auprès de Geneva sur le canapé. Il lui tenait la main. Elle avait les yeux fermés et la tête rejetée en arrière.

Le seuil de la porte à peine franchi, Grace recula d'un pas.

— Comment va-t-elle ? s'inquiéta Edward.

Geneva se raidit et posa un regard vide sur son fils.

— Où étiez-vous ? Cela fait des jours que vous êtes partis.

Il se précipita vers elle.

— Non, mère, cela ne fait pas des jours. Nous ne sommes partis que quelques heures. Vous avez dû vous endormir et quand vous vous êtes réveillée, vous deviez être un peu étourdie.

— J'ai donné à votre mère quelque chose pour la calmer. Elle était très agitée. Elle était descendue à la réception et elle délirait. Elle racontait qu'elle cherchait sa fille, qu'elle l'avait perdue. Est-ce que votre sœur est avec vous ?

— Ma sœur est…

— Je suis là, dit Grace en s'avançant dans la suite.

— Ah, ma chérie ! s'exclama Geneva en tendant les bras. Où donc étais-tu ?

— Edward m'a emmenée faire un tour en ville, répondit Grace.

Elle s'agenouilla aux pieds de Geneva.

— Je vais bien, mère. Vous n'auriez pas dû vous mettre dans un état pareil.

Grace lança un coup d'œil au médecin.

— Elle m'a toujours maternée comme un bébé.

— Tout va bien, alors. Mais faites attention de ne pas

la perturber encore inutilement, jeune fille. Je repasserai plus tard dans la soirée pour voir si tout va bien. Pour l'heure, assurez-vous que votre mère se repose. Si elle s'agite de nouveau, donnez-lui une cuillerée de ce sirop dans un demi-verre d'eau.

Il tendit à Grace un petit flacon d'un liquide transparent.

Quand le médecin quitta la chambre, Grace et Edward se regardèrent, à la fois inquiets et soulagés, mais complices.

— Mère, si vous vous allongiez un peu. Nous allons demander que l'on nous apporte le dîner dans la suite. Je suis trop fatigué pour ressortir et Charlotte a mal à la tête.

Une ombre inquiète passa sur le visage de Geneva.

— Tu n'es pas malade, ma chérie ? Tu ne te sens pas mal ? Parce que, si tu ne te sens pas bien, il faut tout de suite rappeler le médecin. Ils en ont un de garde à l'hôtel en permanence.

— Oui, je sais, murmura Grace.

Après avoir aidé Edward à relever sa mère, elle alla avec elle dans sa chambre, la coucha sur le lit et déposa un petit baiser sur sa joue.

— Il faut que vous dormiez maintenant, mère. Et tout ira bien.

Grace s'assit au bord du lit jusqu'à ce que Geneva sombre dans le sommeil puis retourna dans le salon où Edward l'attendait. Il était assis sur le canapé, les coudes sur les genoux, tête baissée. Accablé comme il l'était à cet instant, il lui parut soudain beaucoup plus âgé. Ce n'était plus un garçon de seize ans qu'elle avait devant elle, c'était un homme.

— Vas-tu faire prévenir ton père ? demanda-t-elle.

Il aquiesça puis ajouta :

— Tu sais ce qui se passera quand je l'aurai fait ? Il va enrager et m'imposera de rester à Londres jusqu'à ce que maman aille mieux.

Il lança un regard à Grace et conclut :

— Je commence le collège dans quatre jours. Si elle n'est pas rétablie d'ici là, il faudra que je la laisse avec toi.

Grace opina.

— Ce n'est pas un problème. Je la ramènerai en Irlande.

— Je suis désolé.

Edward pesta tout bas, se leva et commença à arpenter la pièce.

— Il n'y a pourtant pas de raison pour que ce soit toi qui joues les infirmières.

Elle tendit la main et agrippa le bras d'Edward.

— Nous sommes ensemble dans cette aventure, toi et moi. Je ferai tout ce que tu me demanderas, je ferai tout ce qu'il faudra pour elle.

Elle s'arrêta puis reprit.

— Cela fait longtemps que j'ai compris qu'elle me prend pour Charlotte. Quelquefois, j'essaie de la détromper et, à d'autres moments, je me dis que c'est aussi simple de la laisser le croire.

Edward rit doucement.

— Parfois, moi aussi je me dis que tu es Charlotte. Tu crois que cela signifie que je suis fou ?

Grace secoua la tête.

— Non, c'est simplement qu'elle te manque.

Elle s'assit et soupira. Pourquoi jouait-elle la comédie du mensonge à Geneva ? Etait-ce par charité chrétienne ou parce qu'elle y trouvait son compte ? Sa motivation n'était sans doute pas aussi pure et désintéressée qu'il y paraissait de prime abord. Car elle le savait bien : plus longtemps Geneva aurait besoin de la sentir près d'elle, plus longtemps sa mère et elle seraient à l'abri à Porter Hall. Alors, tant que sa mère aurait besoin d'un lit chaud pour dormir et de nourriture dans son assiette pour subsister, Grace ferait ce qu'il fallait pour les lui procurer.

Et si, pour cela, elle devait porter les tenues de Charlotte, apprendre le piano comme Charlotte, écouter Geneva lui ressasser ce qu'elles avaient fait avec Charlotte, vu avec Charlotte, dit avec Charlotte, alors Grace n'hésiterait pas.

Elle jouerait la comédie et elle la jouerait bien.

Mais viendrait le jour où, Rose partie pour toujours, Grace serait libérée de son fardeau.

Ou peut-être serait-ce le fardeau qui se débarrasserait d'elle ?… Dans ce cas, une nouvelle vie commencerait pour elle, une vie dans laquelle il faudrait qu'elle trouve son chemin. Seule.

6

— Tu ne me rattraperas pas avant le bout de la piste !

Grace donna deux coups de talon dans les flancs du cheval qui rua légèrement avant de démarrer, naseaux fumants dans l'air froid du matin. Edward grogna puis, à son tour, lança sa monture au galop.

Cela faisait à peine trois ans que Grace montait à cheval et, à la voir, on avait l'impression qu'elle était née en selle tant elle était à l'aise. Il avait essayé de lui apprendre à monter à l'anglaise, jambes de côté, sur une selle spécialement conçue pour les dames mais elle avait refusé. Elle tenait à monter exactement comme lui, à califourchon. Elle avait très vite délaissé la gentille jument qu'elle avait montée au début, lui préférant un étalon fringant au penchant très marqué pour les cavalcades imprudentes. Monter Violette n'était plus d'actualité, mais cela n'empêchait pas Grace de lui garder toute son affection.

Il allait la rattraper aux abords du virage de la piste mais, voyant qu'il gagnait du terrain, elle talonna de nouveau les flancs de son cheval qui mit les bouchées doubles.

— Tu ne me rejoindras jamais ! s'écria-t-elle, les cheveux volant au vent.

— Mary Grace Byrne, arrête ! Tu vas te tuer !

Arrivée au bout de la piste, elle fit faire demi-tour à sa

monture pour regarder Edward arriver. Elle rayonnait de fierté. Elle haletait et ses yeux, comme deux diamants, brillaient de malice. Edward s'arrêta à sa hauteur, mit pied à terre et caressa l'encolure de son cheval.

— Evidemment ! Tu as pratiqué pendant mon absence.

— Tu es parti beaucoup trop longtemps, Edward, répliqua-t-elle.

— C'est vrai, murmura-t-il en lui souriant.

Il n'avait pas passé plus de quelques jours avec Grace au cours de l'année écoulée. Ce n'était pas étonnant qu'elle ait tellement changé. Il était revenu à la maison pour Noël, un an plus tôt, après son premier trimestre à Harrow. Mais il avait passé ses vacances d'été à Euripe chez des amis de la famille, vacances arrangées par son père sans le consentement d'Edward.

Henry Porter soupçonnait-il une attirance grandissante entre son plus jeune fils et la ravissante petite Irlandaise, fille de sa lingère ? En tout cas, il n'y avait jamais fait allusion.

— Maman n'est toujours pas contente que je monte à cheval, dit Grace. Mais chaque fois que Geneva me le propose, j'y vais quand même. Mais je ramène toujours les chevaux dans leur box de sorte que Sammy et moi on puisse faire une petite sortie.

Elle mit à son tour pied à terre et, de conserve, tenant leurs montures par les rênes, ils reprirent la piste en sens inverse.

— Maman croit que je monte un poney, dit-elle. Tu ne la détromperas pas, n'est-ce pas ?

Edward éclata de rire.

— Tu sais bien que je ne trahis jamais nos secrets.

Elle hocha la tête.

— J'espère.

Grace se transformait. De jolie, elle devenait ravissante. Bien qu'elle n'ait que quatorze ans, Edward voyait déjà sur elle les traits de la jeune femme qu'elle était devenue, orgueilleuse, spirituelle. Et belle.

Edward fronça les sourcils. Etait-ce correct d'avoir de telles pensées à propos d'une fille qu'il considérait comme sa sœur?

L'attirance qu'il ressentait pour elle était différente de celle qu'il avait éprouvée jusque-là pour d'autres filles. Ces filles-là, il les imaginait nues, avec de gros seins, de grosses bouches, et il se demandait ce que cela lui ferait de les toucher. Avec Grace, c'était autre chose. Il ne pensait pas du tout à tout ça.

Quand il pensait à elle, c'étaient les mots sincérité, franchise, confiance qui lui venaient à l'esprit. Grace et lui avaient toujours été si proches… Mais, maintenant, après près d'un an d'absence, il commençait à la voir sous un jour différent, avec les mêmes yeux que les autres garçons. Elle était singulière. C'était une fille qu'il fallait chérir et respecter, et non convoiter sexuellement.

Cela ne l'empêchait pas d'admirer sa posture sur le cheval ni sa façon de grimper aux arbres. Cela ne l'empê-chait pas non plus de l'admirer dans sa tenue d'équitation bleu saphir. Il se forçait alors à se rappeler qu'elle n'était là, en fin de compte, que pour jouer le rôle de sa sœur et qu'elle n'était encore qu'une toute jeune fille, alors que lui était presque un homme. Son admiration devait donc en rester là.

— Je t'ai battu, plaisanta-t-elle. A force de rester assis à étudier, tu as la fesse molle, Edward Porter, et si tu continues, bientôt tu ne seras même plus capable de monter un poney!

— Arrête de te moquer de moi, dit Edward. Je t'ai laissée gagner. Si je veux, je peux te battre tous les jours de la semaine et deux fois les dimanches.

— Tu veux qu'on recommence? demanda Grace.

Edward fit non de la tête.

— Je préfère que nous marchions. Il faut que nous parlions.

— Quelle gravité tout d'un coup! C'est Harrow qui te rend si sérieux?

— J'aimerais que tu me parles de maman, dit-il. Dis-moi ce qui s'est passé depuis la dernière fois que je t'ai vue. Comment va-t-elle?

Au lieu de répondre, Grace, embarrassée par la question, joua un petit moment avec le bouton de son gant.

— Pas très bien, finit-elle par avouer. Depuis Londres, elle a changé. Ses phases de dépression sont moins fréquentes mais elles semblent plus profondes. Et quand elle va bien, elle est obsédée par l'ordre et le rangement. Il faut qu'elle remette tout en place. La semaine dernière, alors que je lui apportais son thé, je l'ai surprise en train d'aligner ses chaussures sur son lit; ensuite, elle les a toutes dispersées de nouveau.

— Mon père a-t-il assisté à la scène?

Elle secoua la tête.

— Je ne crois pas. Il est très absorbé par ses affaires. Depuis ton départ, c'est surtout moi qui tiens compagnie à ta mère. Je lui fais la lecture, je sors avec elle dans les jardins. Je l'aide à rédiger son courrier. J'estime que c'est le moins que je puisse faire, compte tenu de tout ce qu'elle a fait pour ma mère et pour moi.

— A ce propos, comment va Rose ?

Silence.

Comme elle ne répondait pas, Edward lui tapota l'épaule. Elle le regarda alors dans les yeux. Elle était au bord des larmes.

— Tu le sais, n'est-ce pas ? Tu sais qu'elle est en train de mourir. Ce matin, elle a à peine pu sortir de son lit. J'essaie de faire la plus grosse partie de son travail, mais je me doute que nous ne dupons personne.

Il opina.

— J'ai entendu mon père et ma mère en parler hier soir.

— Qu'ont-ils dit ? Vont-ils nous mettre à la porte ?

— Père aimerait bien mais maman s'y oppose. Elle aimerait envoyer Rose à l'hôpital mais elle a du mal à convaincre mon père de payer les frais.

Il soupira.

— Ses affaires ne sont plus ce qu'elles étaient autrefois. Il songe même à fermer une de ses usines textiles. Quant aux puits de charbon, il y en a deux qui sont épuisés.

Grace hocha la tête.

— Ce n'est pas grave. De toute façon, elle n'acceptera jamais de partir en me laissant seule ici. Si elle va à l'hôpital, il faudra que j'aille avec elle.

— Ils peuvent sûrement faire quelque chose pour elle, pourtant, insista Edward. En se soignant, elle pourrait sans doute gagner quelques années.

— Un jour viendra où je l'accompagnerai à sa dernière demeure, murmura Grace, la voix brisée. Ce jour-là, quand je serai au pied de sa tombe…, ce jour-là signera la fin de ma vie ici.

— Non !

Edward serra sa main plus fort dans la sienne.

— Mère ne te laissera jamais partir, dit-il. Elle est… Comment dire ? Elle est incapable de vivre sans toi. Tu l'apaises. Tu lui fais du bien et je pense que père en est conscient et que cela l'arrange. Savoir qu'elle a l'esprit occupé lui permet à lui de penser à autre chose.

— Que se passera-t-il quand elle réalisera finalement que je ne suis pas Charlotte ?

— Elle ne s'en rendra peut-être jamais compte, dit Edward.

Un long silence s'installa qu'elle finit par rompre.

— Il y a quelque chose que j'avais envie de te donner, dit-elle.

— Tu n'as rien à me donner, répondit-il.

Elle plongea la main dans la poche de sa jupe d'équitation et en sortit un petit médaillon en or attaché à un lien de cuir.

— Nous ne nous voyons pour ainsi dire plus jamais et j'avais envie que tu aies un petit souvenir de moi. Cette médaille appartenait à mon père, murmura-t-elle.

Du bout du doigt, elle caressa le petit bijou et l'orienta vers le soleil.

— C'est écrit en gaélique dessus.

— Montre-moi. Qu'est-ce que ça veut dire ?

— L'amour triomphera, traduisit-elle.

— Je ne peux pas l'accepter, protesta Edward. C'est un héritage.

— Cela me ferait pourtant plaisir que tu le prennes.

Elle se tourna vers lui et noua le lien de cuir autour de son cou.

— Je serai contente de me dire que tu penses à moi de temps en temps.

Elle respira profondément. Un souffle un peu précipité.

— Tout va tellement vite. J'aimerais que la Terre cesse un peu de tourner et que nous puissions rester davantage ensemble tous les deux.

— Moi aussi, murmura-t-il.

Edward tendit la main vers sa joue et la caressa. Les yeux dans les yeux, ils se turent. Edward crut voir un éclat passer dans son regard, une lueur particulière, quelque chose qui voulait dire : *Je sais… J'éprouve la même chose*.

Envahi par une brusque envie de l'embrasser, il se pencha, la vit écarquiller les yeux et… Hop! L'envie disparut avec la même soudaineté qu'elle était venue.

Gênée, Grace sourit puis se tourna vers son cheval. Les mains jointes en guise d'étrier, Edward l'aida à monter. Le temps qu'elle règle les rênes, il resta près d'elle.

— Merci, dit-il. Elle ne me quittera jamais.

— On fait la course pour rentrer?

Edward eut à peine le temps d'enfourcher sa monture que Grace s'élançait dans un galop effréné. Deux minutes pour démêler les rênes et ajuster sa position sur la selle, elle avait déjà disparu derrière le virage que faisait la piste en son milieu.

Il pouffa de rire intérieurement. Puisque c'était trop tard pour la rattraper, mieux valait la laisser gagner et qu'elle se délecte de sa victoire tout au long de la journée, pensa-t-il.

Comme il abordait la courbe, il vit son cheval au loin, sur le bord du chemin, visiblement nerveux. Les rênes traînaient à terre.

— Grace! appela-t-il de toutes ses forces. Ne fais pas l'imbécile.

La coquine! Elle attendait qu'il approche pour sortir des buissons et lui faire peur.

— Gra…aa…

A cette seconde, il l'aperçut, roulée en boule, par terre. Elle ne jouait pas. Vite, il donna quelques coups de talon dans les flancs de son cheval, qui détala. Avant même que sa bête ne s'arrête, Edward sauta à terre. Agenouillé près de Grace, il dégagea le visage de son amie, dissimulé par ses cheveux noirs. Mon Dieu… Elle était pâle comme la mort et ses lèvres étaient décolorées.

— Grace? Parle-moi! Je t'en prie, Grace, dis quelque chose!

Submergé par la peur, il ne trouvait plus son souffle. Doucement, il la prit dans ses bras mais son corps était mou comme un chiffon.

— Oh non! Grace, pas ça. Je t'en supplie, réveille-toi. Bouge.

Il avala une grande bouffée d'air et réfléchit à ce qu'il pouvait faire. La porter dans ses bras jusqu'à la maison? Impossible. La remettre en selle? Impensable. Le mieux était de la laisser allongée au bord de la route et d'aller chercher du secours.

Il ôta sa veste et la posa sur son amie pour éviter l'hypothermie, puis il remonta à cheval et s'élança au galop. C'était sa faute. Il n'aurait pas dû la laisser faire la course. Il était responsable d'elle, elle avait toujours été sous sa surveillance, il l'avait toujours protégée. Aujourd'hui, il l'avait laissée faire. Il ne l'avait pas assez surveillée. Il avait considéré qu'elle était assez grande maintenant, qu'elle n'était plus une enfant. C'était tellement plus facile, comme cela. Mais il avait fait une erreur — et cette erreur, maintenant, il fallait la payer.

*
**

Rose empoigna les accoudoirs du fauteuil qu'elle avait approché du lit et haussa les épaules. Voulant à tout prix garder son calme, elle inspira une première fois, puis une deuxième, à fond. Voir sa fille dans cet état était une vraie misère. Elle avait l'air tellement fragile, sa Mary Grace, allongée là, devant elle, sur ce grand lit tout blanc.

Elle soupira et se dit qu'elle n'allait pas avoir la force de supporter cette épreuve.

Edward était venu la chercher quelques heures plus tôt. Il portait encore son costume de cavalier, il avait les cheveux en bataille et les yeux hagards. Dès qu'elle l'avait vu, elle avait compris qu'il s'était passé quelque chose de très grave. Quand elle avait franchi le seuil de la chambre jaune du deuxième étage de Porter Hall, elle avait vu de ses yeux.

Elle n'avait cessé de répéter à Mary Grace qu'elle désapprouvait les leçons d'équitation. Mais sa fille était devenue une forte tête ; elle avait eu beau lui dire qu'elle n'était pas d'accord, elle avait continué puisque cela plaisait à Geneva et Edward. Imperceptiblement, elle lui échappait et Rose sentait bien qu'elle n'avait plus prise sur elle. L'influence qu'elle subissait venait des Porter, mère et fils.

Elle ferma les yeux. Elle était épuisée. Malgré son envie de se battre, elle avait de plus en plus tendance à baisser les bras. Sa maladie progressait. Elle en était à un point où il était clair qu'elle n'avait plus que quelques mois à vivre. Peut-être fallait-il qu'elle confie sa fille aux Porter ? Elle pouvait espérer qu'ils prendraient soin d'elle après sa mort.

— Madame Byrne ?

110

Rose rouvrit les yeux. Le médecin se tenait devant elle, impressionnant dans son costume sombre. Rose fit un effort pour se lever mais le médecin posa la main sur son épaule pour qu'elle se rasseye. Ce qu'elle fit.

— L'état de votre fille est sérieux, dit-il. Elle a une fracture du poignet et de la clavicule. Elle a subi un violent traumatisme à la tête. Il faut attendre ce soir pour poser un pronostic, mais je soupçonne une commotion cérébrale. Au moins. En cas de fracture du crâne, le pronostic vital sera engagé.

— Comment le saura-t-on ? demanda Rose.

— Il faut attendre qu'elle se réveille. Nous ne le saurons qu'à ce moment-là.

Il lui prit la main.

— A vous, maintenant. Comment allez-vous ? Vous semblez très fatiguée.

— Un peu, dit Rose. Mais ce n'est rien.

— Je vais demander à ce que l'on vous apporte du thé et des toasts. Il est important que vous gardiez des forces.

Il s'arrêta.

— Si vous remarquez le moindre changement, faites-moi appeler.

— Oui, docteur.

Il sourit, prit son manteau et quitta la chambre. Un instant plus tard, Edward entrait à son tour. Il avait troqué sa tenue de cavalier contre un costume sobre et ses cheveux étaient mouillés.

— Comment va-t-elle ?

— Toujours pareil, répondit Rose.

— Madame Byrne, je suis désolé. Je ne sais pas ce qui s'est passé, mais je me sens responsable.

— Vraiment ? dit Rose. Vraiment ? Vous vous sentez si responsable de ma fille ? En ce cas, veillerez-vous sur elle quand j'aurai quitté ce monde ? Parce que, si vous me le promettez, je vous pardonne pour l'accident.

— Je vous le promets, dit Edward d'un ton solennel. Je veillerai toujours sur elle. Aussi longtemps que je vivrai, elle ne manquera jamais de rien.

— Vous êtes presque un homme, maintenant, Monsieur Edward. Je pense que je peux vous faire confiance.

Il fit oui de la tête.

— Vous pouvez.

Edward traversa la chambre et s'arrêta au bord du lit, les yeux rivés sur le visage de Mary Grace.

Rose l'avait connu tout petit. Il avait beaucoup changé depuis. C'était devenu un grand et très beau garçon. Il devait faire un bon mètre quatre-vingts et dépasser ses deux parents en taille. Il n'y avait plus chez lui la moindre trace de l'adolescent qu'il avait été. Sa voix était grave et il se rasait, maintenant. Et quand il se déplaçait et parlait, il le faisait avec force et conviction.

C'était le seul en qui elle avait confiance. Geneva avait beau clamer haut et fort qu'elle aimait Mary Grace, son amour était instable et dépendait de son état psychologique. Henry Porter n'avait jamais voulu d'elles dans la maison. Dès le départ, les choses avaient été très claires. Quant à Malcolm, ses sentiments amers envers Mary Grace étaient évidents. Non, il n'y avait qu'Edward qui puisse veiller sur elle.

— Ce médaillon que vous portez. Il appartenait à mon mari. J'ai le même autour du cou. Il me l'avait donné le jour de notre mariage.

Edward prit la médaille dans sa main et la caressa.

— Grace me l'a donnée tout à l'heure. Ça ne vous gêne pas que je la porte?

Rose secoua la tête.

— Vous savez ce qui est écrit dessus?

— Oui. *L'amour triomphera*, dit Edward.

— C'est bien que vous la portiez. Elle vous rappellera votre promesse.

— J'apporte le thé.

Un plateau à la main, Cook entra dans la chambre. Suivie de Geneva. Elle posa le plateau sur le guéridon, versa du thé dans une tasse et traversa la chambre pour l'apporter à Rose.

— Y a-t-il du nouveau? demanda-t-elle.

Rose fit non de la tête.

— Faites-moi savoir s'il y a quelque chose que je peux faire, dit-elle. Nous l'associons à nos prières. Nous l'aimons tous beaucoup. Vraiment. Comment pourrait-on ne pas l'aimer?

Rose avait toujours entretenu une relation ingrate avec le reste du personnel, aussi les paroles de Cook la surprirent-elles. Il est vrai qu'ils avaient vu Mary Grace grandir sous leurs yeux. Elle était devenue une jeune fille gentille et attentive aux autres qui avait pour tous le plus grand respect et manifestait toujours beaucoup de modestie. Comment aurait-on pu ne pas l'aimer autant que Rose l'aimait?

— Merci.

Rose but une gorgée de thé. Une fois Cook sortie, elle se tourna vers Geneva. Debout au pied du lit, elle se tordait les doigts nerveusement et posait les yeux tour à tour sur Mary Grace et sur Edward qui se tenait sagement en retrait. Elle semblait marmonner tout bas. Sans doute

113

parlait-elle toute seule ? En tout cas, ses lèvres remuaient ; mais Rose ne comprenait rien.

— Je vous remercie d'avoir appelé le médecin, dit Rose.

Geneva la regarda comme si elle découvrait qu'elle était dans la pièce.

— Bien sûr que j'ai fait appeler le médecin ! Vous ne voudriez quand même pas que je laisse ma fille mourir.

Rose jeta un regard à Edward. Il s'approcha de sa mère et la prit par le bras.

— Venez, mère. Vous l'avez assez vue, maintenant. Il faut la laisser se reposer.

— C'est ta faute, dit-elle, se retournant brusquement vers lui, le doigt pointé sur sa poitrine. Ta faute.

Et, comme un disque rayé, elle continua de répéter : « ta faute, ta faute, ta faute ». Puis, brusquement, elle leva la main et frappa Edward en plein visage.

Surpris par le geste et sa violence, il recula. Puis, sans se départir de son calme, il lui prit la main et la serra fermement pour ne pas qu'elle se dégage.

— Calmez-vous, mère. Vous savez aussi bien que moi que c'est un accident. Grace a fait une chute de cheval.

— Charlotte est une cavalière émérite.

— *Grace*, mère. C'est *Grace* qui est tombée. Pas Charlotte. Charlotte est morte. C'est Grace qui est là.

— Grace ?

Lady Porter plissa le front.

— Qui est… ?

Elle se retourna et regarda le lit puis se frotta les tempes.

— Où est mon médicament? Je veux mon médicament.

— Je vais vous le chercher, mère. Vous n'avez qu'à vous asseoir et tenir compagnie à la mère de Grace pendant ce temps-là. Je suis sûr que cela lui fera plaisir.

Rose connaissait les signes avant-coureurs. Il y avait les jours où Geneva était à peu près normale, en apparence du moins, et les autres, où elle dérivait à la lisière de la folie. Edward semblait avoir réussi à l'éloigner de cette frontière, remarqua Rose. Lady Porter semblait, en effet, recouvrer un semblant de dignité. Elle regardait partout, cependant, respirait trop vite et multipliait les gestes nerveux et saccadés.

— Le médecin a dit qu'elle a peut-être une commotion cérébrale, dit Rose. Il faut espérer qu'elle se réveille vite maintenant.

— Oui, dit Geneva. Oui, oui.

— Quand elle se réveillera, je la ferai ramener dans notre logement, au-dessus de la remise des voitures.

— Ah non. Vous devez la laisser ici où nous la surveillerons attentivement. Edward y veillera. C'est lui qui m'aide quand je ne vais pas bien. Il aidera Grace aussi. Ce sont de grands amis.

Essoufflée, elle reprit sa respiration.

— Je suis désolée. Il m'arrive parfois de ne pas avoir les idées très claires. J'ai été extrêmement fatiguée, récemment.

Elles restèrent un moment assises toutes les deux, en silence, à regarder Mary Grace. A attendre. Et soudain, comme par miracle, l'improbable se produisit. Grace gémit puis leva une main qu'elle posa sur sa tête. Aussitôt

Rose se leva, s'assit au bord du lit et prit la main de sa fille qu'elle serra dans la sienne.

— Mary Grace, réveille-toi. Il est temps que tu te réveilles, veux-tu ?

— Maman ?

— Je suis là, dit Rose.

Grace battit des paupières et fit le tour de la chambre des yeux.

— Je me suis endormie ? Où suis-je ?

— Tu es dans la chambre jaune. Tu es tombée de cheval et ils t'ont amenée ici. Comment te sens-tu ?

— Ma tête me fait mal.

Elle voulut s'asseoir mais poussa un cri de douleur. Son regard se posa sur son poignet, enveloppé dans un bandage et tenu par une attelle. Ne comprenant pas ce qui lui arrivait, elle fronça les sourcils.

— Tu t'es fracturé le poignet, expliqua Rose. As-tu mal ailleurs ?

— A la tête, répondit Grace. Est-ce qu'Edward va bien ?

— Bien sûr, dit Geneva. Il était là quand c'est arrivé. Il est venu chercher de l'aide.

— Qu'est-ce que je t'avais dit ? gronda Rose. Je ne voulais pas que tu fasses du cheval. Tu allais trop vite. Sinon, tu n'aurais pas pu te faire aussi mal en tombant d'un poney.

— Je… je ne… je n'étais pas sur un poney, avoua Grace, l'air penaud.

— Grace est une excellente cavalière, dit Geneva. Je lui ai bien appris. Elle est capable de conduire un pur-sang, je peux en témoigner. Et si elle est tombée, je peux assurer que ce n'est pas sa faute. Le cheval a dû refuser ou faire un faux pas.

— Je te demande pardon, maman. Je sais, je t'avais promis, mais j'adore monter à cheval. Et lady Porter a raison, je suis une excellente cavalière.

Lentement, Rose se leva. Elle ne voulait pas argumenter plus longtemps. Elle n'avait même pas envie d'essayer. Dorénavant, elle devrait se contenter des miettes de respect et d'affection que sa fille voudrait bien lui accorder.

— Je suis heureuse de savoir que tu te sens mieux, Mary Grace. Je suis sûre que bientôt il n'y paraîtra plus. Maintenant, j'ai du travail qui m'attend, je te laisse aux bons soins d'Edward et de lady Porter.

— Mais, maman, je veux que tu…

— C'est bien, l'interrompit lady Porter. Ta mère me semble avoir besoin de repos. Vous reviendrez demain matin la voir, n'est-ce pas, Rose ?

Rose fit oui de la tête et se dirigea vers la porte.

Edward, qui était dans le couloir et qu'elle frôla en passant, l'appela tout bas. Elle se retourna et sourit.

— Elle est à vous, maintenant, murmura-t-elle. Je ne peux pas la retenir.

En retournant vers la remise aux voitures, Rose se dit que c'était sans doute mieux ainsi. Si elle devait mourir bientôt, ce serait plus facile de partir sachant que sa fille n'avait plus besoin d'elle et qu'elle était entre de bonnes mains. Elle avait connu tant de vicissitudes, elle s'était tant battue dans l'adversité pour donner un toit à Mary Grace… Aujourd'hui, la bataille était terminée, elle pouvait souffler. Que ce serait bon de se reposer, que ce serait doux de laisser son ouvrage de côté pour regarder venir ce qui devait arriver…

Bien qu'elle n'eût pas envie de mourir, elle souhaitait revoir Jamie. Elle commencerait par le réprimander puis elle lui dirait combien il lui avait manqué. Ensuite, elle lui dirait tout de leur fille, elle lui raconterait l'intelligence, les dons et la beauté de Mary Grace.

Oui, ce serait bon de se reposer enfin.

7

« *24 décembre 1845*

» *Joyeux Noël. J'envoie ces vœux dans le monde entier dans l'espoir que mon Michael les entendra et qu'il sourira. Cette nuit, il doit penser à moi autant que je pense à lui. Je lui ai fait des cadeaux — une chemise neuve et trois mouchoirs brodés que j'ai enveloppés et que je lui donnerai quand nous nous retrouverons. J'attends chaque jour une missive de lui, je voudrais qu'il me dise qu'il est bien arrivé. Il a dû entendre parler des soucis que nous avons ici. La nourriture se fait rare et les gens commencent à se désespérer. Certains ont déjà été mis à la porte de leur maison et viennent mendier dans les rues. Mme Grant me donne toujours du travail, j'ai donc de l'argent pour acheter le nécessaire. Mais son mari et elle parlent de repartir en Angleterre, effrayés qu'ils sont par ce qu'ils voient dans nos campagnes. Personne ne sait ce qui nous a amené ce fléau. Certains disent que c'est la fumée des locomotives. D'autres disent que c'est à cause de la foudre. Pour l'heure, je vais bien et le bébé continue à grandir dans mon ventre. Je prie pour que le nouvel an nous apporte des nouvelles meilleures.* »

— Tu lis si bien, dit Rose.

Grace leva les yeux de la page du journal intime si soigneusement rédigé à la main et sourit à sa mère. Bien qu'elles n'aient fini de dîner qu'une heure plus tôt, sa mère, dont la fatigue se lisait sur le visage, était allée se coucher. Après l'accident de Grace, Rose s'était encore affaiblie. Elle semblait vraiment filer du mauvais coton. Elle était de plus en plus pâle et ses traits se creusaient un peu plus chaque jour.

Grace avait essayé d'apaiser l'inquiétude de sa mère en lui promettant de ne plus jamais monter à cheval, mais son poignet cassé avec l'attelle et le bandage lui rappelait constamment qu'elle avait failli se tuer.

Grace serra la main de sa mère.

— Tu m'as bien élevée, maman. Je suis instruite, maintenant.

— Il n'y avait plus grand-chose à t'apprendre après les leçons avec le précepteur que Geneva avait engagé pour toi, Mary Grace. Et puis, tu as toujours montré que tu étais intelligente.

Une quinte de toux secoua sa mère. Grace se précipita pour prendre le pichet d'eau sur la table. Après l'avoir aidée à s'asseoir, elle lui tendit un verre légèrement ébréché.

— Geneva a renvoyé le précepteur, n'est-ce pas?

Grace opina. Entre le lavage et le repassage, il ne lui restait plus de temps pour les études mais elle n'en avait rien dit à sa mère. Elle s'était demandé combien de temps il faudrait à Rose pour s'en rendre compte.

— Il a dit qu'il n'avait plus rien à m'enseigner. Que je savais tout, prétendit-elle. Et comme je voulais garder du temps pour t'aider à la lingerie… Geneva m'encourage encore à dessiner et nous jouons à quatre mains au piano et faisons la conversation en français, de sorte que je n'oublie pas ce que j'ai appris.

Rose hocha la tête.

— Tu auras tout le temps de travailler quand tu seras

plus âgée. Quand j'aurai recouvré un peu de forces, je t'aiderai davantage.

Grace avait fêté ses quatorze ans le mois précédent et, les années passant, elle prenait un peu plus conscience de qui elle était et de ce qu'il adviendrait d'elle quand elle aurait vraiment grandi. Elle vivait dans un monde étrange — deux mondes, en fait. Chaque jour, des heures durant, elle restait assise avec Geneva, une lady très comme il faut, aux manières anglaises raffinées et à l'éducation très huppée. Puis elle retournait vers la remise aux voitures où elle s'échinait sur le linge à laver, à repasser et à raccommoder pour épargner à sa mère la fatigue de ces besognes.

Bien qu'elle fût sensible à la générosité de lady Porter, Grace était de moins en moins certaine de ses intentions. Pourquoi cherchait-elle à faire d'elle une lady ? Bien qu'elle ait reçu une certaine éducation et qu'elle puisse maintenant se sentir plus à l'aise dans la vie — et même faire illusion —, elle restait une petite Irlandaise et Geneva n'envisageait pour elle qu'un avenir au service de la famille Porter. Elle la voyait prenant progressivement la place de sa mère.

Après avoir inséré un ruban de satin jaune en guise de marque-page, Grace referma lentement le journal intime.

— Nous continuerons demain, dit-elle. J'apporterai peut-être une lecture un peu plus légère. Un roman plus gai, plus distrayant. Ce journal est si triste qu'il me donne le bourdon.

— Moi, j'y puise de la force, répondit Rose. J'ai l'impression de bien connaître Jane alors que nous ne nous sommes jamais rencontrées. C'est comme une amie pour moi. Je me dis souvent qu'un jour nous nous retrouverons au ciel et que, ce jour-là, elle me racontera toute l'histoire.

— Tu devrais fermer les yeux et te reposer, maman.

Grace, qui ne quittait pas sa mère du regard, nota que des gouttes de transpiration luisaient sur son front. Elle avait eu de nombreux accès de fièvre au cours des mois passés et, chaque fois, ses forces avaient semblé la quitter un peu plus.

La toux la réveillait la nuit, elle gâchait son sommeil. Elles avaient toutes les deux tenté de cacher aux Porter la vérité sur l'état de Rose et c'était Grace qui protégeait sa mère les jours où elle n'en pouvait mais. Mais ces jours-là se multipliaient, l'on pouvait même dire qu'ils se suivaient, l'un après l'autre, à la queue leu leu, sans aucun qui soit bon pour lui accorder un semblant de répit. Tôt ou tard, elle allait être découverte.

Grace prit un bout de chiffon humide et tamponna le front de sa mère puis, à mi-voix, lui fredonna la ritournelle qu'elle avait si souvent entendue quand elle était enfant.

— Ses cheveux étaient noirs, ses yeux étaient bleus, entonna-t-elle. Sa peau était claire et son cœur était vrai. Mon cœur te pleure, je me languis de toi. *Is go dté tu mo mhuirnin slàn*, termina-t-elle en gaélique.

Rose leva le bras et ôta une mèche de cheveux du front de Grace.

— Cette chanson me rappelle ton père, chuchota-t-elle. J'aurais voulu que tu le connaisses, Mary Grace. C'était un homme bien et beau.

— Parle-moi de lui, maman. Dis-moi comment vous vous êtes rencontrés.

— C'était sur la route du village. Ma grand-mère m'avait envoyée vendre des œufs au marché. En chemin, je l'ai aperçu ; il se tenait au bord de la route, sous un pommier, comme s'il attendait que le jour passe pour me rencontrer. Quand il m'a demandé s'il pouvait m'accompagner en ville, j'ai dit non. Mais quand il a souri, j'ai su que je ne pourrais rien faire contre… Je suis tombée amoureuse de lui sur-le-champ.

— Il était très beau ?

— Pour ça oui, très beau, ma fille.

Tout doucement, Rose entonna à son tour la chanson, tout en gaélique cette fois. Sa voix n'était qu'un filet. Un souffle ténu.

— *Siùil, siùil, siùil a ruin. Siùil go sochair agus siùil go ciùin. Sdoras agus éalaigh liom. Is go dté tù mo mhuirnin slàn.*

— Qu'est-ce que ça veut dire, maman ?

— Attends voir que je me rappelle, dit-elle. *Marche, ma chérie. Avance doucement, sois prudente, va à la porte et reviens-moi. Puisses-tu être toujours sous bonne garde, ma chérie.*

Elle laissa échapper un faible soupir.

— J'ai souvent imaginé mon arrière-grand-mère chantant ce refrain après que son mari s'était embarqué. Et je l'ai chanté après que mon Jamie est mort.

Elle inspira très fort.

— Tu la chanteras peut-être quand je serai partie ?

— Mais tu ne vas pas mourir, maman, dit Grace, la voix fêlée. Tu vas te rétablir. Je vais travailler plus pour que tu puisses te reposer davantage. Et quand le temps le permettra, tu sortiras dans le jardin, tu t'assiéras au soleil et, tu verras, il te réchauffera et tu ne tousseras plus.

Grace sentit sa mère lui serrer très fort la main. Ses doigts étaient froids, glacés même.

— Ce n'est pas la peine de nous raconter des histoires, Mary Grace. Il vaut mieux affronter le futur avec courage.

— Mais que ferai-je sans toi ? Que vais-je devenir ?

— Tu continueras, comme l'ont fait toutes les femmes de la famille avant toi. Et quand il faudra te battre, tu liras le petit journal et y puiseras la force qu'il te manque.

Décidée à ne pas se laisser déborder par l'émotion, Grace ravala ses larmes.

— Je vais aller chercher un peu de pain et de jambon dans la cuisine, dit-elle. C'est à peine si tu as touché à ton dîner, ce soir. Il faut que tu essaies de manger plus, maman.

— Une tasse de thé alors, dit sa mère. Ça m'aidera peut-être à dormir.

— J'y vais. Je reviens tout de suite.

Grace reposa le journal intime sur la table de chevet et emporta le plateau avec les tasses et la théière vide du goûter. Comme elle descendait l'escalier, le plateau en équilibre sur son avant-bras, un torrent de larmes jaillit de ses yeux.

Comment était-ce possible de perdre son père et sa mère avant même d'être adulte ? C'était trop injuste ! Trop cruel ! Et qu'allait-elle devenir ? Elle serait orpheline, sans famille pour la protéger, pour l'aider. Edward et Geneva avaient beau faire semblant d'être sa famille, elle savait bien qu'elle ne devait pas compter sur eux pour la soutenir.

Elle n'avait pas le choix. Il fallait qu'elle garde sa place ici, à Porter Hall. Et pour cela, qu'elle se rende indispensable en travaillant dur. De cette façon, ils ne la renverraient pas à la rue.

Un frisson la parcourut et elle activa le pas pour revenir le plus vite possible au chevet de sa mère. Ce faisant, elle frôla Edward qui avançait dans le couloir. Elle s'arrêta, sécha ses larmes.

Depuis qu'Edward était revenu de Harrow pour les vacances, ils se retrouvaient presque tous les soirs dans l'écurie. Quelquefois, ils restaient sagement assis, serrés l'un contre l'autre, perdus dans leurs pensées. D'autres fois, ils se lisaient des histoires ou des poèmes, ou regardaient des photos d'animaux de pays exotiques dans des livres.

A certains, cette amitié aurait pu paraître suspecte. Edward avait dix-huit ans, maintenant, et était plus près d'un homme que d'un adolescent. Elle s'attendait toujours à ce qu'il trouve mieux à faire de son temps que passer ses soirées avec elle. Sa mère mettait tant de jolies filles de bonne famille sur son chemin... Mais non, il semblait très content de s'asseoir quelques heures avec elle, le soir. Sa compagnie semblait lui suffire.

— Que se passe-t-il ? demanda-t-il, lui prenant le plateau des mains.

Grace secoua la tête.

— Rien. Je ne viendrai pas ce soir. Maman n'est pas bien, je préfère rester avec elle.

— Tu n'auras qu'à venir plus tard. Quand elle se sera endormie. Je t'attendrai.

— J'essaierai.

— J'ai quelque chose que je veux te donner.

Elle soupira.

— Tu m'as déjà donné beaucoup de choses.

Il passa la main sous sa veste et en sortit une enveloppe. Grace la prit et l'ouvrit.

— Oh! s'exclama-t-elle, surprise.

C'était une invitation à la soirée de Noël des Porter. Les domestiques en parlaient depuis des semaines, ils discutaient des préparatifs. Ils disaient que c'était en l'honneur de la fiancée de Malcolm et de sa famille qui venaient en visite à l'occasion des fêtes. Mais Geneva avait tenu à inviter aussi des jeunes gens, garçons et filles, de l'âge d'Edward.

Grâce lui rendit son enveloppe.

— Je ne peux pas.

— Pourquoi pas? J'ai demandé à mère et elle m'a donné son accord. Elle souhaite que tu viennes. Et moi également.

— Mais comment vas-tu me présenter? Voici la fille de notre lingère. Elle est irlandaise et catholique, mais nous faisons comme si nous l'ignorions.

Blessé, il serra les poings. Ses yeux jetaient des éclairs de colère.

— Tu sais que cela n'a pas d'importance pour moi.

— Pour toi peut-être, mais pas pour ta mère. Je suis bonne à jouer les Charlotte quand le besoin se présente mais je ne suis pas assez bien pour me joindre à ta famille, je me trompe? Y a-t-il d'autres Irlandaises catholiques invitées à votre réveillon, Edward? Cela m'étonnerait.

— Pourquoi me dis-tu ça à moi? s'écria-t-il. T'ai-je une seule fois traitée différemment sous prétexte que tu es la fille de Rose et irlandaise? Tu es ma meilleure amie, Grace.

— Mary Grace, rectifia-t-elle.

Elle voulut s'en aller mais il la retint par le bras. Comme elle se dégageait violemment, le plateau tomba et la porcelaine se brisa. Furieuse, Grace s'agenouilla pour ramasser les débris éparpillés à terre.

— Laisse ça, ordonna-t-il en la relevant.

Un flot de larmes affluant à ses yeux, elle se détourna. Ses lèvres frémissaient. Si elle ne se retenait pas, elle allait pleurer comme une fontaine devant lui. Soudain, comme si un gouffre venait de s'ouvrir entre eux, elle recula. Qu'il le veuille ou non, ils venaient de deux mondes différents. Ils n'étaient plus deux amis, si proches qu'ils ne faisaient plus qu'un, mais deux jeunes gens que tout séparait.

Elle le fixa. Il lui sembla alors que plus elle le regardait, plus il s'éloignait... s'éloignait. Il ne fut plus qu'un point à l'horizon. Un point minuscule qu'elle ne vit bientôt plus.

— Laisse-moi tranquille, dit-elle. Je n'ai pas de temps à perdre à lire des poèmes. J'ai du travail.

Alors qu'elle s'en allait, elle l'entendit qui l'appelait doucement mais elle ne se retourna pas. Finalement, elle dépendait beaucoup trop d'Edward Porter. Il fallait qu'elle apprenne à se débrouiller seule. Comme Jane McClary l'avait fait. C'était pour son bien. Elle allait trouver assez de force et de volonté pour se construire une vie. Et elle allait cesser de rêver : Edward Porter ne ferait jamais partie de son monde.

— Qu'est-ce que c'est?

Tout excitée, Grace caressa le gros nœud de soie du paquet qu'elle avait sur les genoux.

— Je ne te le dirai pas, la taquina Edward qui cachait un paquet encore plus gros derrière son dos. Tu n'as qu'à l'ouvrir.

— Pourtant, Noël n'est qu'après-demain.

Grace leva des yeux admiratifs vers Edward et lui sourit.

— Tu es magnifique dans ton habit. Il te tarde d'aller à la fête ?

— Je m'en passerais bien, dit-il, l'entraînant vers un banc du jardin.

Il n'attendait qu'une chose, que cette fête soit passée et qu'on n'en parle plus. Tout ce bruit, toute cette agitation avaient eu pour effet de le pousser dehors vers le seul endroit — la seule personne — où il savait trouver un peu de paix.

Ces jours derniers, Grace et lui s'étaient rabibochés. Cela s'était fait progressivement. Bien qu'elle se soit montrée froide et distante au départ, Edward n'avait jamais été vraiment inquiet. Il savait que leurs relations seraient redevenues *comme avant,* avant qu'il ne reparte pour le collège.

— Je suis sûr que tu vas avoir des tas de cadeaux. Je t'en ai apporté un que je dois t'offrir de la part de mère, mais je voulais que tu aies le mien en premier.

Edward adorait voir Grace sourire. Sa vie était si triste depuis quelque temps… Il savait qu'elle ne dormait plus, qu'elle passait ses nuits debout à s'occuper de sa mère. Les cernes qu'elle avait sous les yeux étaient là pour en témoigner s'il était besoin. Elle ne devait pas s'alimenter correctement non plus. Elle était d'une maigreur à faire peur.

Avec soin, Grace dénoua le ruban de soie et, d'une

main lente, commença à enlever le papier ; mais Edward, bouillant d'impatience, attrapa le paquet et le déballa. Il posa alors l'écrin de velours sur ses genoux.

— Pardon, murmura-t-il.

Grace contempla le petit coffret puis leva les yeux vers Edward.

— Je peux l'ouvrir ou veux-tu aussi le faire à ma place ?

— Ouvre-le, dit-il.

Elle défit l'attache et leva le couvercle. A l'intérieur, dans un bouillonné de satin blanc, étincelait une bague. Un beau grenat enchâssé dans une monture en or filigrané. Il n'avait pas choisi n'importe quel bijou au hasard, il avait pris soin d'acheter une pierre dont il était certain qu'elle lui plairait. Mais ce n'était pas une bague de petite fille, c'était un bijou de jeune femme.

— C'est ravissant, dit-elle.

— Tu l'essaies ? s'impatienta de nouveau Edward.

Elle opina. Il prit l'écrin, en sortit la bague et prit la main de Grace. Il la glissa sur son annulaire et constata, satisfait, qu'elle était exactement à sa taille. C'était de bon augure. Car avec la bague venait autre chose, une chose à laquelle il pensait depuis des jours et des jours. Des semaines, en fait.

Grace tendit la main devant elle.

— C'est trop beau, dit-elle. Je ne peux pas la porter. Ça a dû coûter une fortune.

— J'ai reçu une bourse, dit-il. J'ai trouvé que c'était la meilleure façon de la dépenser.

— Je n'ai jamais rien eu à moi d'aussi magnifique. J'ai l'impression d'être une étoile.

— Tu es aussi jolie qu'une étoile, tu sais.

— Tu ne devrais pas me dire des choses pareilles, dit Grace sur un ton de reproche. Parce que… ce n'est vraiment pas de circonstance.

— J'espère que cela le sera un jour, Grace. Un jour où nous serons grands tous les deux et pourrons décider nous-mêmes de nos vies.

— Que veux-tu dire ? demanda-t-elle.

Il prit sa main.

— J'ai l'intention de t'épouser, Grace Byrne. Autant que tu le saches tout de suite pour t'habituer à cette idée. Au Moyen Age, on fiançait les filles dès douze ans, ce n'est donc pas tellement bizarre de te le demander déjà.

— Cesse de plaisanter, Edward. Je ne trouve pas que ce soit drôle. Et tu m'enlèves tout le plaisir que j'ai eu à recevoir ton joli cadeau.

— Je ne plaisante pas, Grace. Si tu préfères croire que je me moque, cela m'est égal. Plus tard, quand nous serons deux adultes libres de décider, toi et moi, je te rappellerai cette conversation. Mais, ce jour-là, je te demanderai de me répondre.

Elle écarquilla les yeux.

— Je te promets que je te répondrai, dit-elle tout bas. Tu auras ma réponse en temps voulu.

Edward sourit.

— Accordé ! Maintenant, je vais te donner le cadeau de mère.

Il se pencha et attrapa la boîte qu'il lui mit sur les genoux. Il y avait un large bolduc rouge tout autour, tellement large qu'il cachait le nom du couturier.

— Tu devines ce que c'est.

Grace défit le ruban et ouvrit la boîte.

— C'est superbe, soupira-t-elle.

D'un doigt caressant, elle lissa le velours vert émeraude de la jupe et le bustier en dentelle. Elle s'amusa ensuite avec les boutons de nacre.

— Il faut que tu la mettes pour le réveillon, dit Edward. Je veux que tu viennes et mère y tient personnellement aussi.

— Voyons, Edward, ça ne serait pas...

Il déplia la robe de la boîte et la présenta devant elle.

— J'insiste. Et mère également. Allez, va te changer. Je veux te voir dedans, d'accord?

Elle fit oui de la tête mais le cœur n'y était pas.

— D'accord, laissa-t-elle tomber.

Heureux de la façon dont les choses s'étaient déroulées, il la regarda retourner à la remise aux voitures. Sa demande en mariage était passée comme une lettre à la poste. Cela lui avait semblé la chose la plus naturelle du monde. La plus logique aussi. Edward savait ce qu'il voulait et il se sentait sûr de lui. Il avait fait une promesse à Rose après l'accident de Grace et cette promesse, il était bien décidé à la tenir.

Quand il rentra dans la maison, Geneva attendait. Ses doigts couraient sur le satin vert de la splendide robe longue qu'elle arborait. On aurait dit qu'elle l'époussetait. Ses cheveux, tirés en arrière et remontés haut sur la tête, étaient retenus par une pince de diamants représentant un cygne. Cette coiffure, qui dégageait son long cou, soulignait encore les traits aristocratiques de son visage et son port altier. Edward ne l'avait vue qu'une seule fois avec ce somptueux bijou dans les cheveux. Son père, quant à lui, était tel qu'en lui-même. Strict et convenu. L'ensemble de la maisonnée offrait l'image enviable d'une famille très aisée.

Edward se demanda si les futurs beaux-parents de Malcolm savaient la vérité sur la fortune des Porter ou si son frère s'était gardé de leur en parler. Les affaires de lord Porter père avaient beaucoup souffert, les années passées. Malgré des pertes sévères d'intérêts, ils avaient continué à vivre sur un grand pied. Mais Edward savait que le luxe dans lequel ils vivaient aujourd'hui était payé, en grande partie, à l'aide d'emprunts ou grâce aux biens, propriétés et usines, que la banque avait hypothéqués.

Il jeta un regard à Henry Porter et vit le gobelet de whisky qu'il avait maintenant en permanence dans la main. Son père avait essayé de convaincre Malcolm de revenir l'aider en Irlande mais Malcolm n'avait encore rien décidé. La famille de sa fiancée était propriétaire d'usines textiles dans le Yorkshire et le Lincolnshire, et l'on avait promis une situation à Malcolm au sein de l'entreprise. S'il l'acceptait, alors ce serait Edward qui devrait se sacrifier et rejoindre la société familiale, le temps venu.

Debout dans l'entrée avec ses parents, il accueillait les invités qui arrivaient. Ses parents avaient convié tout ce que Dublin comptait de familles britanniques huppées, sachant qu'il y avait encore au moins un Porter à marier. Edward avait un mot poli pour chacun et chacune mais il se délectait secrètement à l'idée qu'il avait déjà fait son choix et que toutes les courbettes et louanges qu'on lui adressait étaient superfétatoires.

Il avait tenu à ce que Grace vienne à la réception, pour rester auprès d'elle et lui offrir un verre de punch. Il voulait également montrer aux petites jeunes filles mignonnes qui se pressaient dans les salons qu'elles étaient bien falotes comparées à la beauté de Grace. Chaque fois que quelqu'un entrait, il regardait vers la porte, impatient de la voir arriver et lui sourire.

Les minutes passèrent puis les heures. Edward finit par comprendre qu'elle ne viendrait pas.

Un dîner léger fut servi pendant lequel Edward ne songea qu'à se glisser dehors et partir. Mais son père l'appela justement. Il voulait le présenter à l'un de ses amis, un homme flanqué d'une femme rondelette et d'une fille qui n'inspirait pas la joie de vivre. Edward fit de son mieux pour s'entretenir avec eux courtoisement tout en lançant des regards désespérés tout autour de la pièce dans l'espoir de trouver un quelconque prétexte pour leur fausser compagnie. C'est à l'occasion d'un de ces coups d'œil qu'il la vit. Elle se tenait dans l'embrasure de la porte de l'office, l'air gêné, et se tortillait les doigts nerveusement. Elle ne s'était pas changée. Contrarié, Edward s'excusa et se précipita vers l'office.

— Pourquoi ne t'es-tu pas habillée? demanda-t-il.

— Je voudrais que tu demandes à ta mère si l'on peut faire venir le médecin. L'état de maman vient de s'aggraver. Elle a du mal à respirer et elle tremble. Je lui ai donné plein de médicaments mais aucun ne la soulage.

— Je vais en informer ma mère. Elle va faire appeler le médecin.

Grace hocha la tête.

— Il faut que j'y retourne. Je ne peux pas la laisser seule.

— Je te rejoindrai dès que ce sera possible, dit Edward.

Il lui serra la main et retourna dans le salon en quête de sa mère. Elle se trouvait avec son père de l'autre côté de la pièce. A grandes enjambées, il traversa le salon et, arrivé à sa hauteur, se pencha à son oreille.

Une ride creusa le front de Geneva.

— Je le fais appeler tout de suite, dit-elle.

— Qui faites-vous appeler? s'enquit son père.

— Le médecin. Rose est souffrante.

— Envoyez un de vos domestiques. C'est vous qui recevez, ma chère. Vous vous devez à vos invités.

— J'y vais. Je vais attendre avec Grace que le médecin arrive, dit Edward.

— Tu ne peux faire une chose pareille, gronda son père. Ta place est ici, je te prie de rester.

Edward hésita. Argumenter? Cela n'aurait servi à rien sinon à aggraver les choses. A quoi bon provoquer une scène? La réception serait bientôt terminée, il pourrait alors rejoindre Grace et les aider, sa mère et elle. Il reprit donc la conversation avec son père, la fille maussade et ses parents très riches, essayant de briller par des propos intelligents.

A plusieurs reprises, il croisa le regard de Malcolm qui lui fit des clins d'œil cyniques. Il pouvait vivre des mois, des années sans voir son frère, il ne lui manquait pas. En revanche, il ne pouvait se passer de Grace. Un seul jour sans elle et il était perdu. Au fond de lui, il se prit à espérer que Malcolm décide d'accepter le poste qu'on lui offrait en Angleterre. Depuis qu'il était là, il s'était montré désobligeant envers les domestiques, en particulier envers Grace. C'était intolérable.

Malcolm ne pardonnait pas à Grace de s'être immiscée dans sa famille, d'avoir tenté de prendre la place de sa sœur décédée. Il refusait de reconnaître que ce n'était pas la faute de Grace, que c'était sa mère qui était à l'origine de cette situation. Des blessures qui remontaient à son enfance le rongeaient ; elles étaient si profondes qu'Edward se prit à penser qu'elles ne guériraient jamais.

Lorsque les convives mirent le gramophone en marche dans le petit salon, Edward se joignit à eux pour danser. Tour à tour, il fit valser les jeunes filles célibataires, comme son statut de fils de la maison et sa bonne éducation l'imposaient. Cette mission accomplie, il s'apprêtait à disparaître quand il aperçut le médecin dans l'entrée en train de parler avec sa mère. Avant de se frayer un passage dans la foule des invités pour gagner le hall, il s'excusa auprès de sa dernière partenaire.

— Je vous demande pardon, dit-il à Cecilia Fairfax. Je dois vous abandonner une seconde. J'ai deux mots à dire à quelqu'un que je vois là-bas. Je retiens votre prochaine danse.

Quelques coups de coude discrets dans les côtes des danseurs et il rejoignit sa mère qui raccompagnait le médecin. Il avait passé son manteau et partait.

— Comment va-t-elle ? demanda Edward.

— Retourne danser, Edward. Il n'y a rien que tu puisses faire, dit sa mère, la voix tremblante.

— Cela veut-il dire qu'elle va mieux ?

La mine du médecin s'assombrit.

— Hélas ! Mme Byrne est décédée.

— Décédée ?

Geneva posa la main sur le bras de son fils.

— Elle est morte, Edward. Il y a une demi-heure.

Pris de nausée, Edward chercha son souffle.

— Non, ce n'est pas possible. Il n'y avait rien à faire pour la sauver ?

« Non », fit le médecin de la tête.

— Elle s'est éteinte calmement. Elle souffrait d'une pneumonie, je pense. C'était beaucoup plus grave qu'elle ne le pensait ou ne voulait le laisser croire. Je crois qu'elle s'était préparée. Oui, je crois qu'elle était prête à partir. Elle ne voulait plus se battre.

— Il faut que j'aille la voir. Je veux aller voir Grace, dit Edward.

— Elle a demandé qu'on la laisse seule, répondit le médecin. Il faut respecter son souhait. Laissez-lui le temps de pleurer.

Assommé par la nouvelle, Edward regarda le médecin se diriger vers la porte et sortir. Il avait fait une promesse à Rose et, à peine était-elle morte, que déjà il la rompait. Il aurait dû être là-bas avec Grace, pour atténuer le choc et adoucir sa peine mais, au lieu de cela, il avait passé la soirée à caqueter avec un troupeau de bécasses qui n'avaient d'autre idée en tête que trouver un pigeon à épouser.

— J'y vais tout de même, dit-il.

— Edward, non !

Il se retourna et se planta devant sa mère.

— Elle a besoin de moi. Je le sais, mère. D'ailleurs, je serai toujours là pour elle. Elle est toute seule au monde, ma place est à ses côtés.

8

GRACE

« *23 janvier 1846*

» *Aujourd'hui j'écris, mais dans mon cœur j'ai peur. La nuit dernière j'ai rêvé que Michael m'appelait. Nous étions pris dans un épais brouillard qui venait de la mer et nous ne pouvions pas nous voir. J'allais dans une direction et j'entendais sa voix qui m'appelait de l'autre côté. Nous ne nous sommes pas retrouvés et je me suis réveillée le cœur à l'envers. Je me fais beaucoup de souci et cela m'empêche de me reposer. Est-il arrivé quelque chose ? M'a-t-il abandonnée et je ne le saurais pas ? La vie ici devient de plus en plus difficile. Il paraît que la moitié de la récolte de pommes de terre est bonne à jeter. J'espère que le Bon Dieu nous donnera de quoi manger à toutes les deux et qu'il nous protégera.* »

Grace enterra sa mère la veille de Noël, le 24 décembre 1935. Rose Byrne reposait désormais dans la terre consacrée du cimetière qui entourait la petite église du village. Bien qu'elle n'ait jamais assisté à aucune messe dans cette paroisse, grâce à un don généreux de Geneva Porter on put lui acheter une petite concession juste à la lisière du cimetière, sous un marronnier.

Il faisait très froid et très humide le jour de l'enterrement. Malgré le mauvais temps, Grace se tenait très digne au pied de la tombe, la tête découverte et sans manteau. Elle voulait sentir la bise glaciale qui balayait le cimetière lui mordre la peau. Elle voulait sentir la pluie verglaçante lui couper le visage. Rien, pourtant, ne semblait pouvoir l'arracher au brouillard dans lequel elle flottait depuis que sa mère avait rendu son dernier souffle.

La réception de Noël promettait d'être un grand moment et elle était tout excitée à l'idée d'y aller. Car elle y serait allée, ne serait-ce que pour Edward. Mais quand elle était retournée se changer à la remise, elle avait trouvé sa mère recroquevillée sur elle-même, par terre près de son lit, un mouchoir plein de sang dans la main et les lèvres toutes bleues. Rien qu'à y repenser, elle en tremblait encore aujourd'hui.

Elle s'était trouvée complètement désemparée et inutile comme si, le sort de Rose étant scellé depuis longtemps, elle n'avait été là qu'en spectatrice impuissante. La mort était survenue vite mais pas calmement. Quand elle était finalement arrivée, Grace avait été soulagée que le supplice soit terminé pour toutes les deux.

Trois autres personnes seulement assistaient aux funérailles, Edward, sa mère, et Cook venue représenter le reste du personnel. Il n'y eut pas de larmes. L'on n'entendit que le silence et le prêtre qui se dépêchait de lire ses prières des morts, soucieux de quitter au plus vite le cimetière balayé par un vent glacial et de regagner son presbytère pour y préparer, bien au chaud, la célébration de sa messe de Noël.

Grace se tenait devant le modeste cercueil de bois et serrait dans ses mains le petit bouquet de violettes que Geneva lui avait donné. C'était là toute la vie de Rose. Une existence entière qui se résumait à ça. Elle qui avait travaillé si dur et si longtemps… Tout ça pour ça ! Quelle maigre récompense pour une dure vie de labeur…

Brusquement, une bouffée de colère emplit le cœur de Grace. Une envie l'envahit de hurler et de passer sa rage sur ceux qui étaient là.

Vraiment ce n'était pas juste. Rose Catherine Byrne méritait mieux que ça. Elle aurait dû avoir de jolies robes et des oreillers tout moelleux et un beau mari qui prenne soin d'elle. Au lieu de cela, elle avait eu une santé défaillante et une vie de travail acharné interrompu, seulement, par une mort prématurée…

Grace tenta de déloger la boule qui s'était formée dans sa gorge.

… et une fille qui n'avait jamais apprécié à leur juste valeur les sacrifices que sa mère avait faits pour elle.

Honteuse du peu de bonheur qu'elle avait apporté à sa mère, Grace baissa les yeux. C'était tellement plus facile de se rouler dans le luxe que Geneva lui prodiguait ! Mais aujourd'hui, elle mesurait l'étendue de son égoïsme. Elle n'avait pensé qu'à elle. A son plaisir, à son bonheur. Chaque fois qu'elle revenait à la maison avec un nouveau cadeau, c'était comme une gifle qu'elle administrait à sa mère. Pauvre maman qui, quoi qu'elle tente, n'aurait jamais pu lui offrir autant… Hélas ! c'était trop tard maintenant pour changer d'attitude et demander pardon.

Elle prit dans ses doigts le petit médaillon en or et le caressa. Elle avait détaché le lien de cuir du cou de sa mère juste avant que les employés des pompes funèbres ne la mettent en bière. Il ne lui restait plus que ça de sa famille, la médaille et le petit journal intime qui racontait la misère et la famine. Il y avait aussi quelques photos et les vêtements de sa mère, mais rien de plus.

Mary Grace Byrne finirait-elle aussi sa vie de cette façon ? Quitterait-elle ce monde en laissant ici bas si peu de souvenirs d'elle ? Ou bien se battrait-elle pour conquérir tout ce qu'elle désirait ? « Il ne faut pas se contenter de ce que la vie vous offre, pensa-t-elle. Il faut être exigeant, en vouloir toujours plus. »

Elle sentit une main sur son bras et regarda par-dessus son épaule. Edward se tenait derrière elle. Elle crut qu'elle allait s'évanouir. C'était trop de chagrin et de tristesse, trop de regrets et de remords. Une envie de pleurer pour tout ce qu'elle avait perdu la submergea. Une envie de hurler, de frapper, de cogner pour venger l'injustice de la vie qu'avait vécue sa mère !

Mais elle se reprit. Agrippée au bras d'Edward, elle se détourna de la tombe et se laissa emmener vers la voiture des Porter.

A la dernière seconde, elle lâcha son bras et retourna vers la tombe encore ouverte. Elle embrassa son bouquet de violettes et le jeta sur le cercueil.

— Tu seras fière de moi, maman. Je serai forte, comme Jane. Et comme toi. Tu verras.

Elle écrasa une larme furtive sur sa joue et retourna vers l'automobile en courant. Edward lui mit son manteau sur les épaules et l'aida à s'installer à l'intérieur de l'habitacle. Tournant la tête vers eux, Geneva remarqua qu'ils se donnaient la main mais ne dit rien. Grace vit son regard mais ne chercha pas à se dégager. Elle avait trop besoin de réconfort. Trop besoin de la chaleur de sa main, ne serait-ce que pour un jour.

— Tu n'auras qu'à rester avec nous, dit Geneva. Tu prendras la chambre jaune.

Grace la remercia d'un sourire.

— Je préfère rester au-dessus de la remise aux voitures, si vous n'y voyez pas d'inconvénient, lady Porter. C'est chez moi et j'ai envie d'être chez moi ce soir.

— Mais tu serais beaucoup plus…

— Mère, puisque Grace vous dit qu'elle préfère rester chez elle…, l'interrompit Edward en serrant plus fort la main de Grace. C'est son vœu, respectons-le. Je pense que nous devons la laisser tranquille après l'épreuve qu'elle vient de traverser.

Geneva insista.

— Ce que j'en dis, Grace, c'est pour toi. Je ne veux pas que tu te sentes seule là-haut dans cette horrible petite mansarde. Ta vie continue, Grace. La vie continue toujours.

— Elle continuera demain ou la semaine prochaine, répondit Grace. Aujourd'hui, je n'ai pas envie qu'elle continue.

Elle enfouit son visage dans les replis du manteau d'Edward et s'appuya sur lui, en quête de chaleur humaine. Cela faisait deux jours qu'elle n'avait pas dormi et l'épuisement pesait sur elle comme un gros nuage noir. Peut-être, une fois seule, pourrait-elle fermer les yeux et laisser le sommeil l'emporter.

Quand ils regagnèrent Porter Hall, Edward aida Grace à descendre de voiture et Geneva la serra dans ses bras.

— Ta mère était une femme bien, murmura-t-elle.

Edward emmena Grace dans la remise aux voitures

et, après l'avoir installée dans le fauteuil à bascule de Rose, lui alluma un feu dans le poêle à charbon. Une fois certain qu'il avait pris, Edward se tourna vers Grace et s'assit auprès d'elle sur le siège près de la fenêtre.

— Je suis désolé, dit-il. J'aimerais trouver des mots pour te réconforter mais… je ne sais que te dire.

Elle ravala les larmes qu'elle retenait depuis trop longtemps.

— Il n'y a rien à dire, répondit-elle.

— Veux-tu que je reste un moment avec toi ?

Elle secoua la tête.

— Non, je préfère être seule.

— Si tu veux, demain, je t'emmènerai faire une promenade en voiture.

— On verra demain, répondit-elle d'une voix douloureuse.

Il se pencha vers elle et effleura sa joue d'un baiser léger.

— Je t'aime, Grace.

Elle entendit les mots mais ne sut quoi répondre. Elle aussi aimait sa mère mais cela n'avait rien changé du tout. L'amour n'avait aucun pouvoir sur le sort. Les vies étaient toutes imprévisibles, bousculées, ballottées de çà de là par les marées du destin… par le temps qui s'enfuit.

Elle plaqua la main sur sa poitrine. Elle avait si mal qu'elle manquait d'air.

Il caressa sa joue un moment avant de se lever pour aller à la porte.

— Si tu as besoin de quelque chose, tu sais où me trouver.

« Oui », fit-elle de la tête.

Dès qu'il eut refermé la porte derrière lui, elle s'allongea sur le lit et se roula en boule, s'enveloppant dans le manteau d'Edward pour avoir l'impression d'être dans ses bras. Elle ferma les yeux et essaya de dormir mais d'étranges pensées surgirent dans son esprit.

C'était comme si elle avait été au bord d'un précipice, des pierres, des cailloux, des rochers s'éboulaient sous ses pieds. Personne n'était là pour la retenir en cas de chute, personne pour l'empêcher de s'approcher du bord. Un faux pas et c'en était fini. Elle tomberait dans le vide sans espoir d'être secourue.

Un coup frappé contre la porte la tira de ses pensées. Elle bondit du lit et traversa la chambre pour aller ouvrir. Elle s'attendait à voir Cook, avec un plateau de thé ou une collation. Elle se trompait, c'était lord Henry Porter qui venait de toquer.

— Puis-je entrer ?

Tout de suite, elle sentit son haleine lourde imprégnée de whisky et faillit refuser. Puis elle réalisa qu'elle n'avait pas le choix. Avec un mouvement de recul, elle lui ouvrit en grand.

— Je suis venu discuter avec toi de ton emploi dans la maison. Maintenant que ta mère n'est plus parmi nous, il va y avoir des changements.

— Oui, Monsieur.

Elle marqua un temps d'arrêt. Il ne fallait pas qu'elle se fâche. Allait-il la mettre à la porte dès ce soir ou bien lui laisserait-il quelques jours de répit ? Où irait-elle ? Qui allait prendre soin d'elle ? Qui *voudrait* d'elle, plutôt ?

Elle réfléchit très vite. Avec les quelques shillings qu'elle avait, elle pourrait essayer de retrouver ses oncles et tantes en Amérique. Peut-être l'accueilleraient-ils ? Mais où vivaient-ils ? Elle n'en avait pas la moindre idée.

— Tu as bénéficié de privilèges parce que ta mère était malade et que ma femme avait de l'affection pour vous deux. Mais, dorénavant, tu vas devoir assurer une plus grosse charge de travail domestique.

— Je comprends, dit Grace, un peu soulagée par cette entrée en matière.

— Tu vas continuer à te charger des tâches que ta mère accomplissait et, dans le même temps, tu devras tenir compagnie à ma femme quand elle le souhaitera ou que ce sera nécessaire. Et lorsque tu ne seras pas occupée à ces travaux-là, tu aideras aux cuisines. A la fin de la semaine, il faudra que tu aies quitté ce logement et rejoint le reste du personnel au troisième étage où tu auras ta chambre. Ta mère touchait de petits gages, tu gagneras la même chose. Tu auras congé un lundi sur deux, comme les autres. Et si tu n'effectues pas correctement ton travail, tu seras congédiée. C'est bien vu?

— Merci, murmura Grace. Je vous suis très reconnaissante de me permettre de rester et je vous promets de travailler dur.

— En tant que domestique, tu n'auras de comptes à rendre qu'à moi, dit-il. J'exige d'être informé de tout changement qui pourrait survenir dans l'état de ma femme, tu me comprends bien? Tu dois être franche et loyale envers moi, pas envers elle.

— Oui, Monsieur.

Il repartit vers la porte mais, arrivé sur le seuil, il se retourna.

— Une chose encore. Tu es priée de ne plus t'approcher de mon fils. Il ne sera plus question d'amitié entre vous deux. C'est inconvenant et absurde, et je ne l'accepterai pas. Si je vous vois tous les deux ensemble quand il est à la maison, tu seras licenciée sur-le-champ et ni ma femme ni mon fils n'auront leur mot à dire. Ai-je été suffisamment clair?

Grace opina. C'était clair et sans appel. En quelques lignes, il venait de brosser le tableau de la situation à venir. Henry Porter n'avait jamais approuvé la relation étroite qu'elle entretenait avec Geneva et il était clair que, maintenant que Rose les avait quittés, il se sentait plus fort et était bien décidé à imposer sa volonté à sa petite Irlandaise de fille.

Mais il ne faisait pas peur à Grace. Il était rarement là et, quand il était là, il s'enfermait pour boire. A force de les voir vivre, elle avait remarqué qu'ils menaient, sa femme et lui, deux existences parallèles et que, bien qu'il se plût à se considérer comme le maître des lieux et à montrer les crocs, il ignorait tout de ce qui se passait sous son toit, à Porter Hall.

Quant à son fils... Grace aurait toujours de la tendresse pour Edward. C'était l'autre moitié d'elle-même. Mais ni l'un ni l'autre n'étaient encore maîtres de leur avenir. Elle allait devoir se protéger jusqu'à ce qu'elle soit en âge de se prendre en charge toute seule. Si on la mettait à la porte maintenant, elle finirait dans un orphelinat. Mais si elle parvenait à tenir ici un petit peu encore, alors, peut-être réussirait-elle à se forger elle-même un avenir?

Edward retint son souffle. Si les gonds de la porte de derrière continuaient de grincer dans la nuit, ils allaient réveiller toute la maisonnée. A 2 heures du matin, il faisait encore les cent pas dans sa chambre, attendant avec impatience que tout le monde aille enfin se coucher.

Dennick, le valet de son père, avait fini par monter au lit vers minuit ; mais Edward savait que l'homme avait le sommeil léger. Il avait donc attendu pour être sûr qu'on ne l'entendrait pas.

L'enterrement de Rose avait eu lieu deux jours plus tôt, deux jours pendant lesquels il n'avait ni vu ni parlé à Grace. Elle s'était enfermée dans son logement au-dessus de la remise aux voitures et avait refusé tout à la fois les visites et la nourriture. Son père n'avait pas tardé à exercer sa fermeté sur elle et à lui imposer sa volonté.

Quelques heures après les funérailles, il avait appelé Edward dans sa bibliothèque. Edward entendait bien profiter de ce tête-à-tête pour discuter de la situation de Grace mais, apparemment, Henry Porter avait déjà pris ses dispositions : Grace resterait au service de la famille mais à une condition — qu'elle n'ait aucun contact avec Edward quand il reviendrait à Porter Hall pour les vacances. « Ce ne serait pas convenable, avait-il ajouté. Ce n'est qu'une domestique. »

Au début, l'envie d'en découdre sur ce point avec son père avait démangé Edward, mais, vu la façon dont lord Porter se mouvait et parlait, il était évident qu'il avait déjà absorbé une forte dose d'alcool. Et quand son père était ivre, il pouvait s'emporter et devenir incontrôlable. Si une dispute s'ensuivait, lord Porter était capable de jeter Grace à la rue séance tenante.

Edward opta donc pour la souplesse et la lâcheté. Il convint volontiers qu'une amitié avec cette fille était tout à fait déplacée. Sa mère pouvait continuer d'entretenir avec elle une relation étroite ; lui, en revanche, devrait chercher ailleurs des jeunes filles de bonne compagnie. Il avait dix-huit ans, maintenant, et il était temps qu'il songe à fréquenter les beaux partis de la bonne société pour y choisir une épouse.

Edward était resté assis sans rien dire, mettant ainsi en application le précepte selon lequel qui ne dit mot consent. Une chose était certaine, il n'avait pas l'intention de se priver de Grace et ne l'abandonnerait pas, dût-il, pour ce faire, jouer la comédie à son père. Croix de bois, croix de fer, il n'hésiterait pas. Il avait fait une promesse à sa mère et il tiendrait sa parole.

Ils avaient un peu discuté affaires mais très vite son père était monté sur ses grands chevaux. Pour tromper, semble-t-il, son irritation et son impatience, il avait empoigné le carafon de whisky et s'en était allé dans sa chambre. Comme à son habitude, il avait sombré dans un sommeil d'alcoolique et, avant minuit, ronflait comme un sonneur.

Edward se retrouva enfin dehors et traversa le jardin en courant. L'air était froid et humide et le logement au-dessus de la remise aux voitures plongé dans l'obscurité. Elle avait dû s'endormir elle aussi mais tant pis, il allait la réveiller. Il fallait qu'ils parlent et c'était la seule occasion qu'il avait trouvée.

Il se glissa à l'intérieur du bâtiment et grimpa les marches jusqu'à l'étage. Arrivé devant sa porte, il frappa tout doucement. N'obtenant pas de réponse, il essaya la poignée. La porte s'ouvrit. La remise aux voitures n'avait pas encore l'électricité mais une lampe à huile dont la mèche avait été réglée au minimum brûlait sur la table de chevet. La chambre était glaciale et il n'y avait pas de feu dans la grille.

Edward s'avança vers le lit. Comme il approchait, il remarqua qu'elle avait les yeux grands ouverts et fixait le plafond. Il l'appela par son nom mais elle ne répondit pas. Un dixième de seconde, il paniqua, pensant que la mort était venue la prendre elle aussi.

Tombant à genoux, il toucha son visage et nota avec soulagement qu'il était chaud. Lentement, elle se tourna vers lui, l'air de ne pas comprendre ce qui se passait.

— Je l'attends, dit-elle. J'attends qu'elle me revienne mais il ne se passe rien.

Edward la prit dans ses bras et la serra contre lui.

— Elle est là, souffla-t-il en embrassant ses cheveux de soie.

— J'attendais qu'elle vienne. C'est pour cela que je ne dors pas.

Il bascula en arrière sur ses talons et captura son regard.

— Nous n'avons pas beaucoup de temps, dit-il. Il va falloir que je retourne.

Grace se redressa sur un coude.

— Ton père a dit que nous ne devions plus nous voir. Que si nous le faisions, il me mettrait à la porte.

Edward hocha la tête.

— Ça n'arrivera pas. Nous continuerons de nous voir mais il faudra que cela reste un secret.

— Comment ?

— Comme ça, dit-il. Comme maintenant. Tard le soir. Et quand je ne serai pas là, avec toi, il faudra tout de même que je sache comment tu vas. Il faut donc que nous convenions d'un plan. Que nous trouvions un moyen de rester en contact. Une façon de communiquer quand je suis à Harrow.

— Je t'écrirai des lettres, dit Grace. J'aurai mes lundis

libres, maintenant. Je pourrai aller poster mes lettres en ville.

— A Harrow, alors, répondit Edward. En tout cas pas ici, à Porter Hall : tout le courrier qui arrive à la maison passe entre les mains de mon père.

— Toi, alors, tu n'auras qu'à m'adresser tes lettres à la poste. Je dirai au guichetier de me les garder. N'écris pas ton nom derrière l'enveloppe, comme cela personne ne saura qui m'écrit.

— D'accord, dit Edward. Mais il y a autre chose.

Il plongea la main dans sa poche et en sortit un morceau de papier qu'il lui tendit.

Elle jeta un regard au bout de papier.

— Qu'est-ce que c'est ?

— Une carte. Qui indique un trou dans le mur de pierre qui entoure l'écurie. Juste derrière. Il y a une pierre descellée en bas du mur et une boîte à tabac en fer coincée derrière.

— Je me rappelle, dit Grace. C'était là que tu cachais tes trésors.

— Je ne peux pas te montrer l'endroit exact mais tu le trouveras grâce à cette carte. Je prendrai sur l'argent que je reçois chaque mois et je te l'enverrai. Je veux que tu le mettes là. Personne ne le trouvera. Comme cela, si pour une raison ou une autre tu es obligée de quitter cette maison, tu auras ce pécule en attendant de pouvoir me joindre.

Grace inspira profondément et souffla doucement l'air qu'elle venait d'avaler.

— Je ferais peut-être mieux de partir. Je peux aller en Amérique essayer de retrouver mes oncles et mes tantes. Tu viendras me rejoindre plus tard.

La pensée de voir Grace s'éloigner aussi loin serra le cœur d'Edward. Là-bas, il est vrai, elle serait en sécurité et on veillerait sur elle.

— Sais-tu où ils habitent?

Grace secoua la tête.

— Non, répondit-elle d'une voix fluette. Cela fait tellement longtemps qu'ils sont partis... Et puis, je ne les connais même pas. Mais eux doivent me connaître.

— Un jour viendra, reprit-il, où nous serons libres de faire ce qu'il nous plaît sans avoir à craindre qui que ce soit. Il faut que nous soyons patients.

Il s'assit à côté d'elle sur le lit, prit sa main et la serra très fort.

— Je vais essayer de convaincre mon père de me prendre avec lui dans son affaire quand j'aurai terminé mes études à Harrow. A la fin de ce trimestre. Je n'irai pas à l'université. Je veux rester ici pour m'occuper de toi.

— Non, dit Grace. Ce n'est pas possible.

— Si, insista Edward. De cette façon je pourrai aussi veiller sur mère.

— Ne t'inquiète pas, je m'occuperai d'elle pendant que tu seras à l'université, dit Grace. Et quand tu auras fini, mais alors seulement, nous pourrons partir tous les deux.

Edward tomba à la renverse sur le lit et fixa le plafond.

— J'ai peur que cela n'arrive jamais, dit-il.

Elle s'allongea à côté de lui.

— Que ferons-nous si nous partons? Où irons-nous?

Il rit tout bas.

— Nous partirons à l'aventure. Toute notre vie ne sera qu'une aventure, je te le promets.

— Nous voyagerons, dit Grace. Nous irons en Espagne, au Maroc.

— En Australie, en Inde.

— J'écrirai des livres où je raconterai nos voyages.

— Je prendrai des photographies, dit Edward.

— Sais-tu seulement te servir d'un appareil photographique? demanda-t-elle.

Edward haussa les épaules.

— Pas vraiment. Mais j'apprendrai, je dois pouvoir y arriver. Nous reviendrons tous les ans en Irlande et nous donnerons des conférences sur toutes les choses étranges et inhabituelles que nous avons vues. Je pense aux kangourous, aux éléphants, aux tortues de mer et aux lézards géants.

— Ça me plaît, dit-elle. C'est merveilleux.

— Et quand nous serons plus vieux, nous nous retirerons dans une île superbe du sud du Pacifique et tu coudras des chapeaux rigolos pour les touristes et je sculpterai des noix de coco pour en faire des cendriers.

Grace éclata de rire, un rire joyeux comme une cascade qui enchanta les oreilles d'Edward. Il y aurait de nouveau des temps heureux pour eux.

Il se releva sur un coude et se tourna pour la regarder, étendue près de lui. Mon Dieu, qu'elle était jolie!

— Promets-moi que c'est comme cela que nous vivrons. Promets-moi que nous y arriverons.

— Oui, dit-elle avec un sourire charmeur. Je sais que nous y arriverons.

— Il faut que je reparte, maintenant. Quand puis-je revenir?

— Ton père a dit que je devais déménager dans la grande maison, au troisième étage, avant la fin de la semaine.

— Nous ne pourrons pas nous voir là. C'est impossible. Il faut que nous trouvions un autre endroit, murmura-t-il. Tu vois la fenêtre du hall du premier ? Je mettrai un petit mot pour toi là, à l'envers du rideau, sur la droite. Personne ne le verra.

— Tu es un garçon vraiment intelligent, Edward Porter.

Il se leva d'un bond.

— Eh oui ! Et tu ferais bien de t'en souvenir.

Il alla à la porte et, comme il partait, Grace lui fit au revoir de la main.

De retour dans la grande maison, Edward alla tout droit dans la cuisine où, à sa grande surprise, il trouva Dennick en train de lire le journal tout en buvant une tasse de thé.

Le valet leva les yeux vers lui et hocha la tête.

— Alors ? Comment va-t-elle ? demanda-t-il.

Edward hésita avant de répondre. C'était peut-être un piège ? Il ne savait trop à qui faire confiance dans cette maison. Qui pouvait-il croire ? Il y avait sûrement quelqu'un qui renseignait son père sur ce qui s'y passait. Un ou plusieurs autres qui n'étaient peut-être pas très francs du collier envers les autres membres de la famille ? Grace, il est vrai, semblait être appréciée par tous les domestiques.

Fort de cette quasi-certitude, il décida de répondre honnêtement.

— Mieux, dit-il. J'ai même réussi à la faire rire.

— Je me souviens du jour où votre mère les a ramenées toutes les deux à la maison. On a beaucoup jasé dans les cuisines. Il y avait des servantes qui affirmaient que Rose avait dû être la maîtresse de votre père. D'autres étaient certaines que votre mère était allée les chercher dans un asile de pauvres et qu'elle avait payé pour pouvoir les ramener à la maison.

— Farrell ne vous a pas dit? Nous les avons trouvées devant la cathédrale de Notre-Seigneur-Jésus-Christ à Dublin.

— Farrell était très discret. Il ne parlait pas beaucoup. Ce n'est pas comme le nouveau chauffeur. Ce Grady est un petit morveux qui ferait battre les montagnes.

Edward tira un tabouret à lui et s'assit devant la grosse table de bois qui occupait le milieu de la cuisine.

— Vous savez que je l'aime beaucoup, n'est-ce pas?

— Oui, dit Dennick.

— Est-ce que vous accepteriez de m'aider?

— Cela dépend, Monsieur Edward. De quoi s'agit-il?

— De veiller sur elle quand je suis au collège. Et si quelque chose arrive, de me téléphoner ou de m'envoyer un câble à Harrow. Un ou deux jours plus tard, je serai là.

Edward marqua un temps d'arrêt.

— Je sais votre loyauté envers mon père mais ce ne sera pas toujours lui qui dirigera cette maison. Malcolm va vivre en Angleterre et moi je prendrai la direction des affaires de mon père ici. Un jour, je serai le maître des lieux et votre loyauté envers moi sera récompensée.

Dennick opina.

153

— Tant que je sais que je ne fais de mal à personne…, répondit-il.

— Je sais que vous rentrez dans votre famille quand mon père est en voyage. Si j'adresse des lettres pour Grace chez vous, me promettez-vous de les lui transmettre ?

— Je sais être discret moi aussi, dit-il.

Edward repoussa sa chaise, se leva, fit le tour de la table et tendit la main à Dennick.

— Merci, dit-il.

Dennick hésita. Edward savait qu'il n'était pas d'usage qu'un maître serre la main à un domestique. Mais Edward n'avait jamais vraiment souscrit à cette idée que les domestiques étaient, en quelque sorte, inférieurs à sa famille. C'étaient seulement des gens qui faisaient un autre travail.

Dennick finit par prendre la main d'Edward et la serra.

— En grandissant, vous êtes devenu un jeune homme vraiment bien, dit-il.

Heureux, Edward sortit de la cuisine en souriant et monta dans sa chambre. En ces temps troublés, il fallait qu'il trouve un moyen de protéger Grace. Maintenant qu'il avait Dennick comme allié dans la maison, ce serait une tâche beaucoup plus facile.

9

Le front collé à la fenêtre, Grace regardait Henry Porter prendre place à l'arrière de la limousine bleu marine que Grady avait avancée devant le perron. En faisant le tour de la voiture, le nouveau chauffeur de la famille leva les yeux vers elle et, la voyant écarter le rideau, lui fit un petit bonjour de la main. Elle lui sourit et s'éloigna un peu de la fenêtre.

Depuis que sa mère était morte, cela faisait maintenant plus d'un an, les domestiques de Porter Hall étaient devenus sa famille. Dennick était devenu son père et la conseillait sur la conduite à tenir et sur les éventuels problèmes qui menaçaient. Cook avait adopté le rôle de sa mère, elle veillait à ce qu'elle se nourrisse correctement et prenne assez de sommeil. Grady, lui, jouait les grands frères. Il plaisantait avec elle, la faisait rire à l'occasion et lui rapportait de temps à autre de menus cadeaux, bonbons ou rubans, qu'il achetait en ville.

En dépit d'un travail de plus en plus éprouvant et bien qu'elle se sente bien seule sans Edward, elle réussissait tout de même à trouver des moments de bonheur dans sa vie à Porter Hall.

Grace ouvrit l'épaisse tenture et fouilla dans les replis, dans l'espoir d'y trouver un mot de lui qu'elle n'aurait pas vu.

Elle l'avait vu quelques jours à l'occasion de Noël, en cachette dans les écuries, et il lui avait raconté tout ce qu'il n'avait pas pu lui écrire dans ses lettres. Et puis la famille était partie rendre visite à Malcolm et Isabelle dans le Lincolnshire. Avant cela, il avait passé tout l'été loin de Porter Hall puisqu'il était allé voir son oncle et sa tante en Amérique.

Grace sentait que leur complicité perdait de sa force mais elle ne se sentait pas le cœur à tout arrêter. Edward avait rechigné quand on lui avait proposé le voyage en Amérique mais Grace avait compris que la seule raison qui le retenait était le souci qu'il se faisait pour elle. Elle avait donc insisté pour qu'il y aille et, en retour, il lui avait promis de lui adresser une carte postale par jour.

Il avait commencé leurs grandes aventures sans elle. Le premier mois, les cartes postales étaient arrivées régulièrement. C'étaient des photos des gratte-ciel de New York et de ses ponts immenses. Mais au fur et à mesure que passait l'été, les cartes postales s'étaient faites plus rares. Grace avait commencé alors à réaliser que leurs chemins s'étaient séparés, qu'ils s'étaient éloignés l'un de l'autre et que leurs mondes étaient vraiment différents. Mon Dieu! Les rêves qu'ils avaient faits étaient vraiment enfantins! Un peu sots, même.

Il découvrait de nouveaux endroits, faisait la connaissance de nouveaux amis. Il n'avait aucune raison de maintenir un lien avec une pauvre petite orpheline irlandaise. Edward avait le monde entier devant lui, il n'avait qu'un pas à faire pour y pénétrer. En ce qui la concernait, son univers se cantonnait aux murs de pierre de Porter Hall.

Elle avait donc tenté de ne plus penser à sa solitude et avait concentré toute son attention sur Geneva. L'année écoulée, la santé mentale de sa maîtresse avait oscillé entre une normalité quasiment totale et la folie absolue. Grace s'était imposé comme obligation suprême de la « gérer » quand les choses tournaient mal.

Souvent, Grace restait assise des heures durant au chevet de son lit et lui parlait, lui parlait… en général de choses qui n'avaient aucun sens. Mais sa voix semblait calmer lady Geneva et, le temps aidant, Grace parvenait peu à peu à la ramener des rives de la folie totale à celles d'une prétendue raison. C'était une énorme responsabilité pour une fille de quinze ans. Il est vrai que Grace était très mûre pour son âge. Oui, elle faisait beaucoup plus que son âge.

Quand elle ne travaillait pas ou qu'elle n'assistait pas Geneva, elle passait son temps libre plongée dans la lecture car elle voulait à tout prix se cultiver et apprendre pour parfaire son instruction. Elle avait lu à peu près tous les romans contenus dans la bibliothèque de Henry Porter et avait commencé à lire des biographies et des livres d'histoire. Elle discutait de ses lectures dans les longues lettres qu'elle écrivait à Edward.

— Ah, tu es là !

Grace sursauta. C'était la voix stridente de Geneva. Simplement vêtue de son déshabillé tout froissé, Geneva se précipita vers la fenêtre, prit Grace par le bras et, les ongles mordant la chair tendre au-dessus de son coude, l'attira de force à elle.

— Viens avec moi, chuchota-t-elle.

— Qu'y a-t-il ?

— Viens. Il faut faire vite. Il va bientôt revenir.

La tirant derrière elle, Geneva descendit l'escalier et entra dans la bibliothèque. Une fois entrées, elles refermèrent la porte derrière elles. Geneva sortit une clé de sa poche et ferma à double tour. Alors, elle souffla.

— Comme cela, ils ne pourront pas entrer.

— Qui ?

— Eux. Tous. Les gens qui habitent dans cette maison et qui essaient de m'attraper.

Un doigt en travers de la bouche, elle avança sur la pointe des pieds vers le bureau.

— Ouvre-le.

Du doigt, elle montra le tiroir du milieu.

— Mais je ne peux pas. Lord Porter ne serait pas d'accord.

— Lord Porter n'est pas là, dit-elle en ricanant.

Le ton, les propos… Grace comprit tout de suite que la maîtresse des lieux commençait une nouvelle crise. Cela débutait toujours ou presque par un épisode ou deux de paranoïa, directement suivis par un comportement obsessionnel. C'était alors la rupture totale d'avec la réalité. Cela s'était produit si souvent au cours des années passées que Grace était devenue experte à en détecter les signes avant-coureurs.

— Que cherchez-vous ? murmura-t-elle.

— Une preuve, dit Geneva.

— De quoi ?

— De sa liaison. Je sais qu'il voit une autre femme. Je sens son odeur sur lui quand il rentre. Elle porte un parfum bon marché et elle est rousse. Ce doit être une prostituée irlandaise. Toutes ces Irlandaises sont des putains, tu le sais. Elles ne cherchent qu'à prendre tout ce qu'elles peuvent aux hommes qu'elles rencontrent.

Grace plaqua un sourire sur son visage. Il était inutile

de discuter avec Geneva quand elle était dans cet état. Elle ne raisonnait plus logiquement.

— Je suis sûre que lord Porter ne vous ferait pas cela. Il vous aime.

— Non, il ne m'aime pas. Il ne m'a jamais aimée. Enfin, il a peut-être fait des efforts quand Malcolm et Edward étaient petits mais c'est tout. Il y a bien longtemps que c'est fini. Il pense que je suis faible et stupide.

— Mais non, dit Grace. Vous êtes forte et intelligente. Vous êtes la femme la plus douée que j'aie jamais rencontrée. Et la plus belle aussi. Et la plus raffinée.

— En ce cas, pourquoi ne m'aime-t-il pas ? demanda Geneva, d'une voix de bébé.

Elle plongea son regard dans celui de Grace, comme si elle y lisait d'avance le mensonge qu'elle allait lui répondre.

— Il est préoccupé par ses affaires, expliqua Grace. Il a la charge de toute sa famille et il a peut-être peur de ne pouvoir subvenir à ses besoins.

— Préoccupé par sa putain, plutôt.

Geneva se pencha et secoua le tiroir du milieu du bureau qui résista.

— Elle est là-dedans. Je suis sûre qu'elle est là. Je le sais.

Elle prit le coupe-papier qui se trouvait sur le bureau, l'introduisit dans la serrure et tourna si nerveusement que Grace se dit qu'elle allait le casser à l'intérieur.

— Non, la supplia-t-elle en essayant de lui arracher le petit instrument de la main. Ne faites pas ça. Vous savez combien il sera en colère s'il s'en rend compte. Il a déjà menacé de vous mettre en maison de repos loin d'ici.

Soudain, Geneva brandit le coupe-papier devant Grace, le pointant sur elle comme un couteau.

— Est-ce toi ? Est-ce toi qu'il entretient ? Dis-le que tu es sa petite putain d'Irlandaise.

— Non ! s'écria Grace. Lady Porter… Geneva, regardez-moi. Regardez-moi dans les yeux. Vous allez arrêter tout de suite. Reposez le coupe-papier sur le bureau et allons prendre un thé. Vous voulez du thé, n'est-ce pas ?

La main de Geneva trembla légèrement. Elle desserra les doigts et le coupe-papier tomba par terre. Grace se pencha lentement pour le ramasser et le remit sur le bureau. Prenant Geneva par la main, elle l'emmena jusqu'à la porte dont la clé était toujours dans la serrure. Elle l'ouvrit, garda un instant la clé à la main avant de la mettre dans la poche de son tablier.

— Vous ne devez parler de cela à personne, la prévint Grace. Il faut que vous gardiez vos soupçons pour vous. Ça doit rester un secret pour l'instant.

En douceur, elle guida Geneva vers l'escalier.

— Si cette histoire est vraie, lord Porter sera très fâché que vous osiez le prendre de front. Il s'en servira peut-être comme excuse.

— Comme excuse pour quoi ? demanda Geneva en jetant un coup d'œil furtif par-dessus son épaule.

— Pour vous éloigner de la maison.

Elle fit pivoter Geneva sur elle-même et la regarda droit dans les yeux.

— Est-ce que vous comprenez ? Il ne faut pas en parler. Cela n'a aucune importance qu'il ait ou n'ait pas une maîtresse, de toute façon cela ne changera rien pour vous, les choses continueront comme avant.

Geneva tendit la main vers le visage de Grace et lui caressa la joue.

— Tu es intelligente, Charlotte. Je suis fière de la jeune fille que tu es devenue.

Elle regarda Grace de la tête aux pieds, semblant la jauger.

— Va te changer. Ce tablier que tu portes est hideux.

— Je vais plutôt aller préparer le thé, répondit Grace.

Quand elle entra dans la cuisine, Cook s'affairait devant le fourneau où rôtissait le poulet du déjeuner. Dennick était assis à table et parcourait un *London Times* qui devait avoir au moins une semaine.

— Qu'est-ce qui ne va pas? demanda-t-il, lisant le désarroi de Grace sur son visage.

— Rien. Elle est un peu déboussolée aujourd'hui, c'est tout. Elle nous a enfermées dans la bibliothèque.

Plongeant la main dans la poche de son tablier, elle en sortit une clé.

— Elle m'a dit qu'elle pense que son mari a une liaison.

Le silence tomba sur la cuisine comme une chape de plomb. Dennick lança à Cook un regard qui en disait long.

— Alors elle sait, murmura-t-il.

— Parce que c'est vrai? interrogea Grace.

Dennick haussa les épaules.

— Tous les mercredis après-midi et occasionnelle-ment le vendredi soir. Cela fait des années que ça dure. Mais comme il boit de plus en plus, il prend de moins en moins de précautions pour se cacher.

Les yeux fermés, Grace inspira profondément.

— Si cela ne fait aucun doute, comme vous semblez le dire, ça va la perturber et elle déraillera complètement, j'en suis sûre, dit-elle. Nous risquons tous, alors, de perdre notre travail.

Dennick opina.

— Elle a raison, dit-il à Cook. Maintenant que Malcolm et Edward ne sont plus à la maison, il n'y a plus assez de travail pour nous tous. Si, en plus, lady Porter s'en va, il n'y aura plus rien à faire. Garder autant de domestiques n'aura plus de raison d'être. Je vais en discuter avec le reste du personnel. Il va falloir faire tout notre possible pour que lady Porter reste dans le flou. Je veux dire, pour qu'elle ne découvre pas la vérité.

— Je vais voir si je peux la convaincre que c'est son imagination qui lui joue un tour, ajouta Grace.

Elle vida dans la théière la bouilloire d'eau chaude qui sifflait sur le fourneau et laissa le thé infuser tandis qu'elle arrangeait des gâteaux et des biscuits sur le plateau.

Quand le plateau fut prêt, Cook, qui l'avait aidée, lui donna une tape sur l'épaule.

— Je ne sais pas ce qu'on deviendrait sans toi, ma fille. S'il n'y avait pas toi, la famille aurait déjà éclaté depuis longtemps. T'as pas de sang Porter dans les veines mais c'est mieux que si tu en avais. Si j'étais eux, je te ferais entrer dans la famille. Tu le mérites bien.

Grace pouffa de rire.

— Comme ça, j'hériterais de la fortune et de tout ce qu'ils possèdent.

— Et j'aurais plus de chances d'obtenir l'augmentation de salaire que je demande depuis longtemps, ajouta

Dennick d'un ton amer. Est-ce que tu serais une bonne patronne, lady Grace ?

— Une très, très bonne, répondit Grace.

Tout en attendant que le thé ait fini d'infuser, elle jeta un coup d'œil par-dessus l'épaule de Dennick pour lire la page du journal.

— Que se passe-t-il dans le monde ? demanda-t-elle.

Le sourire que Dennick avait sur les lèvres s'évanouit en même temps qu'il secouait la tête.

— Cet Hitler, c'est pas bon ce qui se passe là-bas en Allemagne avec le parti nazi et la Gestapo. Les troupes allemandes occupent les bords du Rhin.

Les yeux écarquillés, Grace répéta.

— La Gestapo ?

— La police secrète, si tu préfères. Et Mussolini avec ses fascistes, c'est pas bon non plus. Il est en train de gouverner l'Italie avec une poigne de fer. Les dictateurs sont tous comme ça, on dirait qu'ils ne sont pas satisfaits quand les pays sont en paix.

— Nous, ici, on ne risque pas d'être dérangés, commenta Grace.

— J'espère que non.

Dennick poussa un soupir et replia son journal.

— Il y en a certains qui pensent qu'on devrait les arrêter avant qu'ils n'accaparent tout le pouvoir. Et il y en a d'autres qui voient ça d'un autre œil. Si la Grande-Bretagne décide de lancer une offensive militaire, les soldats auront besoin d'uniformes, il faudra des pansements. Et les grands bateaux de guerre marchent au charbon. Ce sera bon pour les usines textiles et les mines de notre pays. Lord Porter devrait voir d'un bon œil que l'Angleterre entre en guerre.

— Et si ses fils étaient appelés au front ?

Dennick hocha la tête.

— On demande rarement aux riches de se sacrifier. Ceux qui ont de la fortune sont à l'abri. Edward ne risquerait rien, t'as pas à t'en faire.

Grace prit les deux anses du plateau et avança vers l'escalier. Sa conversation avec Dennick venait de jeter une ombre sur son horizon. Une boule d'angoisse coincée dans la gorge, elle monta les marches. On n'appellerait peut-être pas Edward sous les drapeaux mais, tel qu'elle le connaissait, il s'engagerait comme volontaire pour son pays, si du moins la cause lui semblait juste. Il avait un sens aigu du devoir et, même si son cœur était irlandais, le sang qui coulait dans ses veines était anglais. Si l'Angleterre entrait dans le conflit, alors, Edward suivrait.

— Je vais prier tous les soirs pour qu'on ne nous déclare pas la guerre, murmura Grace.

Elle avait beau lui en vouloir d'être parti à la découverte du monde sans elle, elle ne supportait pas l'idée qu'il puisse quitter ce monde pour toujours.

Le pub était plongé dans la pénombre, l'atmosphère était lourde et poisseuse de fumée. Edward était assis dans le fond autour d'une petite table avec quelques-uns de ses camarades de collège. Ils avaient tous été invités à une soirée dans la propriété du garçon avec lequel il partageait sa chambre. Quand il n'était pas à Harrow, David Grantham habitait chez ses parents dans le Kent. Ils avaient voyagé en train. C'était une nuit formidable de liberté, une denrée qu'on octroyait avec parcimonie à ceux qui étudiaient à Harrow.

— Une autre tournée ! lança David, la bouche pâteuse. Où sont ces foutues serveuses de malheur ? Jamais là quand on a besoin d'elles !

Quelques instants plus tard, une jeune fille arrivait avec une cruche de bière qu'elle posa au centre de la table. Les mains sur les hanches, elle les interpella.

— Vous ne faites que boire ou vous avez l'intention de manger quelque chose ?

— Qu'est-ce qu'on fait ? Vous voulez manger ? demanda David aux deux autres garçons.

Comme ils hochaient la tête de gauche à droite, David adressa à la fille un sourire charmeur.

— Non, ma jolie. On n'est venus que pour s'arsouiller.

Il plongea la main dans sa poche et en sortit un paquet de billets qu'il lui enferma dans la main.

— Garde tout. Mais faudra bien t'occuper de nous.

— On devrait peut-être manger quelque chose, dit Edward à la serveuse. Qu'est-ce que vous avez ?

— Ragoût de mouton, hachis Parmentier, ou saucisse-purée.

— Apportez-nous un de chaque, dit Edward.

Il fit le tour de la table des yeux. Ses trois amis avaient quitté la gare de Charing Cross aussitôt après la fin des cours pour arriver à Ashford quelques heures plus tard. Le chauffeur de la famille Grantham les attendait à la descente du train, mais David avait tenu à ce que ses amis aient un aperçu de la vie nocturne de son village avant de prendre la direction de la propriété familiale.

— En avant pour les confidences, lança brusquement

David. Je vais vous dire pourquoi je vous ai conviés tous les trois à venir passer le week-end à la maison. Ma petite sœur Laetitia a invité quelques-unes de ses amies à la réception qu'on donne à la maison et m'a demandé d'amener les trois plus beaux garçons de Harrow. Voilà pourquoi Edward a été invité, dit-il en riant. Quant à vous deux, pauvres cloches, il faudra vous contenter des restes de Monsieur !

Martin Wetherby et Miles Fletcher grognèrent en chœur, juste pour la forme tant il était clair qu'ils se satisferaient de n'importe quelle compagnie féminine.

— Si je comprends bien, on n'est venus ici que pour une histoire de filles ! s'exclama Edward.

— Holà ! tu ne vas pas faire la fine bouche, répliqua David.

— Non, mais si tu me dis que ta sœur a douze ans, je reprends le train illico pour Harrow.

— Elle en a dix-sept. Quant à ses amies, je crois savoir que ce sont de joyeuses luronnes.

Il ricana niaisement puis avala une grande gorgée de bière.

— Ceux ici présents qui n'ont pas encore expérimenté les plaisirs de la chair ont intérêt à se préparer.

Ils se tournèrent d'un bloc vers Edward qui fit les yeux ronds.

— Je me réserve, plaisanta-t-il. J'envisage d'entrer dans les ordres.

— Tu n'es pas catholique, dit Miles.

— Alors ? Qu'est-ce que tu attends pour plonger ? Ce ne sont pas les occasions qui doivent te manquer, ajouta David.

Edward haussa les épaules.

— Je ne sais pas. Je pense que je me suis dit qu'il fallait que j'attende le bon moment. Et puis il y a cette fille que j'ai laissée en Irlande et…

— Quelle fille ? reprit Martin. Comment se fait-il qu'on ne l'ait jamais vue ?

— On se connaît depuis qu'elle est toute petite. On a grandi ensemble.

— Elle est jolie ? demanda Miles.

Edward opina.

— Oui. Elle est même mieux que ça. Elle est… Comment dire ? Lumineuse.

— Bon sang ! Qu'est-ce que ça veut dire ? s'enquit David.

Edward rit nerveusement.

— Je ne sais pas expliquer. C'est le seul mot qui me vienne.

Il but une gorgée de bière et reposa le cruchon sur la table.

— Tout ce que je sais, c'est qu'on est faits pour être ensemble. Je sais ça depuis longtemps.

— Est-ce que tu conviens à ses parents ? demanda David. Et tes parents ? Est-ce qu'elle leur plaît ?

Il hésita. Il brûlait d'envie de leur parler de Grace, de sa force, de son courage, de sa volonté pour survivre. Mais il savait qu'ils ne comprendraient pas.

— Ma mère l'adore, dit-il.

Les familles de ses amis leur trouvaient des filles qui leur conviennent, des filles du même milieu, des filles dotées d'une bonne éducation et de fonds gérés par des administrateurs, des filles qui apporteraient un supplément de fortune et de puissance à la famille du jeune homme. En fin de compte, leurs unions tiendraient davantage de l'arrangement financier que des sentiments. Il s'agirait avant tout de maintenir un certain statut social. Edward n'était pas d'accord pour ce genre d'organisation. En tout cas, pas pour lui.

— Alors, comment s'appelle cette beauté?

— Grace, répondit Edward. Elle se prénomme Grace.

David leva sa chope.

— Je propose que nous portions un toast. A nous quatre, les vilains canards de Harrow. Encore quelques mois et nous serons libres, prêts à dévorer le monde.

Le silence se fit autour de la table. Edward savait ce que chacun d'eux pensait. La vie avait été si facile jusqu'à présent. Mais il fallait grandir maintenant. Passer du stade de jeunes gens à celui d'hommes. Devenir adultes et prendre leurs responsabilités. Choisir un objectif et s'y tenir coûte que coûte. Sans jamais se retourner.

— Où vas-tu en vacances cet été? demanda Miles à Edward. Tu retournes en Amérique?

— Je rentre chez moi, dit-il. J'ai du pain sur la planche. Je veux entrer à Trinity College au lieu d'Oxford. Il faut que je réussisse à convaincre mon père. Cela ne va pas être une mince affaire.

— Moi, je vais à Cambridge, dit David.

— Cambridge University, compléta Miles d'une voix d'outre-tombe. J'aimerais bien être à ta place. C'est mieux que ce qui m'attend.

Il marqua un temps d'arrêt.

— Comme je suis le troisième garçon de la famille, mon père estime que mon avenir est dans l'armée. Je vais donc entrer à Sandhurst dès la fin du trimestre à Harrow.

168

— Je dois dire que je n'ai jamais pensé à faire l'armée, dit Martin. Mais pourquoi pas ? Je trouve ça plutôt excitant. Mon père m'envoie à Saint Andrews, à Edimbourg en Ecosse.

— Moi, ça ne me déplairait pas d'entrer à l'école militaire, dit David. Mon père a fait la Grande Guerre. Il commandait une unité à cheval. Ses amis et lui se réunissent encore pour parler de leurs aventures, pendant des nuits entières.

— A votre avis, c'est comment la guerre ? demanda Miles.

— Vous le saurez peut-être plus vite que vous ne le pensez, dit Edward. Ce qui se passe actuellement en Italie et en Allemagne inquiète pas mal de nos politiciens. L'Allemagne a les moyens de faire la guerre et de la gagner et Hitler a déjà fait les premiers pas pour agrandir son empire. S'il continue, l'Angleterre sera obligée de l'arrêter.

— Nous ne nous lancerions pas tout seuls dans un conflit, marmonna Miles. Les Français se rangeraient à nos côtés. Les Belges et les Danois aussi. Et même les Américains.

— Je préfère penser à autre chose ! s'exclama David. Et parler d'autre chose. A quoi bon spéculer sur la guerre ? Je trouve que c'est un sujet inutile et ennuyeux. Je suggère qu'on cherche plutôt des filles et qu'on s'amuse.

Edward se renfonça dans sa chaise et, buvant sa bière à petites gorgées, regarda ses amis se soûler. Si la guerre était déclarée, ils se trouveraient tous devant des choix difficiles. Ils n'étaient plus des enfants, ils étaient devenus des hommes avec tout ce que leurs familles, leurs pairs, leur pays avaient mis d'espérances en eux.

Brusquement, l'envie d'être de retour chez lui l'étreignit. Il voulait revoir Grace, s'asseoir avec elle dans les jardins de Porter Hall. Là-bas, ses peurs de l'avenir seraient moins angoissantes. Il pourrait lui parler, lui livrer toutes ses pensées et elle comprendrait.

Il ferma les yeux et pencha la tête en arrière. Cela faisait si longtemps qu'ils étaient séparés, si longtemps qu'ils n'avaient pas vraiment parlé. Il s'était passé tant de temps.

Les choses avaient changé. C'était inévitable. Ils avaient tous les deux grandi et ce qui n'était, naguère encore, que de l'amitié s'était mué en quelque chose de bien plus compliqué. Autrefois, être assis près d'elle et lui parler lui suffisaient. Sa simple compagnie le comblait. Il aimait Grace comme une sœur.

Quand avait-il commencé à la voir avec d'autres yeux ? A la considérer comme une femme ?

Elle aurait seize ans à l'automne, l'âge où les filles commencent à rêver des garçons. Allait-elle tomber amoureuse de quelqu'un d'autre ? Ou bien l'affection, la tendresse qu'ils avaient éprouvées l'un pour l'autre allaient-elles se transformer en amour ?

Il fallait qu'il sache mais, dans le même temps, il redoutait de savoir. Chaque fois qu'il avait imaginé son avenir, Grace en faisait partie. Au début, il se voyait comme des camarades, des amis. Depuis peu, il commençait à penser à elle différemment. Ses pensées l'avaient d'ailleurs surpris. Dérangé même. Et puis elles avaient fini par lui paraître simplement normales.

Ce n'était pas sans raison qu'elle s'était trouvée sur son chemin, ce fameux jour, quelque treize ans plus tôt. C'était pour qu'il la trouve et la sauve. C'était parce qu'elle lui était destinée.

— Monsieur, je crois qu'il est temps que vos amis et vous regagniez la propriété. Votre mère doit vous attendre.

Edward rouvrit les yeux. Devant David se tenait le chauffeur des Grantham, son chapeau à la main, le visage empreint d'une profonde perplexité.

Edward se leva aussitôt et tira sur le bras de David.

— Viens, mon vieux. Reprends-toi. Il y a des filles qui t'attendent.

Martin et Miles se levèrent aussi et, tant bien que mal, épaule contre épaule, se soutenant mutuellement, sortirent en titubant du pub.

— Je vais te présenter à ma sœur, dit David, d'une voix traînante d'ivrogne. Tu sais, t'es le seul type que je connais que je verrais bien avec elle.

David lui donna une tape dans le dos.

— Elle va tomber amoureuse de toi, c'est couru d'avance.

Edward confia son ami au chauffeur et revint vers le bar trouver la serveuse qui remplissait une pinte de bière.

— Dites-moi ce que nous vous devons, dit-il. En plus des excuses.

— Vous plaisantez ?

— Non, dit Edward. Je suis désolé, mes amis n'ont pas été très chic avec vous. Ils ne voulaient pas vous blesser. Ils avaient besoin de décompresser. Ce n'était pas méchant de leur part.

— C'est pas grave, dit-elle. Et merci. D'habitude, les garçons comme vous se moquent pas mal de ce qu'ils disent ou font.

Edward fit oui de la tête et plongea la main dans sa poche.

— Tenez, dit-il, posant un billet d'une livre sur le bar. C'est pour vous.

— Merci.

Comme il sortait du pub, l'air humide de la nuit noire le fouetta au visage. Content de ce qu'il venait de faire, il sourit intérieurement. Ses trois amis avaient passé toute leur vie dans des écoles privées, ils étaient conviés à des réceptions où ils ne croisaient que des invités qui appartenaient à leur monde et, pour eux, en dehors de ce monde, rien n'existait. Ce n'était pas leur faute, on ne leur avait pas appris à regarder autour d'eux, à voir qu'une autre société se débattait dans les difficultés. Toute leur vie, ils avaient vécu en privilégiés et les avantages dont ils jouissaient les avaient aveuglés sur les problèmes que les gens ordinaires affrontaient.

Mais s'il y avait une guerre, et Edward était convaincu qu'elle allait éclater, elle remettrait tout le monde sur un même plan. Une balle ou une bombe allemande ne pouvait deviner si une famille avait de l'argent et occupait un certain rang dans l'échelle sociale, si le père était lord ou gardien de phare. Au bout du compte, tous seraient confrontés aux mêmes choix, se battre ou déserter. Pour Edward, le choix était fait.

10

Edward regardait par la vitre de la voiture qui sillonnait les rues de Dublin. Il était arrivé par le bateau express à vapeur une heure plus tôt et Dennick l'attendait pour lui prendre ses sacs et sa malle et les charger dans l'automobile. Bien que le valet de son père lui ait tenu la porte arrière, Edward avait choisi de s'asseoir à l'avant.

— Je m'attendais à voir Grady, dit-il en serrant la main de Dennick.

— Je devais venir prendre livraison de costumes pour votre père chez son nouveau tailleur aussi ai-je proposé de venir vous chercher. Ça fait plaisir de vous revoir, Monsieur Edward. Vous avez l'air en forme.

Secrètement, Edward avait espéré que Grace serait là à l'attendre à sa descente du bateau, aussi était-il déçu. Mais il essaya de montrer bonne figure. Il avait fini son dernier trimestre à Harrow et, après trois ans, rentrait enfin chez lui. Il avait passé l'été dernier en Amérique chez son oncle et sa tante mais quand l'invitation avait été renouvelée pour cet été, il avait poliment décliné.

Il devait entrer à l'université à l'automne prochain et devait s'y préparer tout l'été. C'était l'excuse qu'il avait présentée à son père, une des demi-vérités qu'il avait racontées. Il avait décidé de refuser Oxford et Cambridge et avait choisi à la place d'aller à Trinity College, à Dublin, nouvelle qu'il n'avait pas encore annoncée à lord Porter.

Son père avait supposé qu'il allait prendre des cours préparatoires en vue de la carrière qu'il briguait dans l'affaire familiale, mines et textiles. Mais Edward avait un autre plan. Il comptait suivre des cours qui le préparent à l'entrée en école de médecine. Quand le moment serait opportun, il convaincrait son père que c'était là sa vocation et que brasser des affaires et faire du commerce n'étaient pas sa voie. A partir de là, il suivrait son chemin, en toute indépendance de sa famille. Quand il aurait terminé ses études, on ne pourrait rien lui dire au sujet de la femme qu'il élirait.

Pour l'heure, toutes les difficultés qui l'attendaient à propos de son avenir étaient repoussées au fin fond de sa tête. Il n'aspirait qu'à une chose, revoir Grace. Il avait acheté un cadeau pour elle avant de quitter Londres et était impatient de le lui offrir, impatient de revoir son sourire lumineux éclairer son visage. Ce sourire qu'il n'avait jamais oublié.

Bien qu'il ait croisé plusieurs jeunes filles charmantes et jolies pendant son passage à Harrow, aucune n'avait excité son imagination comme Grace. Elles avaient beau être ravissantes, sophistiquées et issues d'excellentes familles, comparées à Grace, elles ne lui arrivaient pas — selon lui — à la cheville. Grace avait cette beauté sauvage propre aux Irlandaises, des cheveux noirs qui tranchaient avec la pâleur de son teint et d'adorables taches de rousseur éparpillées sur le bout du nez qui lui donnaient un petit air malicieux. Les autres jeunes filles, tout exquises qu'elles fussent, ne rivalisaient pas avec l'intelligence, la spontanéité et la merveilleuse honnêteté de Grace. Il y avait quelque chose chez elle, une lumière qui semblait l'illuminer de l'intérieur. C'était comme un phare par lequel il était attiré, près duquel il avait envie de s'abriter.

Comment allaient se passer leurs retrouvailles ? Il ne l'avait pas revue depuis Noël dernier et les quelques heures volées qu'ils avaient passées ensemble avaient été bizarres, faites de conversations un peu empruntées et de longs silences embarrassés. Elle avait grandi et ils avaient tous les deux remarqué une attirance qui n'existait pas auparavant. Il devenait difficile de regarder Grace sans être démangé par l'envie de caresser ses cheveux ou d'embrasser sa bouche.

— Votre mère a organisé un grand dîner pour vous, dit Dennick. Elle a commandé aux cuisines tous vos mets préférés. Votre frère Malcolm et sa femme Isabelle sont là. Toute la famille sera réunie.

Edward faillit demander si Grace serait présente. Dennick s'étant comporté en ami, en complice même tout au long des années écoulées — puisqu'il leur avait fait suivre leur courrier —, la question ne risquait pas de le choquer. Mais il se ravisa.

« Elle sera certainement au dîner, pensa-t-il. Mère ne l'aura pas laissée à l'écart. »

— Cela fait du bien d'être de retour, lança-t-il au lieu de poser la question qui lui brûlait les lèvres un instant plus tôt.

— Votre père m'a dit que vous partiez pour Oxford en automne, dit Dennick en jetant un regard de son côté.

— Ce n'est pas certain, répondit Edward. En fait, je pense plutôt à Trinity College. Mais n'en dites rien encore. Je n'ai pas abordé le sujet avec mes parents.

Il se tut. Puis reprit.

— A propos, comment va ma mère ?

Dennick fit un sourire un peu contrit.

— Il y a des hauts et des bas. Elle a ses bons et ses mauvais jours. C'est imprévisible. Heureusement, nous avons Grace. Elle parvient tant bien que mal à la garder à flot.

— Et Grace ? Comment va-t-elle ? murmura Edward.

— Aussi bien que possible. J'ai noté que vous ne vous étiez pas beaucoup écrit ces temps derniers. Je veux dire depuis Noël. Avez-vous eu une brouille ?

Edward haussa les épaules.

— Non, ce sont seulement les choses qui sont différentes entre nous. Ce n'est plus aussi facile qu'avant.

— C'est sûr. Vous n'êtes plus des enfants, vous deux. Vous vieillissez, les choses changent.

— Même si on ne le souhaite pas ? demanda Edward.

— Personne n'a encore réussi à arrêter le temps, Monsieur Edward. Personne.

Comme ils approchaient de Porter Hall, Edward repensa à tout ce que Grace et lui avaient traversé ensemble. Dans le fond, Dennick devait avoir raison. Avec l'âge, leur amitié avait tout simplement perdu de son intérêt. Ils avaient été amis, par la force des choses, mais, en vieillissant, ils n'avaient plus besoin l'un de l'autre.

Alors que la voiture s'engageait dans l'allée qui menait au perron à double volée de Porter Hall, Dennick klaxonna deux fois. Quelques instants plus tard, Geneva apparaissait en haut des marches. Elle semblait aller bien. Bonne mine, joues roses — un peu excitée, peut-être —, lèvres maquillées, yeux brillant de joie. Malgré les années qui passaient, Edward était toujours surpris de voir comme sa mère restait une belle femme, étonnamment jeune pour son âge. Ses cheveux blonds n'étaient parsemés d'aucun fil gris qui aurait trahi son âge et elle avait gardé une ligne de jeune fille. Sa silhouette, mince et alerte, aurait fait pâlir d'envie plus d'une adolescente.

Il retint son souffle. Grace allait apparaître à son tour. Plein d'espoir, il attendit un peu. Rien. Personne. Le pied à peine posé à terre, il avança vers le perron mais sa mère se précipitait déjà à sa rencontre et le serrait dans ses bras.

— J'avais l'impression que tu n'arriverais jamais, dit-elle. Regarde-moi. Mon Dieu, mon fils, comme tu as changé !

Elle lui prit le visage et le serra dans ses mains.

— Tu es un homme, maintenant. Viens, nous allons bientôt passer à table. Je t'attendais un peu plus tôt.

Elle passa son bras sous le sien.

— Tu sais que Malcolm et Isabelle sont là. Ils sont ravis à l'idée de te revoir.

— Permettez-moi d'aider Dennick à sortir ma malle du coffre, dit-il.

— Ne sois pas stupide. Dennick, voulez-vous porter les bagages d'Edward dans sa chambre, je vous prie ? Si la malle est trop lourde, demandez à Grady de vous aider.

Sa mère à son bras, Edward traversa l'entrée puis toute la maison jusqu'à la salle à manger où il constata, à sa surprise, que les convives avaient déjà pris place autour de la table. Malcolm et sa femme étaient assis à la droite de Henry Porter. A sa gauche, la place d'Edward était vide.

Après avoir présenté une chaise à sa mère, il s'assit.

— Merci de m'avoir attendu, dit-il. Le bateau avait un peu de retard. La traversée a été plutôt agitée.

— La nôtre aussi ! s'exclama Isabelle d'une voix haut perchée. Malcolm n'a pas supporté de rester dans notre cabine, j'étais malade comme une bête. Il a préféré aller jouer aux cartes avec une bande de voyageurs pas très fréquentables.

— Bonjour, Edward, lança Henry. Bienvenue à la maison.

Son père avala une longue gorgée de whisky du gobelet en cristal qu'il tenait à la main.

— Puis-je te proposer quelque chose à boire ?

Il ne lui avait encore jamais proposé d'alcool. Pourquoi choisissait-il ce soir pour le faire ?

Edward secoua la tête.

— Non, merci, père.

— Tu es un homme maintenant, répliqua Henry. Tu dois tenir l'alcool.

— Allez, insista Malcolm. Accepte !

— Bien sûr que je peux tenir l'alcool, dit Edward fermement. Mais ce soir je suis fatigué et je crains, si je bois, de m'endormir au milieu du dîner. Après que j'aurai mangé, pourquoi pas ?

— A ta guise, grommela Henry.

Et voilà, ça recommençait déjà, se dit Edward. Un simple coup d'œil aux convives suffisait pour prendre la mesure de la tension presque palpable qui régnait autour de la table. Une seule parole de travers et la dispute éclaterait. Comme à l'accoutumée, son frère ne cherchait que l'occasion d'en découdre.

Heureusement, sa mère agita la cloche en argent posée près de son verre pour qu'on apporte l'entrée.

La main gauche sur la cuisse, comme l'exigeait la bienséance, Edward jouait avec sa serviette quand il vit qu'on glissait une assiette à sa place. Surpris, il leva les yeux. Grace était là, juste à côté de lui, et le servait. Elle avait revêtu l'uniforme gris des femmes que sa mère employait en cuisine.

Instinctivement, il posa sa serviette, recula sa chaise et se leva.

— Grace! dit-il, prenant l'assiette de ses mains.

Elle lui lança un regard bizarre.

— Bienvenue, Monsieur Edward.

Doucement, elle lui reprit l'assiette.

— Ce sont des crevettes sautées au beurre et au vin blanc. Voulez-vous essayer?

— Qu'est-ce que tu fais? chuchota-t-il.

— Votre mère a demandé en cuisine que nous préparions vos plats préférés, dit-elle. Asseyez-vous. Je suis sûre que vous allez apprécier.

De nouveau, elle lui adressa un regard, mais suppliant celui-ci. Edward se rassit donc. Grace lui servit deux crevettes puis continua son service autour de la table. Quand elle eut fini, elle fit la révérence et disparut dans l'office.

— Vraiment, Edward, dit Malcolm, se moquant de son frère, si tu dois te mésallier et fricoter avec une des domestiques, prends-en au moins une qui soit jolie.

Le ton était nasillard, méprisant, insupportable. Le souffle coupé, Geneva intervint.

— Malcolm, je te prierai de bien vouloir tenir ta langue, s'il te plaît.

Edward foudroya son frère du regard puis plongea le nez dans son assiette. Ça allait mal se passer. Il ne tiendrait jamais l'été entier dans cette atmosphère irrespirable. De toute manière, il ne supporterait pas de passer l'été à attendre Grace, avec Malcolm prêt à ricaner dès qu'elle apparaîtrait.

— Ce n'est pas grave, mère. D'ailleurs, je crois me rappeler une petite bonne rousse qui aidait aux cuisines pour laquelle Malcolm avait un penchant quand il était plus jeune. Comment s'appelait-elle, déjà? Sally, non? Ce n'était pas Sally?

Blême, Isabelle écarquilla les yeux devant un Malcolm rouge de honte qui ne savait plus où se mettre. Les sourcils en accent circonflexe, Edward toisa son frère. S'il cherchait la guerre, il l'aurait. Edward avait bien plus de munitions en réserve que Malcolm. L'issue de la bataille ne faisait aucun doute, surtout si Grace y était mêlée. Malcolm avait eu tort de le mettre au défi.

Debout devant l'évier de la cuisine, Grace récurait le fond d'une marmite en cuivre que Cook avait utilisée pour préparer la soupe. Elle se sentait toute bizarre, un peu étourdie et incapable de se concentrer. Pourtant, elle avait eu tout son temps pour se préparer à revoir Edward, des jours et des jours pour rassembler ses idées, se forger des résolutions et s'endurcir assez pour avoir la force de les tenir. Mais quand il l'avait regardée, elle avait tout de suite su qu'elle ne pourrait jamais garder ses distances. Qu'elle allait flancher.

C'était comme si la part d'elle-même qui lui manquait était revenue. Maintenant, elle se sentait de nouveau une et entière, à l'image d'un monde qui aurait bougé pour revenir à son équilibre initial. Son ami était de retour, son confident, la seule personne au monde en qui elle ait toute confiance. Et il était censé rester là tout l'été.

En pensée, elle revit tout d'un coup ce qu'ils avaient fait et allaient pouvoir refaire ensemble. Monter à cheval, s'asseoir dans le jardin, lire des poèmes… Il lui apprendrait aussi à conduire, peut-être, et…

Grace regarda l'eau souillée au fond de l'évier et soupira. C'était vraiment difficile d'admettre que leurs relations avaient changé. Ils n'étaient plus des enfants mais elle, du moins, n'était pas encore une adulte. Comme cela aurait été facile si, d'un simple claquement de doigts, elle avait pu faire disparaître trois des quatre années à venir. Pour l'instant, elle avait le sentiment d'être encore dans les limbes, incapable d'agir — si ce n'est attendre, encore attendre que sa vie puisse enfin commencer.

— Grace, va débarrasser la salle à manger pour moi, dit Cook. Ils vont prendre le dessert dans le boudoir.

Elle attrapa un plateau sur lequel étaient disposées une tarte aux pommes et une jatte de crème anglaise.

— Dépêche-toi, ma fille. T'as pas encore fini de trimer pour ce soir. Il y a encore plein de travail et on n'est pas près de s'asseoir pour se reposer. Ça fait longtemps qu'on n'a pas eu tout ce monde à servir à Porter Hall.

Grace sécha ses mains dans un torchon, prit un plateau vide et se dirigea vers la salle à manger. Comme elle débarrassait la table, des bribes de conversation filtrant du boudoir lui parvenaient, ainsi que les rires clairs de Geneva et la voix sourde de Henry. Isabelle n'était là que depuis quelques jours mais Grace la trouvait condescendante et prétentieuse. Elle entendait être servie au doigt et à l'œil, et avait même menacé Cook de la faire congédier au motif que son petit déjeuner ne lui avait pas été servi à l'heure et que ses œufs n'étaient pas cuits comme elle les aimait. Quant à Malcolm, Grace l'avait surprise à plusieurs reprises en train de la lorgner, comme disait Cook. Aussi avait-elle décidé de rester à distance respectable de lui si elle voulait éviter les ennuis.

Elle commença par ramasser l'argenterie, puis empila la vaisselle, une fine porcelaine de famille. Quand le plateau fut plein, elle repartit vers la cuisine, les bras chargés. Justement, Edward arrivait. Elle s'arrêta net. Il la regardait avec intensité et semblait presque fiévreux. Il fit un pas vers elle mais, d'un regard, elle l'arrêta.

— Non, murmura-t-elle.

— Grace, s'il te plaît, je…

— Non ! Ce n'est pas possible.

— Si, c'est possible. Viens me rejoindre ce soir. Dans les écuries.

— Non, répondit Grace en secouant la tête désespérément.

— Si, insista-t-il. Il faut que je te parle. Si tu ne viens pas, c'est moi qui viendrai. Quand tout le monde dormira, je viendrai dans ta chambre.

— D'accord, j'irai te retrouver dans les écuries.

Elle se dépêcha d'aller à l'office et déposa le plateau sur le comptoir dans un bruit de vaisselle malmenée. Son cœur battait comme un sourd dans sa poitrine et, l'espace d'un instant, elle crut qu'elle allait suffoquer.

Que cachait cette agitation intérieure ? De la peur ? De l'énervement ? Du déni ? Elle s'était toujours sentie tellement à l'aise avec Edward, subitement tout aurait-il changé ? Quand il posait son regard sur elle, elle avait l'impression que son corps s'embrasait, que ses nerfs la lâchaient, que sa nuque la picotait.

Comme si une décharge électrique l'avait traversée, elle frictionna ses bras subitement hérissés de chair de poule. Ses doigts tremblaient.

— Grace?

Etonnée, elle pivota sur les talons bobine de ses bottines. De l'autre extrémité de l'office, Cook l'observait. La cuisinière se précipita, les yeux braqués sur elle.

— Ça va, ma fille?

Elle plaqua la main sur le front de Grace.

— Tu m'as l'air malade. T'as pas attrapé du mal, au moins?

— Je... je suis juste fatiguée, dit Grace. La journée a été longue et j'ai un début de migraine.

— Va te coucher, alors. Je finirai le reste.

Grace sourit.

— Merci.

Comme elle franchissait la porte de l'office, la voix de Cook retentit.

— Fais attention, ma fille. Je sais que tu crois qu'il est pour toi, mais il y en a dans cette maison qui ne voient pas ça d'un bon œil et qui désapprouveront. Ne prête pas le flanc pour te faire battre. Méfie-toi. L'occasion serait trop bonne de te mettre à la porte.

— Et toi? interrogea Grace. Est-ce que tu désapprouves aussi?

— Je ne peux pas dire que j'approuve, finit par répondre Cook. Ce n'est pas que je n'aime pas Monsieur Edward, et Dieu sait que je te considère comme ma propre fille, mais... je ne veux pas vous voir souffrir tous les deux. Ça me ferait trop de peine.

Elle s'arrêta un moment avant de reprendre.

— Tu es jeune, Grace. Ne va pas te mettre martel en tête. Sors-toi de l'idée que tu ne peux pas vivre sans ce garçon. On n'est pas faits pour vivre ensemble, pour se mélanger je veux dire, et ceux qui pensent qu'on peut, ils vont au-devant des désillusions. Oui, ma fille, crois-moi, pour eux, le réveil sera rude.

Grace opina. Depuis la mort de Rose, Cook avait toujours été là avec le mot qu'il faut pour la consoler ou le conseil avisé. Et Grace savait qu'en la matière, aussi, elle avait raison. Malgré cela, elle ne pouvait ignorer ce que lui dictait son cœur depuis si… si longtemps.

Edward Porter et elle n'étaient pas au bout de leurs peines. Mais ils n'étaient pas non plus au terme de leur vie. Ils ne faisaient que la commencer.

11

Il attendait dans l'écurie depuis deux bonnes heures quand il comprit que Grace avait sûrement décidé de ne pas venir. Tiraillé entre des sentiments contradictoires, il continua tout de même de faire les cent pas. Pourquoi fallait-il que tout soit si compliqué ? Il aurait donné cher pour qu'ils puissent redevenir des petits enfants, libres d'exprimer leurs pensées et leurs sentiments sans gêne, au lieu de mesurer leurs propos et de cacher leurs émotions.

La colère commença à monter en lui. Déçu, pris de doute, il se demanda ce qu'il ressentait vraiment. N'ayant encore jamais été amoureux, il n'avait pas d'élément de comparaison. Etait-ce cela qu'on ressentait quand on était amoureux ?

Edward jura tout bas. Si c'était cela, alors il ne tenait pas à être amoureux de Mary Grace Byrne, c'était une trop terrible torture.

Il prit sa veste et sortit dans la nuit d'été. Elle était tiède. Le souhait de Grace était clair : elle ne voulait pas être avec lui. L'amitié qui les avait soudés avait vécu. Tout cela était maintenant du passé.

Comme il traversait la cour, le gravier crissa sous ses pieds. Il leva les yeux vers les fenêtres des chambres qui se trouvaient sous les toits. Tout était noir. Pourquoi avait-il tant voulu revenir chez lui ? Quelle erreur de jugement il avait commise ! Ce n'était peut-être pas trop tard pour accepter l'invitation en Amérique ? Il allait envoyer un câble à son oncle et sa tante.

Il approchait de la porte quand, se découpant dans la lumière de la lampe qui éclairait l'entrée de la cuisine, une silhouette sortit de l'ombre. Edward s'arrêta net et retint son souffle. C'était elle. Ses traits étaient flous mais il les distinguait. Grace.

Saisi, il resta sans voix.

C'est elle qui avança et qui, sans hésiter, le prit par la taille.

Il ne prononça pas un mot, mais qu'importe. Les paroles étaient devenues inutiles.

Ils restèrent ainsi un moment, dans les bras l'un de l'autre, muets. Edward posa la main sur la tête de Grace et lissa ses cheveux. C'était toujours la même soie entre ses doigts. Toute la colère qui le submergeait un instant plus tôt s'envola, cédant la place à un merveilleux sentiment de plénitude et de bonheur.

— J'ai cru que tu ne viendrais pas, dit-il. J'ai cru que tu ne voulais plus de moi.

Grace se détacha de lui, recula, le fixa.

— Je voudrai toujours de toi.

— Je suis désolé pour ce qui s'est passé ce soir, dit Edward. Je ne savais plus que dire quand je t'ai vue. J'étais persuadé que tu serais assise à table à côté de moi, je ne pensais pas que tu me servirais.

— C'est mon travail, murmura Grace. Ce n'est pas si mal. Il faut bien que je travaille si je veux avoir un endroit pour dormir et pour vivre.

— Tu vis ici, à Porter Hall, comme moi.

Elle secoua la tête en souriant.

— Non, Edward. Pas comme toi. Je ne suis pas comme toi. Tu dois te mettre cela dans la tête.

— Je le sais, répondit-il. Mais je ne veux pas le croire.

— Nous sommes pris au beau milieu, à la place la plus inconfortable qui soit, entre ton monde et le mien. Nous pouvons être ensemble ici, mais pas en pleine lumière. Nous existons sans exister vraiment. Notre monde est un songe créé de toutes pièces par nous qui doit rester invisible pour les autres. Un lieu magique où personne n'a accès. Sauf nous.

Il prit son visage dans ses mains et la scruta au fond des yeux. Son cœur battait si fort qu'il crut qu'il allait défaillir tant il la désirait. Il se pencha et effleura ses lèvres. Le contact fut si saisissant qu'elle recula comme si une décharge électrique l'avait traversée. Les yeux fixés sur elle, il attendit et, peu à peu, la vit se remettre de l'émoi qu'avait suscité son baiser.

Il avait déjà embrassé des filles, il les avait même touchées sous leurs vêtements. Ce qu'il avait senti l'avait troublé, démangé, excité. Tout à la fois. Il ressentait la même chose avec Grace. Mais il y avait quelque chose de plus avec elle. Ça lui semblait... bien, juste.

— As-tu déjà embrassé un garçon ? demanda-t-il.

Grace hocha la tête. Un sourire timide retroussa ses lèvres.

— Jack Brady m'a embrassée sur la joue une fois, dit-elle.

— Et qui est Jack Brady ?

— Son père est l'épicier du village. On parle ensemble

quand Cook m'envoie acheter des légumes. Il est gentil mais il est un peu jeune.

Elle s'arrêta.

— Et toi, Edward Porter ? Combien de filles as-tu déjà embrassées ?

— Une seule qui soit importante, murmura-t-il.

Il se pencha sur elle et l'embrassa de nouveau mais, cette fois, il s'attarda sur ses lèvres qu'il titilla du bout de la langue. Mal à l'aise, elle entrouvrit la bouche sous ses petits assauts et, cette fois, sa langue toucha la sienne. Une violente bouffée de désir le parcourut. Tout son corps frissonna. Il attira Grace et la plaqua contre lui. N'hésitant plus, elle se pressa contre lui à son tour.

Puis s'écarta.

Il sentit qu'elle était mal à l'aise. Elle avait peur. Cela se voyait à la façon dont elle se tenait, aussi Edward desserra-t-il son étreinte. Il voulait d'abord lui montrer comme tout pouvait être beau entre eux. Mais elle était encore jeune et inexpérimentée. Elle ignorait les effets qu'un corps de femme peut avoir sur un homme. Il caressa alors son visage et passa son pouce entre ses lèvres humides.

— Est-ce que tu m'aimes, Grace ?

Elle le regarda, les yeux agrandis par le trouble.

— Oui.

— Comment m'aimes-tu ? Tu m'aimes comme une femme aime un homme ?

Elle fit oui de la tête puis, lentement, d'une main timide, lui caressa la poitrine. Il sentait la chaleur de sa paume à travers l'étoffe de sa chemise.

— Je t'aime, murmura-t-elle, les lèvres plaquées sur sa poitrine juste au-dessus de ses doigts. Je t'ai toujours aimé.

Il passa un doigt entre le col de sa chemise et son cou et tira sur le petit médaillon qu'elle lui avait offert.

— Dis-moi ce qui est écrit dessus, chuchota-t-il.

Elle tira son propre médaillon — celui de sa mère — de sous son chemisier.

— *L'amour triomphera*, lut-elle.

— Promets-moi que tu ne cesseras jamais de le croire.

Grace sourit puis, se hissant sur la pointe des pieds, lui donna un autre baiser.

— J'y croirai si tu y crois.

Il la reprit dans ses bras et la plaqua sauvagement contre lui.

— Dis-moi quand je peux te revoir. Veux-tu que nous nous retrouvions demain soir ?

« Oui », fit-elle de la tête.

— Dans l'écurie ?

Edward alla avec elle jusqu'à la porte du fond et l'embrassa une nouvelle fois — un baiser profond, fougueux —, et elle disparut à l'intérieur de la maison. Quand il ne la vit plus, il sourit intérieurement. Il ne se rappelait pas avoir jamais été aussi heureux ! Aussi immensément heureux ! Ils avaient tout l'été devant eux pour se voir et, s'ils étaient obligés de se rencontrer en cachette et de déguiser les sentiments qu'ils éprouvaient l'un pour l'autre devant les autres, alors ils le feraient. Mais le jour viendrait où il pourrait prendre Grace par la main et entrer avec elle dans Porter Hall. Il s'assiérait à côté d'elle à la table de la salle à manger, sans s'inquiéter des conséquences.

*
* *

189

A leur surprise, ils se retrouvèrent libres sans grande difficulté. Malcolm et Isabelle étaient repartis une semaine avant la date prévue, des motifs professionnels les rappelant plus tôt dans le Lincolnshire et auprès de la famille d'Isabelle. De toute manière, leurs visites ne duraient jamais bien longtemps. Grace soupçonnait Isabelle de détester l'Irlande et de considérer tout ce qui touchait ce pays comme plouc et provincial.

Le père d'Edward avait décidé d'aller passer une semaine en Ecosse pour examiner de plus près de nouveaux métiers à tisser pour ses usines textiles. A la surprise de Grace, Geneva avait choisi de l'accompagner à Edimbourg où elle rendrait visite à de vieux amis de la famille.

Grace et Edward accompagnèrent lord et lady Porter au port d'embarquement de Dublin et regardèrent le bateau à vapeur s'éloigner des quais, en faisant au-revoir de la main aux deux voyageurs. A peine le navire avait-il pris le large, Edward serra la main de Grace dans la sienne et lui enlaça les doigts.

A ce contact, elle sentit une excitation comme elle n'en avait jamais ressenti remonter le long de son dos. Il suffisait qu'Edward la touche pour qu'elle se sente toute bizarre. Il avait fait très attention à la traiter avec respect et à modérer ses élans sexuels, mais Grace aurait aimé qu'il oublie parfois de se conduire en gentleman et qu'il laisse ses mains caracoler sur tout son corps.

Secrètement, elle s'en voulut d'abriter de telles pensées mais très vite elles revinrent hanter son esprit. Avait-elle assisté à la messe régulièrement ? Pour la première fois, elle allait peut-être avoir quelque chose de mal à confesser. Un affreux péché défendu. Cependant, c'était difficile de croire que ce qu'elle éprouvait pour Edward pouvait être un péché. Pour elle, être avec lui c'était comme être au paradis sur terre.

Grace savait parfaitement ce qu'un homme et une femme faisaient ensemble. Les cuisinières ne se privaient pas de jacasser sur le sujet et depuis qu'elle était toute petite elle n'avait pas perdu une miette de leurs papotages. Bien que cela lui parût un peu étrange, pas commode et très embarrassant, elle imaginait volontiers que cela devait être plaisant, cette union de deux corps.

D'ailleurs, embrasser Edward était plaisant. Et quand il la plaquait contre lui et la tenait très serré, quand il mettait sa langue dans sa bouche, elle y prenait un grand plaisir. Sans compter la fascination que sa peau nue exerçait sur elle. A deux reprises, maintenant, elle l'avait vu sans chemise — oui, torse nu —, et elle l'avait trouvé extraordinairement beau.

Grace regarda le bateau à vapeur au loin et sourit. Ils jouaient la comédie depuis un bon mois, maintenant, faisaient semblant de ne pas voir les coups d'œil qu'ils se lançaient mutuellement, ne se parlaient pas en présence d'autres personnes et se rencontraient en toute clandestinité. Personne ne pouvait soupçonner qu'il y ait la moindre chose entre eux au-delà d'un respect cordial. Mais maintenant que les maîtres étaient tous partis, ils avaient quelques semaines devant eux pour redevenir eux-mêmes. Et elle était bien déterminée à embrasser et caresser Edward autant qu'il lui plairait.

— Alors, qu'allons-nous faire de nous, maintenant? demanda Edward.

Grace se hissa sur la pointe des pieds, enroula les bras autour de son cou et l'embrassa sur la bouche sans la moindre retenue. Choqué, pour commencer, il recula et lui lança un regard de reproche.

— Une jeune fille bien n'embrasse pas un homme en public.

Mais à peine avait-il terminé de la semoncer, il haussa les épaules et l'embrassa à son tour.

— Je veux monter à cheval, répondit Grace. Et je veux que tu m'emmènes à une séance de cinéma à Dublin, et je veux que tu m'apprennes à conduire une automobile et je veux que nous allions pique-niquer et…

— Si nous commencions par dîner? dit-il. Pendant que nous prendrons notre repas, nous déciderons de ce que nous allons faire.

Ils retournèrent à la voiture en stationnement non loin des quais. Après avoir aidé Grace à s'installer, il fit le tour de l'automobile et se glissa au volant. Ils regagnèrent Dublin sans encombre. La soirée était douce et animée. Des badauds profitaient de la tiédeur de l'été pour flâner dans les rues. Edward gara la voiture près du pont Ha'penny et, avec Grace, ils longèrent le fleuve Liffey jusqu'à ce qu'ils trouvent un pub qui serve un menu sans chichi.

Mon Dieu! Que c'était bon d'être libres! Quel bonheur d'être débarrassés des contraintes que leur imposait la vie de Porter Hall! Et quel soulagement de ne pas avoir à redouter d'être surpris par l'un ou l'autre qui s'empresserait d'aller les dénoncer!

— Trinity est là-bas, dit-il, le doigt pointé vers l'est. Je ne l'ai encore dit à personne mais je suis admis dans cette université. Je n'irai pas à Oxford comme le veulent mes parents.

Grace s'arrêta.

— Tu vas rester à Dublin ?

Il fit oui de la tête.

— J'ai décidé de suivre des études de médecine. Père n'approuvera pas mais le temps qu'il se rende compte de ce que je fais, il ne pourra plus m'arrêter.

— Et pourquoi des études de médecine ?

— Tu ne vois pas, Grace ? Si je peux avoir un métier qui me permette de ne plus dépendre de personne, je veux dire « de ma famille », je pourrai subvenir à tes besoins. Il y aura toujours besoin de médecins, nous pourrons nous installer n'importe où dans le monde. Ainsi, je pourrais t'offrir la vie d'aventures dont tu rêves et que je t'ai promise.

Ils trouvèrent une table libre et commandèrent un plat de jambon aux choux à l'aubergiste. Grace ne perdait pas une syllabe de ce que lui racontait Edward de ses projets pour l'avenir — pour leur avenir — et son enthousiasme était contagieux. Il était tellement emballé, son optimisme était si communicatif qu'elle voyait les lendemains promis se dessiner sous ses yeux.

Soudain, elle fronça les sourcils. Les années passées lui avaient appris à modérer ses espoirs et ses rêves et à ne jamais perdre de vue la réalité. Tellement d'événements pouvaient faire dérailler la machine. Tellement de choses pouvaient partir de travers et tout gâcher.

C'était plus facile pour Edward que pour elle d'être confiant. A y bien réfléchir, elle ne se rappelait pas une seule fois où il n'ait pas obtenu ce qu'il désirait, que ce soit parce qu'il n'avait pas lâché tant qu'il n'avait pas eu la chose convoitée, ou bien parce que la chance lui avait souri ou parce que le hasard de la vie lui avait donné un père puissant et fortuné. La mort de Charlotte mise à part

— qu'il n'évoquait pour ainsi dire plus du tout maintenant —, Edward n'avait guère connu de déboires.

— Tes projets sont bien organisés, dit-elle. Tu as dû beaucoup y penser.

Il haussa les épaules.

— Occasionnellement.

Il sourit.

— D'accord, beaucoup. En fait, j'y pense depuis que j'ai fait cette promesse à ta mère.

Elle leva les yeux de son assiette.

— Quelle promesse?

— Avant de mourir, elle m'a fait lui promettre de m'occuper de toi.

Les sourcils froncés, elle piqua du nez dans son assiette et prit une bouchée de chou.

— Je ne savais pas que tu avais accepté.

L'idée qu'il n'était avec elle que par devoir la déstabilisa. Déconfite, elle releva les yeux, cherchant une réponse dans son regard.

— Cela fait des années que tu as fait cette promesse, Edward. Les choses étaient différentes à cette époque. Tu peux te sentir dégagé de ta parole. Non seulement tu peux, mais je te le demande.

— Je tiendrai ma parole, dit-il, l'air buté.

— Je n'ai peut-être pas envie que tu la tiennes? C'est peut-être mieux que tu oublies?

Elle secoua la tête.

— Je ne comprends pas ton sens de l'honneur, Edward. Tu ne penses jamais à toi. Toute ta vie, tu t'es occupé de ta mère, de moi et de ma mère. Tu as le droit d'être un peu égoïste, maintenant. Si tu veux aller à Oxford, vas-y. Il ne faut pas que ce soit moi qui te retienne ici.

C'est comme ton voyage en Amérique. Tu devrais le faire. C'est l'été, tu as droit à des vacances. Tu n'es pas responsable de moi, Edward. Je suis assez grande pour m'occuper de moi.

Il posa sa serviette froissée à côté de son assiette et se leva de table. Il plongea la main dans sa poche et en sortit des billets qu'il posa devant son verre.

— Finis ton repas et viens. Je veux te montrer quelque chose.

Elle repoussa sa chaise et se leva à son tour. Ils retournèrent vers la Liffey. Arrivés au croisement de Fishamble Street, ils s'éloignèrent du fleuve. Comme ils passaient devant la cathédrale, Edward la tira par la main, la forçant à le suivre vers la porte principale. Lâchant alors sa main, il s'approcha, seul, d'un des piliers qui soutenaient le porche.

— C'est ici, dit-il, la main pointée vers le sol.

Lentement, Grace s'avança à son tour et regarda l'endroit qu'il lui montrait du doigt.

— Quoi ? Il n'y a rien là.

— Toi et ta mère, vous étiez là quand je vous ai trouvées. Vous aviez une vieille couverture sur la tête que j'ai soulevée du bout du pied. A ce moment-là, tu t'es mise à pleurer. Ma mère s'est précipitée et, sans que tu te rendes compte de ce qui se passait, vous vous êtes retrouvées ta mère et toi dans l'automobile familiale en route vers Porter Hall.

Grace se pencha et toucha la dalle de granit gris qui faisait office de sol. Pouah, comme elle était froide !

Imaginant la scène, elle se tourna vers Edward.

— Ma mère ne m'a jamais dit comment nous avions atterri à Porter Hall. A dire vrai, je n'ai pas cherché à savoir. J'étais persuadée qu'on lui avait proposé une place chez toi après la mort de mon père.

— C'est Dieu qui t'a mise là, juste à l'extérieur de l'église, pour que je te trouve. J'en suis sûr, Grace. Il s'est passé tellement de choses ce jour-là qui n'auraient pas dû se produire… Ma mère était censée aller à Dublin la veille, mais j'avais un rhume. On a failli s'arrêter à l'église en arrivant, au lieu de le faire en partant. D'habitude, ce n'est pas par ce porche-là que nous entrons mais, ce jour-là, Farrell n'a pas trouvé de place pour stationner devant l'autre porte. Tu vois, cela devait arriver. C'était écrit.

— Tu penses que toute notre vie est programmée? Que ce n'est pas nous qui la dirigeons?

— Je ne sais pas. Peut-être, dit Edward. A moins que nos vies ne soient qu'une suite de coïncidences tellement étranges que nous en concluons que c'est le destin.

Lentement, elle se releva et, debout près d'Edward, continua de fixer la dalle de granit. La révélation qu'il venait de lui faire aurait dû lui donner le sens de son passé, de son histoire, quelque chose à quoi se raccrocher. Au lieu de cela, la certitude qu'un gouffre la séparait d'Edward s'ancra en elle. Un gouffre ou une montagne d'obstacles…

Elle hocha la tête. De toute manière, c'était infranchissable.

— Je ne veux pas être aimée à cause d'une promesse faite à ma mère, dit-elle. Je veux que tu m'aimes parce que… parce que…

— Mais je t'aime, protesta-t-il. Les promesses, le devoir, l'honneur et tout ce que tu veux n'ont rien à y voir. Si tout cela devait disparaître demain, je t'aimerais toujours.

— Merci de m'avoir amenée ici, murmura-t-elle. Merci de m'avoir montré cet endroit.

Il prit sa main et y déposa un baiser.

— Viens, lui dit-il. Nous allons entrer et faire brûler un cierge pour ta mère.

— Mais…

— Je sais, ce n'est pas une église catholique mais cela n'a pas d'importance. Je suis sûr que le Bon Dieu écoutera quand même nos prières.

Grace prit la main qu'il lui tendait et entra avec lui. Edward avait l'art de dissiper ses doutes et ses craintes. Elle allait dire une prière pour sa mère et lui allumer un cierge. Ensuite, elle dirait un *Ave Maria* à ses propres intentions pour prier la bonne Vierge Marie de protéger l'amour qu'Edward lui portait, et de veiller à ce qu'il soit chaque jour plus fort et meilleur que la veille.

12

Un bras replié sur le dossier de son siège, Edward posa sa main libre sur le volant de la voiture. D'un coup sec, Grace la repoussa.

— C'est moi qui conduis, dit-elle. Pas toi.

— Nous ne risquons pas d'avancer si tu ne mets pas le contact.

Grady se pencha à la portière de la petite Austin, côté passager.

— Monsieur Edward, je ne suis pas sûr que ce soit une bonne idée de laisser Grace conduire la voiture de votre père. Je n'aimerais pas qu'il arrive quelque chose.

— C'est mon cadeau d'anniversaire, protesta Grace en remontant le col de sa veste pour se protéger du froid de novembre qui pénétrait par la vitre. Edward m'a promis qu'il m'apprendrait à conduire.

— Elle ne peut pas apprendre sur ma voiture, elle est beaucoup trop compliquée. Ne t'inquiète pas, Grady, je garde une main sur le volant, dit Edward. Et si elle a un accident, je dirai que c'est moi.

— Mais je n'ai pas l'intention de la mettre dans le fossé !, se rebiffa Grace. Bien, maintenant, dis-moi comment on fait pour démarrer.

Edward fit un sourire à Grady qui s'éloigna de la voiture en bougonnant. Prenant son temps, Edward expliqua à Grace les différentes étapes à suivre pour mettre en route l'automobile. Quand le moteur vrombit enfin, Grace s'esclaffa de joie. Elle agrippa le volant et écouta religieusement la suite des explications. Comment passer les vitesses, embrayer, débrayer. Appliquée, concentrée, elle se mordillait la lèvre.

Mettant en pratique les instructions qu'il venait de lui donner, elle avança enfin. A la surprise d'Edward, il n'y eut ni secousse ni soubresaut. C'était comme si la voiture avait glissé sur des patins. Ils descendirent l'allée qui conduisait de la maison à la route. Aux anges, Grace se tourna vers Edward.

— Attention à la route ! s'écria-t-il en s'arc-boutant sur le pare-brise.

Aussitôt, elle se détourna et fixa son attention devant elle. A l'approche d'un virage, elle ralentit prudemment puis prit à droite une allée étroite, bordée d'arbres très hauts. Elle était complètement défoncée et, à chaque tour de roues, la voiture plongeait dans un nid-de-poule.

— C'est rigolo, dit Grace. On est secoué comme des pruniers.

— Regarde ta route, répondit Edward.

Une minute plus tard, ils débouchaient sur une grande artère goudronnée qui menait en ville.

Il avait fait cette route tous les dimanches soir quand il retournait à l'université à Dublin, mais c'était beaucoup plus amusant avec Grace au volant. La première année avait passé très vite. Bien que son père ait été très contrarié qu'il choisisse de poursuivre ses études à Trinity, Geneva avait réussi à le convaincre que ce n'était pas une si mauvaise idée qu'Edward reste près de la maison. « De cette façon, avait-elle dit, il sera mieux à même de suivre nos affaires, Henry. »

Pendant la semaine, il occupait son lit dans le dortoir de l'université mais, dès qu'arrivait le vendredi après-midi, il sautait dans sa voiture et rentrait en hâte à Porter Hall. Quand il n'étudiait pas, il s'asseyait avec son père dans la bibliothèque pour discuter affaires. Et, tard le soir, quand le reste de la maisonnée s'était assoupi, il se glissait, ombre furtive, hors de la maison pour aller rejoindre Grace dans les écuries.

— Je voudrais rouler plus vite, dit Grace.

— Sûrement pas, répondit Edward. Tu vas assez vite comme ça pour une débutante.

Elle l'avait tarabusté pendant des mois pour qu'il lui apprenne à conduire, allant même jusqu'à demander son aide à Geneva. Geneva l'avait convaincu qu'il lui serait agréable de sortir de temps en temps et que, Grady étant très souvent pris par lord Porter qu'il devait conduire de ses mines à ses usines textiles, elle se trouvait sans chauffeur. Grace était maintenant assez âgée pour remplir une telle tâche, avait-elle conclu.

Grace avait les yeux qui pétillaient et un immense sourire sur le visage quand ils dévalèrent la route. Elle semblait mettre le même enthousiasme à conduire qu'à monter à cheval et elle le faisait avec une aisance et une confiance en elle assez surprenantes. Edward en arriva à se demander quel genre de fille elle serait devenue si elle avait eu la chance de naître dans une famille aisée et socialement élevée. Côté intelligence, elle n'avait rien à envier à la plupart des filles qu'il avait eu l'occasion de connaître. Elle était en plus astucieuse, drôle et vive comme un pinson. Il n'avait jamais rencontré de femme aussi cultivée qu'elle et aussi éclectique dans leurs conversations.

Il essaya de l'imaginer dans une réception de la haute société. Il ne faisait aucun doute que tous les jeunes gens présents feraient des pieds et des mains pour s'attirer son attention car, non contente d'être vive et pleine d'esprit, elle était belle à couper le souffle. Un jour viendrait où elle prendrait sa place à son côté en tant qu'épouse et, ce jour-là, il serait fier de la présenter à la ronde, il serait fier qu'elle ait choisi de l'aimer, lui.

— Tourne là, dit-il en lui montrant une petite allée bordée de buissons de fuchsias.

De nouveau, la voiture cahota dans les ornières. Elle les secouait tellement que, par moments, leurs têtes heurtaient le plafond capitonné de l'automobile. La route se termina en cul-de-sac dans une prairie. Au loin, l'on apercevait Porter Hall et une grande partie de la propriété. Il tendit la main et coupa le contact.

— Que sommes-nous venus faire ici? demanda-t-elle.

— J'ai quelque chose à te donner, dit Edward.

Grace rit.

— Et moi j'ai quelque chose à te donner.

Elle se tourna sur son siège, passa les bras autour de son cou et l'embrassa. Ces derniers mois, ils s'étaient beaucoup embrassés et Edward devait bien admettre qu'elle excellait, aussi, dans l'art de donner des baisers.

Avec sa langue, elle entrouvrait sa bouche, le titillait et l'excitait jusqu'à ce que, en grommelant, il lui rende son baiser.

S'enhardissant soudain, elle rampa sur le siège et s'assit à califourchon sur lui, la jupe relevée haut sur les cuisses.

Edward passa les mains sur ses bas de soie, insinua les doigts sous sa jupe.

Elle gémit doucement puis prit sa main et la plaqua sur sa poitrine. Edward retint sa respiration, mais elle semblait déterminée à l'entraîner plus loin.

— Grace, arrête, gronda-t-il. Il ne faut pas que nous...

Elle le fit taire. Elle commença à défaire les boutons de sa chemise, il haleta. Elle se pencha et embrassa ses mamelons puis s'amusa à les mordiller.

— Moi je pense que si, murmura-t-elle.

— Tu vas nous attirer des ennuis, protesta-t-il. Une fille de ton âge ne devrait pas...

— J'ai seize ans, maintenant. A mon âge, il y a plein de filles qui sont mariées, dit-elle. J'aurais pu me marier à douze ans si j'avais voulu. L'Eglise dit que j'ai le droit. Toi, tu aurais pu te marier à quatorze ans.

— Peux-tu me dire ce que nous aurions fait de nous? demanda Edward.

— Tout ce que nous ne faisons pas maintenant, répliqua Grace.

Edward rit et l'attira à lui. C'était vrai qu'elle avait seize ans. Quant à lui, il fêterait ses vingt ans à la fin de l'année. Il devenait de plus en plus difficile de résister à l'attrait de son corps. Mais elle était vierge et il entendait protéger sa virginité aussi longtemps que possible.

— Il y aura un temps et un endroit pour ça, dit-il.

— Et ce sera toi qui décideras?

— Non, tous les deux.

Il plongea la main dans sa poche et en sortit un petit paquet enveloppé dans du papier qu'il posa sur le tableau de bord de la voiture. Cela suffit à détourner ses pensées du sujet qui la titillait.

— Qu'est-ce que c'est ?

— Un cadeau d'anniversaire pour toi, dit-il.

Etonnée et curieuse, elle le regarda de loin.

— Qu'est-ce que ça peut être ?

— Ouvre et tu verras. Ou bien n'ouvre pas. C'est toi qui décides !

En hésitant, elle saisit la boîte et déchira le papier d'emballage. Elle ouvrit l'écrin et, dedans, trouva un collier de grenats et les boucles d'oreilles assortis à la bague qu'il lui avait offerte à Noël, l'année où sa mère était morte.

— Ce ne sont ni des diamants ni des perles mais je te jure qu'un jour tu en auras.

Grace sourit et caressa les pierres d'un rouge profond.

— Je n'ai pas besoin de diamants, murmura-t-elle. Ces pierres-là me plaisent tout autant.

Edward sortit le collier de l'écrin et le lui accrocha autour du cou. Grace ne lui avait jamais rien demandé de plus que son affection et sa compagnie. Il n'était pas sûr de pouvoir un jour lui offrir des cadeaux de prix mais il était certain d'une chose : il ferait tout ce qui serait en son pouvoir pour qu'elle soit heureuse.

Elle se pencha et l'embrassa. Il avait les lèvres toutes douces et c'était délectable de les effleurer. Plus délectable encore, et très excitant, le jeu qui consistait à tenter de les écarter de la pointe de sa langue.

— Assez, murmura-t-il. Arrête. Il est temps que je t'apprenne à passer la marche arrière.

« 12 mars 1846

» Cela va faire un an que je suis mariée et je suis stupéfaite de voir comme mon monde a changé. Quand je relis mon journal intime et que je vois tout ce que j'ai supporté, tout ce que nous, en Irlande, nous avons traversé, je suis effarée. Que de souffrances ! Le gouvernement nous a apporté un peu de soulagement en offrant du travail aux pauvres. On a un peu de nourriture parce qu'ils ont fait venir du blé d'Amérique. Mais ça ne se tolère pas aussi bien que les pommes de terre et ce n'est pas aussi nourrissant. Nous prions tous pour que la nouvelle récolte mette un terme à cette épreuve qui est terrible et pour qu'on puisse tous recommencer à se nourrir décemment. Nous sommes si nombreux à avoir le ventre vide ! Je demande au vent d'ouest d'apporter mon amour à Michael. J'espère que cette missive lui arrivera avant que le bébé soit né. Si Dieu le veut, mon enfant et moi pourrons bientôt être en Amérique et dire que c'est notre pays. »

Grace s'allongea sur la couverture qu'ils avaient dépliée sur la paille et fixa le dessous de la toiture, le journal intime serré sur sa poitrine.

— Elle a eu une vie très différente de la mienne. Tellement plus difficile. Parfois, j'ai du mal à imaginer qu'on puisse vivre comme cela, dans cette incertitude, cette précarité. Personnellement, je pense que je ne connaîtrai jamais ça.

Etendu près d'elle, la main sur sa taille, Edward s'étira puis enfouit le nez dans son cou et soupira.

— Que lui est-il arrivé ? Elle a vécu ?

— Evidemment ! Si elle n'avait pas vécu, je ne serais pas ici.

Le printemps était revenu et avec lui la chaleur. Le soleil brillait dans les lucarnes percées là-haut dans la

204

tôle, au-dessus des meules de paille, et de minuscules papillons de poussière virevoltaient dans les rayons de lumière. C'était devenu leur repaire, l'endroit où ils se retrouvaient quand ils voulaient être seuls. Depuis peu, il était devenu plus facile de se glisser hors de la demeure. Le père d'Edward n'était pas beaucoup à la maison dans la journée, et sa mère, de plus en plus nerveuse, était sous l'emprise de ses médicaments calmants. Certes, ceux-ci apaisaient ses angoisses mais, dans le même temps, ils l'assommaient, et elle passait le plus clair de ses après-midi à dormir. Grace se trouvait donc libre de faire ce qu'il lui plaisait.

Les domestiques, soupçonnait Grace, devaient savoir ce qui se passait, mais personne ne lui en avait touché un mot. Bien que lord Porter soit l'homme des finances de la maison, celui qui leur payait leurs gages, les employés faisaient preuve d'une loyauté inconditionnelle les uns envers les autres. Aussi longtemps que Grace avait fini son travail le soir venu, Cook ne lui posait pas de questions sur ses absences occasionnelles de la cuisine et de la lingerie. D'autre part, maintenant que les Porter avaient acquis une machine à laver le linge électrique, il y avait nettement moins de travail à la maison. Grace mettait deux fois moins de temps à accomplir ses tâches et elles lui demandaient deux fois moins d'efforts.

Elle roula sur le ventre et tourna la page du journal intime.

— Veux-tu que je continue à te faire la lecture ?

Souriant, Edward l'attira plus près de lui.

— Non. Je préférerais que tu m'embrasses.

Ravie, Grace ne se fit pas prier. Elle posa le petit livre, roula sur le côté pour s'allonger sur lui. Ils avaient tout l'après-midi et toute la soirée devant eux. Lord et lady Porter étaient partis pour Dublin au mariage du fils d'un des associés de lord Porter. Dès qu'ils avaient franchi les grilles, Grace et Edward s'étaient précipités dans les écuries, jetés dans la paille et s'étaient embrassés à bouche-que-veux-tu, jusqu'à plus soif.

— Je pourrais rester ici des jours et des nuits entières, murmura-t-elle en lui caressant le torse.

Encouragée par les soupirs d'Edward, elle commença à déboutonner sa chemise. Les boutons défaits, elle écarta les pans d'étoffe et déposa un doux baiser sur le petit carré de duvet qui bouclait juste sous le cou. Joueuse, elle fit courir sa langue jusque sur ses mamelons, les titilla chacun à son tour et les mordilla en riant. La morsure, bien qu'exquise, arracha une plainte à Edward.

— Je t'ai fait mal ? demanda Grace.

Il ne répondit pas.

Comme ils l'avaient déjà fait à de nombreuses reprises, ils continuèrent d'écarter leurs vêtements pour pouvoir passer les mains dessous et sentir leurs peaux nues. Edward prit dans sa main un sein de Grace. Elle roula sur le dos et le regarda faire. Il retroussa sa chemise très haut, jusqu'à son cou, et déposa une pluie de baisers sur sa poitrine, puis plus bas, sur son ventre, déclenchant des frissons de plaisir dans tout son corps.

« Quel péché délicieux », pensa-t-elle. Comment pouvait-on résister à une telle sensation ? Elle enfouit la main dans les cheveux d'Edward et attira son visage sur ses seins. D'habitude, ils s'arrêtaient très vite. Sachant qu'il y avait une ligne qu'ils ne devaient pas franchir, ils préféraient en rester là. Bien sûr, Grace savait que les filles de son âge avaient des relations intimes avec les hommes.

Il y avait plein de petits bébés irlandais pour le prouver. Elle savait aussi qu'en se donnant à Edward, elle risquait de se retrouver enceinte. Tout cela ne l'empêchait pas d'en avoir très envie.

Sans cesser de l'embrasser, Edward roula et pesa sur elle. Il murmura son nom tout bas. Ses mains couraient partout, folles, fiévreuses. Il la caressait, la pétrissait. Dans son impatience, il lui arracha ses vêtements. Il la désirait, c'était fou !

Quand se rendit-elle compte qu'ils avaient dépassé le point de non-retour ? Elle n'aurait su le dire. Peut-être quand il avait retiré sa propre chemise ? Ou bien quand il lui avait roulé ses bas ?

Peu à peu, ils ôtèrent le reste des vêtements qui les entravaient encore et se retrouvèrent sur la couverture, complètement nus.

Grace avait pensé qu'elle serait embarrassée. Elle se trompait totalement. Fascinée par ce corps qu'elle trouvait si viril, elle en admirait tous les détails. Elle avait étudié la sculpture, avait vu des statues d'homme nu — mais un homme vivant, un homme de chair et de sang, c'était vraiment autre chose.

Elle se releva sur les genoux et le regarda en dessous de la taille. La main tremblante, elle effleura son sexe. Tant de douceur sur tant de fermeté la surprit. Décidément, un sexe d'homme, vivant et palpitant, n'avait rien à voir avec ceux des statues de Michel-Ange... Etait-ce Edward qui était particulier ou tous les hommes étaient-ils constitués de cette manière ?

— Tu n'avais jamais vu un garçon nu avant, murmura-t-il. Un garçon nu et qui te désire.

Il prit sa main et la posa sur lui.

— Ça te fait mal? dit-elle.

— Non, répondit-il en souriant. Mais ça ne reste pas comme ça. C'est comme ça parce que je suis… excité.

Sa main sur la sienne, il la fit le caresser.

— Hum, c'est bon quand tu fais ça, dit-il.

— Tu veux que je le fasse toute seule? demanda-t-elle.

Il acquiesça.

— Mais si je le fais, je ne risque pas d'avoir un bébé?

— Non. Il faut que j'entre dans toi pour que ça arrive.

— Je ne pense pas que ce soit possible, dit-elle.

Se rendant compte de ce qu'elle venait de dire, elle rougit.

— Je sais que si, dit-il. Un jour on essaiera et tu verras.

Doucement, elle continua de le caresser, de haut en bas, de bas en haut, sans le quitter des yeux. Au début, elle vit qu'il y prenait du plaisir. Il suffisait de voir son air extasié pour en être certaine. Il ferma les yeux, chavira en gémissant. Et puis, soudainement, sa respiration se précipita. Il se redressa sur les coudes pour la regarder faire.

Inquiétée par la bizarrerie de son regard et son éclat, elle prit peur, se demandant ce qu'elle avait fait de mal.

Le souffle court, il inspira par petites bouffées saccadées et, en même temps qu'un rictus déformait ses traits, il se mordit la lèvre. Elle s'arrêta aussitôt mais il protesta doucement.

— N'arrête pas, gémit-il. Continue.

— Mais ça te fait mal, dit-elle.

— Non, ça ne fait pas mal.

Elle n'avait qu'à le croire, se dit-elle. Il était plus âgé qu'elle, il était mieux informé, il savait. Déterminée à lui faire plaisir, elle poursuivit. Soudain, il se mit à respirer très vite. Haletant, il posa la main sur la sienne et accéléra la caresse. Elle voyait bien qu'elle lui donnait du plaisir mais se demandait comment cela pouvait se faire. Brusquement, il laissa échapper un râle. Elle sentit quelque chose qui mouillait sa main et la retira vivement, certaine, cette fois, qu'elle avait blessé Edward.

Effrayée, elle le regarda. Il continuait de se caresser et tressaillait de tout son corps. Et puis, tout d'un coup, ce fut fini. Il ouvrit les yeux et lui sourit.

— Tu n'as pas de raison d'avoir peur, assura-t-il. Si tu savais comme c'est bon quand ça arrive…

Elle sentit ses joues s'empourprer.

— J'ai cru que tu mourais, dit-elle.

— C'est tout à fait ça, dit-il. On bascule dans le néant, et puis tout à coup, on ressent un plaisir incroyable. Il était d'autant plus grand aujourd'hui que c'était toi qui me le donnais.

Il pouffa de rire.

— Normalement, je me fais ça tout seul.

— Pourquoi ?

— Parce que c'est agréable et que ça me détend.

Grace resta un moment plongée dans le silence. Ce qu'il venait de lui raconter ouvrait devant elle un abîme de perplexité.

— Ça m'a plu de te faire ça, dit-elle.

Il la prit par la taille et la força à s'allonger à côté de lui.

— Tu sais que les filles peuvent avoir le même plaisir. Est-ce que tu t'es déjà caressée ?

— Oh non ! protesta-t-elle, choquée qu'il puisse penser une chose pareille. Ce serait pécher.

— Pas du tout, affirma Edward.

Il glissa la main sur le ventre de Grace et descendit plus bas, entre ses cuisses. Là, il la caressa doucement. Aussitôt, elle retint son souffle. De petites étincelles de plaisir la picotaient partout. Tout cela était tellement nouveau pour elle et tellement troublant… Comme Edward continuait de la caresser, le plaisir qu'elle ressentait s'intensifia.

Au début, elle n'osa pas se laisser aller. Elle se sentait tout étourdie et excitée et comme sur le point de s'évanouir. Mais elle ne voulait surtout pas qu'Edward arrête. Elle avait trop envie, trop besoin qu'il continue. C'était une sensation terrible, presque effrayante. Un désir si violent qu'elle en suffoquait.

Edward se pencha sur elle et prit un de ses mamelons dans sa bouche et le mordilla.

Le plaisir augmenta encore. Elle empoigna les cheveux d'Edward et poussa un cri. Comment se faisait-il que son corps puisse ressentir des choses pareilles et qu'elle ne l'ait jamais su ? Toutes les femmes découvraient-elles un jour ce secret ? Etait-ce pour cela que les femmes étaient incapables de résister aux hommes ?

Edward devint plus audacieux et elle se cambra de surprise et de bien-être. Mon Dieu, où l'emmenait-il comme ça ? Elle ferma les yeux. Oubliant toute retenue et toute crainte, elle s'abandonna aux caresses. Elle avait confiance en Edward. Elle savait qu'il ne ferait rien qui puisse la blesser.

Des frissons de plus en plus irrésistibles la firent se

tendre comme un arc. Elle s'offrit davantage. C'était déjà merveilleux, mais elle voulait encore plus, sans savoir quoi. Ou plutôt, elle ne voulait pas, mais ne pouvait plus résister à ce feu qui brûlait au fond de ses entrailles. Elle était prête à se laisser dévorer complètement.

Elle comprenait maintenant ce qu'Edward lui avait dit. Mourir devait ressembler à cela. Mourir, mais de plaisir.

Et, soudain, par surprise, la vague déferla sur elle, violente et chaude, comme un déluge de pluie en plein été. Son corps fut emporté dans des spasmes exquis. Elle ouvrit les yeux et regarda Edward, désemparée par l'intensité de ce plaisir qu'elle découvrait pour la première fois. Puis la caresse — qu'elle avait pourtant tant appelée de ses vœux — devint insupportable, et Grace saisit la main d'Edward pour la repousser.

Ils restèrent allongés sur la couverture, bras et jambes mêlés. Les rais de lumière qui filtraient par les lucarnes nimbaient leurs corps d'une lumière dorée. Se rappelant les histoires inouïes qu'elle avait entendu raconter par les domestiques dans les cuisines et les conclusions qu'elle en avait tirées, Grace sourit.

Malgré sa toute jeune expérience limitée avec un homme, elle comprenait maintenant la fascination qu'exerçait le sexe sur les hommes et les femmes. C'était meilleur encore que ce qu'elle éprouvait quand elle chevauchait au grand galop dans la prairie. C'était meilleur encore que conduire l'automobile de Geneva, le pied à fond sur l'accélérateur. C'était meilleur encore que d'être debout sous un orage d'été avec la pluie qui tombait à verse et ruisselait sur tout votre corps.

— Tu es sûr qu'avec ce qu'on a fait je ne vais pas avoir un bébé? demanda-t-elle.

— Sûr et certain, murmura Edward.

— Alors, est-ce que l'on peut recommencer?

— Tout de suite?

— Bientôt, dit Grace. Le plus vite possible.

13

Grace était assise devant la table de la cuisine, un panier de pommes devant elle. Ils avaient cueilli la première récolte, dans la partie ouest de la propriété, et Cook et elle se proposaient de faire de la compote demain. De la cuisine, elle entendait grésiller la radio du boudoir qu'Edward essayait de régler sur la BBC pour écouter les nouvelles du soir.

Il avait passé le plus clair de la journée à étudier dans sa chambre, ses livres d'anatomie ouverts sur son bureau, en vue de son entrée en troisième année de médecine à Trinity College. Il avait prévu de profiter de l'été pour s'avancer dans ses études mais, entre ses stages à l'hôpital et les heures qu'il passait à éplucher les journaux qui annonçaient l'imminence d'une guerre, il n'avait guère trouvé le temps d'apprendre.

Grace avait décidé d'ignorer la menace de guerre, allant même jusqu'à refuser d'en parler. Elle aurait bien le temps de se faire du souci quand elle éclaterait. A la place, elle se concentrait sur l'avenir, sur sa vie future avec Edward. Lord Porter avait fini par accepter le choix de son fils pour la faculté de médecine. Il l'acceptait d'autant mieux aujourd'hui que les rumeurs de guerre qui planaient avaient amélioré considérablement ses prévisions commerciales et que son carnet de commandes était plein. Oui, la guerre était favorable à ses affaires. Le drap de laine se vendait comme des petits pains, plus vite que les usines textiles Porter ne pouvaient fournir, et Henry n'avait aucun scrupule à réaliser un profit juteux sur chaque rouleau de tissu vendu.

Edward et Grace passaient le plus de temps possible ensemble tout en continuant de cacher la tendresse qu'ils se portaient aux autres membres de la maisonnée. Leur relation était devenue très intime et chaque jour qui passait les rapprochait encore un peu plus. Elle n'était plus la fille qui s'entiche du beau garçon qui vit dans le manoir. Ses sentiments étaient beaucoup plus profonds que cela. Edward était l'homme qu'elle aimait, l'homme qui avait bouleversé son cœur et son âme. Elle voulait maintenant que son corps aussi soit à lui.

Sa mère avait-elle connu, elle aussi, ce besoin d'être possédée par un homme? Ce désir effrayant? Elle ne pensait plus qu'à cela, être touchée, caressée, embrassée par Edward. Certaines fois, son corps était comme un tison, et seules les mains d'Edward pouvaient éteindre l'incendie.

— Grace?

Elle leva les yeux et vit Edward debout dans le couloir, l'air sombre.

— Qu'y a-t-il? demanda-t-elle.

Il prit sa respiration et souffla très fort. Sans se presser, il traversa la pièce et vint se poster devant elle.

— Chamberlain. Il vient de parler à la radio. La Grande-Bretagne a déclaré la guerre à l'Allemagne.

Grace se sentit devenir exsangue. Ses oreilles se mirent à bourdonner.

— Oh non, murmura-t-elle.

Edward ouvrit les bras et elle s'y blottit pour y trouver refuge. Il enfouit les mains dans ses cheveux, les laissa filer entre ses doigts et lui releva le visage. Alors, tendrement, il l'embrassa et, de nouveau, elle se sentit fondre. Soudain, l'idée même de cacher leur amour leur parut déplacée. Se cacher, quand le monde autour d'eux était à la veille d'être chamboulé, peut-être dévasté ? Alors que le seul moyen pour tenter de le tenir d'aplomb était de se donner la main les uns aux autres ?

— Tu n'auras pas à te battre, murmura-t-elle, agrippée à sa chemise. Ils ne vont pas te demander d'y aller.

— Mon pays est en guerre, Grace.

— Non ! s'écria-t-elle. Pas ton pays. L'Irlande n'est pas en guerre. C'est l'Irlande, ton pays, et elle restera neutre.

Il prit le visage de Grace dans ses mains et l'embrassa encore, sa langue cherchant la sienne. Déjà, et bien qu'il fût dans ses bras, Grace sentait qu'Edward lui échappait. Cela faisait longtemps qu'il parlait de cette guerre, qu'elle l'inquiétait, qu'il se demandait s'ils oseraient la déclarer ou pas. Et maintenant, c'était fait et il n'y avait rien qu'elle puisse faire pour arrêter le terrible mécanisme.

— Grace, je…

Ils se tournèrent tous les deux d'un bloc. Debout dans le couloir de la cuisine, l'air surpris, la voix cassée, Cook les observait. Il fixa la cuisinière un moment comme pour lui demander de garder le secret. Cook fit oui de la tête puis pivota sur ses bottines et s'en alla. Edward put alors respirer.

— Je me demande pourquoi je suis surpris qu'elle soit surprise, dit-il dans un soupir. Sommes-nous si bons à cacher nos sentiments l'un pour l'autre ?

Grace leva les yeux vers lui.

— Elle ne dira rien.

— Je me moque qu'elle parle, dit-il. Je n'ai pas peur de mon père. Il ne peut plus rien pour nous séparer.

— Edward, c'est au contraire maintenant qu'il faut que nous redoublions de prudence. Nous ne savons pas ce que l'avenir nous réserve.

— Notre avenir ? murmura-t-il. C'est toi et moi ensemble. Cette guerre ne durera pas longtemps. D'autres pays vont nous rejoindre. L'Irlande, tôt ou tard. Et, sitôt les Américains entrés dans le conflit, ce sera la fin des combats.

— Ce sera peut-être fini avant même que tu y ailles, dit-elle.

— Il ne faut quand même pas s'attendre que ça se termine la semaine prochaine, murmura-t-il.

— Mais tu ne vas pas partir tout de suite. Tu vas d'abord finir ton année à l'université.

Il secoua la tête.

— Il faut des hommes immédiatement. Je ne serai peut-être pas sur le front. Il se peut que j'atterrisse dans un hôpital militaire ou comme médecin.

— Oui, dit-elle. Médecin. Tu pourras sauver des vies. Ça, c'est très important.

— J'irai là où l'on aura besoin de moi.

— On n'aura peut-être pas besoin de toi. Ils auront peut-être assez de soldats.

Il la serra très fort puis embrassa ses cheveux.

— Je vais aller écouter la radio pour savoir s'il y a du nouveau. On garde tout ça pour nous, d'accord ?

— Tu n'as pas l'intention d'annoncer à tes parents que tu vas t'engager ?

Nouveau hochement de tête.

— Si je le fais, je commencerai par m'engager et je le leur annoncerai ensuite. Autrement, ils essaieront de me dissuader. C'est aussi bien qu'ils ne le sachent pas tout de suite.

— Tu aurais pu éviter de me le dire à moi aussi, dit-elle très bas.

Il lui caressa la joue.

— Je t'aime, Grace. Ça va aller, tu verras.

Il sourit.

— *L'amour triomphera.*

Il sortit de la cuisine, laissant Grace songeuse, perplexe, presque perdue. Comment la vie pouvait-elle basculer, d'une seconde à l'autre, de la félicité à la pire des horreurs ? Elle n'avait pas eu aussi peur depuis le soir où sa mère était morte. L'envie d'aller se cacher, de grimper dans son lit et de tirer les couvertures et le drap sur sa tête l'étreignit. C'était tellement plus facile de faire semblant de ne pas voir que la vie changeait ! Mais le vrai monde n'était pas immuable. La vie n'arrêtait jamais de se métamorphoser. La vie était un caméléon monstrueux !

Elle fixa le panier de pommes qui se trouvait sur la table et, dans un accès de désespoir, donna un coup dedans. A quoi bon faire une compote ? C'était dérisoire quand le monde s'apprêtait à être ravagé !

Elle sortit de la cuisine et se dirigea vers le boudoir. Les domestiques assemblés autour de la porte tendaient l'oreille en direction de la radio qui grésillait. Le son de la voix du speaker leur parvenait brouillé. Dennick, Grady, Cook et Sarah, une autre des filles qui aidaient en cuisine, la regardèrent approcher et lui firent une place.

Geneva pleurait, elle l'entendait sangloter et lord Porter marmonnait tout bas.

Démangée par une envie incontrôlable de s'asseoir dans le boudoir à côté d'Edward, Grace dut se faire violence pour ne pas y aller. Que n'aurait-elle donné pour être près de lui, lui prendre la main et entrelacer leurs doigts ? Soudain, plus importante que tout, s'imposa l'évidence qu'elle devait se cramponner au seul être qu'elle aimait vraiment.

Edward ne prit même pas la peine d'attendre que toute la maisonnée soit endormie pour grimper au troisième étage. Coup léger à la porte. Un instant plus tard, Grace ouvrait et le faisait entrer.

— Je croyais que nous devions nous retrouver tout à l'heure dans l'écurie, dit-elle.

Il hocha la tête, prit son visage entre ses mains et l'embrassa. Depuis qu'il l'avait laissée dans la cuisine, il n'avait pensé qu'à ça, être avec elle, la tenir, l'embrasser et murmurer son nom.

Doucement il la poussa vers le lit sur lequel ils tombèrent, bras et jambes emmêlés. Comme il la faisait rouler sous lui, elle soupira.

— Ce lit est tout petit, murmura-t-il.

— On pourrait aller dans ta chambre, suggéra-t-elle.

Il se détacha d'elle et se leva.

— Viens, dit-il, lui tendant la main. Ils sont tous couchés, maintenant, personne ne nous entendra.

Grace secoua la tête.

— Non, finalement je préfère rester ici, je me sens plus en sécurité.

Elle prit la main qu'il lui tendait mais, au lieu de se relever, elle l'attira à elle. Surpris, il tomba sur elle. Ils commencèrent alors à se déshabiller, l'un aidant l'autre comme ils l'avaient fait si souvent.

— J'ai pris une décision, dit-il. Je vais faire une année de plus à la faculté et ensuite je m'engagerai.

Grace inspira profondément.

— Je pense que c'est une excellente idée, dit-elle.

Il savait ce qu'elle pensait. Que d'ici à un an la guerre serait finie et qu'il n'aurait donc pas besoin d'y aller. Mais Edward savait que les choses ne se passeraient pas comme ça.

— Je vais travailler le plus possible à l'hôpital et, quand je reviendrai, je n'aurai plus qu'une année à faire à l'université avant de pouvoir entrer à l'école de médecine.

— Tu vas aller te battre ?

— J'irai là où l'on aura besoin de moi, je te l'ai dit. Je ne vais pas le dire à mes parents, Grace. Ils essaieraient de me dissuader. Ça doit rester entre toi et moi. Il ne faut le dire à personne.

Il posa la main sur son ventre puis prit ses seins dans ses paumes. Il connaissait maintenant son corps par cœur — l'arrondi de son épaule, la douceur de sa peau, le triangle de ses cuisses et le nid délicieux qu'il abritait. Tout cela était beau, et c'était à lui.

Comme il caressait Grace, elle commença à le caresser lui aussi. Mais Edward voulait plus que ses mains sur son sexe. Il voulait se perdre en elle, oublier ce qui se passait autour d'eux dans le monde et la rejoindre dans un univers rien qu'à eux. Il attrapa son pantalon qui gisait par terre et prit un petit paquet dans sa poche.

— Est-ce que tu sais ce que c'est que ça? demanda-t-il.

Grace secoua la tête.

Il ouvrit le paquet, prit un préservatif et le lui montra. Il le mit sur son sexe, le lissa jusqu'à ce qu'il soit parfaitement en place.

— Où t'es-tu procuré ça? dit Grace, les yeux agrandis de stupeur et d'inquiétude.

— Ils en vendent près de l'université.

— Mais Jenny, tu sais, l'aide cuisinière, elle dit que c'est interdit par la loi.

— On peut en acheter à Londres, pourquoi serait-ce interdit à Dublin?

Prenant le temps de réfléchir, elle ne répondit pas tout de suite.

Il continua de la caresser.

— C'est un péché, dit-elle. C'est l'Eglise qui le dit.

— Je veux être tout près de toi ce soir. Est-ce un péché?

Grace le fixa et, dans son regard, il lut le doute. Elle avait toujours voulu être une bonne catholique. La position de l'Eglise en matière de sexe était sans ambiguïté. Interdiction était le maître mot. Mais il savait aussi à quel point Grace le désirait et voulait être à lui. Plus d'une fois ils avaient été tout près de faire l'amour mais, à la dernière minute, ils s'étaient arrêtés net.

Finalement, elle hocha la tête. Edward l'attira à lui et l'embrassa. Il n'avait encore jamais fait l'amour à une femme mais tout se passait si naturellement entre Grace et lui qu'il se sentait très confiant.

Alors, il se glissa entre ses jambes, attendit qu'elle soit prête puis, doucement, essaya. Grace retint son souffle et il se retira. Une deuxième fois, il essaya, un peu plus loin et, ce faisant, il sentit une résistance.

— Tu vas peut-être avoir mal, murmura-t-il. Mais ça ne durera pas.

Elle fit oui de la tête et il poussa au-delà de l'hymen, de sa virginité, de son enfance. Et quand il fut enfoui au plus profond de son corps, Edward sut que rien ne pourrait jamais plus les séparer. Grace et lui étaient faits l'un pour l'autre, ils avaient été conçus et mis au monde pour se trouver et vivre toute leur vie ensemble, pour s'aimer, élever des enfants et créer une famille.

Il recommença à bouger et Grace ondula aussi sous lui. Puis il la contempla.

— Dis-moi ce que tu ressens, murmura-t-il. Dis-moi ce que ça te fait.

— Oh…, dit-elle comme il plongeait un peu plus profondément. Oh oui, Edward, comme c'est bon, maintenant…

Il s'enhardit, la serra dans ses bras, la broyant tant il la désirait et sans s'en rendre compte. Instinctivement, elle enroula les jambes autour de ses reins et s'accorda à son rythme.

Très vite, Edward sentit qu'il allait jouir et calma son ardeur — mais Grace ne le suivit pas. Cambrée vers lui, elle chercha le plaisir et laissa monter la fièvre. Si bien que l'envie d'exploser avec elle happa de nouveau Edward. Il plongea en elle une nouvelle fois. Cette fois, il ne put résister. Il se figea dans l'extase et retomba dans les bras de Grace en gémissant.

Ils avaient attendu cet instant si longtemps… et c'était

déjà fini. Comme c'était frustrant, pensa-t-il. Mais il ne regrettait pas que ce soit allé si vite. Il y aurait d'autres fois. D'autres fois où ils prendraient leur temps et où elle éprouverait ce qu'il avait ressenti aujourd'hui.

— Ça va ? lui dit-il.

Grace aquiesça.

— Je crois que je comprends maintenant pourquoi c'est un péché de faire ça quand on n'est pas marié.

Elle reprit son souffle.

— Tout ce qui est bon comme ça est un péché. Si on ne disait pas ça aux gens, ils voudraient le faire tout le temps.

— Exactement ! Les gens ont tout le temps envie de faire l'amour, dit Edward.

Il roula sur le côté et tint Grace dans ses bras, très très serré. Ils allaient se reposer un petit peu puis il retournerait dans sa chambre avant que les domestiques ne commencent à ouvrir les yeux.

— Je t'aime, murmura Grace, la voix endormie.

Il caressa ses lèvres du bout du doigt puis passa le bras autour de sa taille.

— Je t'aime, Grace. Je t'aimerai toujours.

Edward ferma les yeux et pensa au temps qu'ils avaient devant eux. A dater de cette nuit, le compte à rebours était commencé. Ils allaient soustraire les jours qu'il leur restait à passer ensemble. Puis viendrait la nuit où il la tiendrait dans ses bras pour la dernière fois avant de s'engager.

Savoir que Grace l'attendrait à la maison l'aiderait à survivre à la guerre. Savoir à quel point elle l'aimait l'aiderait à affronter le champ de bataille et lui insufflerait le courage dont il aurait besoin pour se battre.

Il avait essayé de comprendre pourquoi il tenait absolument à s'engager. Il n'avait pas le sens du patriotisme particulièrement développé. Il savait également que les Britanniques n'avaient pas besoin de lui. Pourtant, il se sentait hautement concerné par l'avenir du monde, un monde où vivraient ses enfants et les enfants de ses enfants.

Il lui appartenait de faire ce qu'il fallait pour que leur avenir soit meilleur et plus sûr.

Il irait donc faire la guerre. Et il en reviendrait. L'amour de Grace, son sens du devoir et sa ferveur religieuse l'aideraient à traverser les épreuves et à en triompher.

14

Quand Grace ouvrit les yeux, la lumière de l'aube passait à travers les lucarnes de sa chambrette. Aveuglée, elle cligna des yeux. Edward et elle n'avaient pas du tout dormi. Ils dormaient peu quand ils passaient la nuit ensemble. Au lieu de chercher le sommeil, ils se tenaient pendant des heures, parlaient du passé et du futur et essayaient d'accepter la longue séparation qui se profilait.

La nuit dernière, ils avaient fait l'amour lentement, doucement, avec une infinie tendresse. Grace avait pleuré quand ça avait été fini et Edward avait recueilli ses larmes sur le bout de sa langue en lui promettant de ne pas faire d'imprudence pour lui revenir sain et sauf.

Il avait pris le train pour Belfast la semaine précédente et s'était engagé dans le corps médical de l'Armée royale, conseillé en cela par son chef de service de l'hôpital. Une lettre faisait état de ses qualifications et de ses résultats obtenus à l'université et bien qu'il ait affirmé qu'il était disposé à accepter n'importe quelle affectation, il avait été aussitôt dirigé vers le centre d'entraînement des médecins. Ses papiers avaient été signés et on lui avait dit de se présenter dans une semaine pour prendre son poste.

Une semaine. Il lui avait semblé que c'était assez pour se dire au revoir mais il s'était trompé. Ils avaient volé des moments de ci, de là dans la journée quand ses parents ne regardaient pas. Une nuit dans la chambre de Grace, une autre dans l'écurie… Trop peu…

Cook et Dennick n'avaient pas manqué de remarquer sa tristesse et s'étaient demandé si elle ne couvait pas une maladie. Elle brûlait d'envie de leur dire sa détresse, de leur expliquer que la moitié de son cœur allait s'en aller à l'aube, mais elle s'était tue. N'avait-elle pas promis à Edward de ne parler à personne de sa décision?

Elle l'avait supplié de le dire à ses parents, de sorte qu'ils puissent se dire au revoir décemment, mais il avait décidé de leur écrire plutôt une lettre qu'il laisserait sur le bureau de son père. En vérité, elle espérait secrètement qu'ils essaieraient de le dissuader ou qu'ils auraient une violente dispute qui l'inciterait à reconsidérer son projet. Mais, au bout du compte, elle savait que rien ni personne ne le ferait changer d'avis.

Tant d'événements s'étaient produits depuis cette nuit de septembre où la guerre avait été déclarée. La Pologne s'était trouvée occupée à la fois par l'Allemagne et la Russie. A partir de là, on avait assisté à l'escalade. Les civils, redoutant une salve de bombardements allemands sur la ville, commençaient à fuir Londres et le gouvernement britannique mettait en place une campagne de rationnement. Vers la fin de l'hiver, les nazis avaient envahi le Danemark, la Norvège, la France, la Belgique, le Luxembourg et les Pays-Bas. Et voilà deux jours, Hitler était entré dans Paris.

Bien que l'Empire britannique fût en guerre, l'Amérique continuait de rester neutre dans le conflit, tout comme l'Irlande. En vérité, les politiques irlandais instrumentalisaient la guerre pour raviver la brouille qui n'avait jamais cessé d'exister entre les Irlandais et leurs anciennes forces d'occupation, les Britanniques. Avant même que la guerre n'ait été déclarée par l'Angleterre, le gouvernement irlandais avait reconnu le régime de Franco en Espagne et De Valera avait rencontré Mussolini en Italie.

Lord Craigavon, Premier ministre de l'Irlande du Nord, avait dénoncé l'insistance du gouvernement à rester neutre et l'avait qualifié de lâche. Deux jours plus tard, De Valera annonçait que toute référence au roi d'Angleterre et au gouvernement de Grande-Bretagne serait supprimée des passeports irlandais.

Le chaos ne cessait de prendre de l'ampleur. Chaque jour, le conflit s'aggravait et de nouvelles lignes de front surgissaient. Grace n'avait jamais prêté beaucoup d'attention à la politique anglaise et irlandaise, mais elle commençait à lire les journaux et à s'y intéresser sérieusement avec l'espoir que tout cela servirait à quelque chose et qu'Edward ne se serait pas engagé en vain.

— Il faut que j'y aille, murmura-t-il en déposant un baiser sur son front.

Cela faisait deux fois déjà qu'ils se disaient au revoir et elle ne se sentait pas prête à le laisser partir. Mais le soleil se levait. Il fallait qu'il s'en aille.

Grace s'assit dans le lit et remonta le drap sur son corps dénudé. Mais Edward la découvrit.

— Je veux me souvenir de toi comme ça, dit-il.

Grace s'allongea en travers du lit et tira sur le petit tiroir de sa table de nuit. Elle ouvrit son journal intime à la première page et y prit une photographie qu'elle lui tendit.

— C'est Cook qui l'a prise l'été dernier, murmura-t-elle.

Grace travaillait dans le jardin. Elle portait une jolie

petite robe en cotonnade légère et un chapeau de paille. Elle était agenouillée devant une plate-bande de rosiers en fleur.

— C'est comme ça que je veux que tu te souviennes de moi, dit-elle.

Edward regarda la photo un moment.

— Tu es belle, Grace. Tu es et tu seras toujours la plus belle femme que j'ai connue.

Grace passa les bras autour de son cou et l'embrassa, un baiser doux, tendre, gentil, un baiser qu'elle fit durer et dont elle aurait voulu qu'il ne se termine jamais.

— Il faut que tu partes, dit-elle.

A quoi bon le retenir puisqu'elle savait qu'il s'en irait, que rien ne le retiendrait. Pas même elle.

Edward fit oui de la tête et sortit du lit. Pendant qu'il passait ses vêtements, elle attrapa la petite robe de coton qu'elle portait la veille au soir et l'enfila. Quand il se dirigea vers la porte, elle descendit du lit et le rattrapa, tenant son bras d'une main et de l'autre ses doigts enlacés.

Ils traversèrent la maison plongée dans le silence, puis les cuisines, pour sortir par la porte du fond qui donnait sur le jardin de derrière. Sa voiture était garée derrière la remise des automobiles, ses sacs déjà chargés dans le coffre.

Debout près de la voiture, Edward fouilla dans sa poche et lui tendit une enveloppe.

— Pourras-tu mettre ceci sur le bureau de mon père ? demanda-t-il.

Grace fit oui de la tête.

— Et dire à ma mère que je reviendrai le plus vite possible. J'aurai bien une permission un jour.

De nouveau, Grace le prit par le cou mais, cette fois,

elle ne put s'empêcher de pleurer. Des larmes chaudes qui mouillaient la chemise d'Edward et dont elle ne pouvait arrêter le flot.

— Je ne veux pas que tu partes, sanglotait-elle.

— Je sais, dit-il. Je sais.

— Tu feras attention à toi, tu me jures ? Promets-moi que tu ne vas pas jouer les héros.

Il rit et embrassa ses lèvres. Un bruit de pas sur le gravier les fit se retourner. Cook et Dennick arrivaient.

Edward soupira et regarda Grace.

— Je ne leur ai rien dit, chuchota-t-elle. Je le jure.

Dennick tendit à Edward une petite enveloppe.

— Elle est arrivée hier soir, dit-il. Mais vous vous étiez déjà retiré. J'ai fait en sorte que votre père ne l'intercepte pas.

Edward ouvrit l'enveloppe et en sortit un télégramme.

— C'est un message du chirurgien avec qui je travaillais à l'hôpital. Il s'est engagé lui aussi et demande à ce que je serve dans son unité en tant que médecin officier.

Il jeta un regard à Dennick.

— Merci.

— Bonne chance, Monsieur Edward, dit Dennick.

Edward lui tendit la main.

— Edward tout simplement, Dennick.

Dennick serra la main tendue.

— Je ferai suivre vos lettres à Mademoiselle Grace. Et si vous voulez, je peux vous conduire au train et revenir avec votre voiture.

— Ce serait bien, dit Edward.

Cook lui tendit un sac en papier.

— Pour le voyage. C'est des gâteaux et des biscuits

avec du jambon et du pain. Ce sera toujours mieux que
la nourriture que vous trouverez dans le train.

Elle sécha une larme au coin de son œil, se détourna et
partit en trottant vers la grande maison. Dennick monta
à bord de l'automobile et attendit qu'Edward finisse ses
adieux à Grace.

— Je serai revenu avant même que tu te rendes compte
que je suis parti, dit-il.

— Je resterai ici à t'attendre.

Elle plaqua une main sur sa joue, se hissa sur la pointe
des pieds et l'embrassa tendrement.

— Je t'aime.

— Je t'aime.

Edward la regarda une dernière fois, très longuement,
comme s'il avait voulu que cette image s'imprime à l'encre
indélébile dans son esprit. Puis il se détourna et alla vers
la voiture. Il essaya de ne pas se retourner, sachant qu'il
lui serait difficile de contenir son émotion. A la fin, il
sortit le bras par la vitre de la portière et lui fit de grands
signes d'au revoir.

Immobile devant la remise aux voitures, les bras en
croix devant elle, Grace sourit tristement. Juste avant
que l'automobile ne prenne le premier virage, elle agita
la main en signe d'adieu.

Ce n'était pas la première fois qu'il partait en la laissant derrière lui. Il y avait eu le départ pour Harrow, le
voyage en Europe et l'autre en Amérique. Mais, à ces
occasions-là, il savait qu'il reviendrait. Cette fois-ci, il
n'en était pas sûr. Mais il fallait y croire, de toute son
âme, de tout son cœur. Grace et lui auraient un avenir
à eux. Leur destin était de vivre ensemble. Dès l'instant
où il l'avait vue sous la couverture sale à l'entrée de la

cathédrale de Notre-Seigneur-Jésus-Christ, il l'avait su.
Elle était pour lui.

Le stylo à la main, Edward fixa la page blanche du
papier à lettres de l'armée. Il venait de terminer sa garde
et était prêt à se coucher dans son lit de camp. Toute la
journée il avait rêvé d'écrire à Grace mais il n'avait pas
pu trouver une minute pour le faire.

Cela faisait deux mois maintenant qu'il était stationné
dans le désert occidental d'Afrique du Nord. Il y était
arrivé au début du mois de décembre quand l'offensive
contre les Italiens avait commencé. L'hôpital de campagne
où il travaillait n'était autre qu'une suite de tentes en toile
que l'on pouvait plier et déplacer pour progresser avec
l'armée chaque fois qu'une bataille était gagnée. Bardia et
Tobrouk avaient été repris aux Italiens et les Britanniques
et les Australiens les avaient repoussés à Beda Fomm, où
la dixième armée italienne avait tenté de s'échapper. Des
combats féroces avaient fait rage ces trois derniers jours
et les blessés n'avaient cessé d'arriver en jeep, camions
et ambulances.

Il jeta un regard circulaire à la vaste tente transformée
en hôpital, dans laquelle étaient alignés, couchés sur
d'étroits lits de camp en toile, les soldats blessés. Ceux qui
étaient incapables de rejoindre leur unité seraient évacués
vers un navire-hôpital qui croisait en Méditerranée puis
dirigés vers l'Angleterre. Les autres, ceux qui pouvaient
encore marcher, retourneraient au champ de bataille.
A la pensée de retourner chez lui, il se frotta les yeux.
Voilà huit mois qu'il avait quitté Porter Hall. Huit mois?
Il aurait juré huit ans.

Bien qu'il ait assuré toutes sortes de fonctions à l'hôpital de campagne, sa première responsabilité était avant tout d'assister les chirurgiens dans leurs interventions. Edward était ahuri par tout ce qu'il avait appris en trois mois, grâce aux différentes opérations auxquelles il avait assisté. Etonné aussi par les responsabilités chirurgicales qu'on lui déléguait quand les chirurgiens en titre étaient submergés.

C'était, certes, une meilleure école de chirurgie traumatique que tout ce que l'école de médecine pourrait lui enseigner. Mais c'était également difficile à supporter. Bien que le maximum soit fait pour sauver un pourcentage décent des patients qu'on leur amenait, les plus grièvement blessés mouraient à petit feu, soit parce qu'ils souffraient d'hémorragie interne ou de septicémie. Dans un hôpital de ville, le taux de guérison aurait certainement été plus élevé. Mais, au milieu de nulle part, ils étaient contraints de travailler dans des conditions difficiles, avec des moyens très insuffisants et pas assez d'équipes de soutien.

Il ferma les yeux et inspira une grande bouffée d'air. Que d'hommes il avait vus mourir! Les médecins qui prodiguaient les premiers soins sur le champ de bataille avaient beau faire de leur mieux pour tenter de sauver tout le monde, ils étaient souvent trop optimistes sur les capacités des chirurgiens des hôpitaux de campagne. S'il y avait une chose qu'Edward avait apprise, c'est que les chirurgiens étaient des hommes, de simples humains incapables d'opérer des miracles sur commande.

Il prit la dernière lettre de Grace et lissa du doigt l'adresse qu'elle avait écrite sur l'enveloppe. Quand la lettre lui était parvenue, il avait essayé d'imaginer la vie, là-bas en Irlande. Mais les lettres n'arrivaient que sporadiquement aussi ne pouvait-il être certain de ce qui se passait réellement chez lui.

Il essaya de l'imaginer quand elle avait écrit cette lettre, quand elle avait inscrit son nom sur l'enveloppe. Comment était-elle habillée? Avait-elle les cheveux tirés en arrière attachés par un ruban ou les avait-elle laissés libres sur les épaules? Sentait-elle l'eau de rose, son parfum habituel, ou la crème hydratante qu'elle aimait à appliquer sur son visage, le soir?

Parfois, en se concentrant très fort, il croyait sentir la peau douce de Grace sous ses doigts. Dans ces moments-là, il reprenait courage et trouvait la volonté nécessaire pour poursuivre. Elle l'attendait à la maison.

Il sortit la lettre de l'enveloppe et la relut puis la reposa devant lui sur le bureau. Il l'avait attendue cette lettre! Il l'avait attendue pour y puiser des forces. Elle était pleine d'anecdotes, de menues nouvelles, de petits potins, comme elle disait, sur ce qui se passait à Porter Hall. Grace évitait de parler de la guerre, même si les journaux et la radio rapportaient les choses horribles qui se passaient sur le front. La Grande-Bretagne avait été la cible de raids aériens de la Luftwaffe et les bombardements avaient plu sur les grandes villes et leur périphérie. Des quartiers entiers avaient été rasés. Au lieu de cela, Grace parlait du nouveau poulain que Violette avait mis bas et des roses qu'elle cultivait dans le jardin de sa mère.

A la fin de sa lettre, elle lui annonçait une nouvelle beaucoup plus dérangeante. Malcolm était de retour à Porter Hall depuis Noël, avec sa femme, Isabelle, et leur petit garçon. Isabelle avait été épouvantée par les raids aériens au-dessus de la Grande-Bretagne et avait estimé que tant que l'Irlande resterait neutre dans le conflit, ils y seraient plus en sécurité pour attendre la fin des hostilités. Leur père avait accueilli son fils aîné les bras grands ouverts et se disposait à lui confier la responsabilité des usines textiles et des mines qui, la guerre aidant, continuaient d'afficher des résultats plus que florissants.

Selon Grace, lord Henry Porter passait ses journées entières à boire, ce qui de toute évidence lui plaisait bien plus qu'aller à son bureau. Il était même arrivé qu'il soit si pris de boisson qu'il en avait oublié où il était allé et ce qu'il avait fait. Il avait été interdit dans trois des pubs locaux et nombre de ses amis et partenaires en affaires, incapables de supporter ses sautes d'humeur liées à son alcoolisme, non seulement refusaient de le recevoir mais ne le fréquentaient plus du tout.

Les nouvelles concernant sa mère n'étaient guère plus encourageantes. Elle avait très mal pris qu'Edward s'engage et passait le plus clair de son temps assise devant le poste à galène, quasiment prostrée. Toutes les nouvelles qui lui parvenaient étaient épluchées, disséquées, discutées, encore et encore jusqu'à ce que, dans un état de surexcitation pas possible, elle finisse par piquer une crise. A ce moment-là, Grace l'isolait dans sa chambre où elle restait cloîtrée pendant trois ou quatre jours jusqu'à ce qu'elle reprenne ses esprits et retrouve un raisonnement à peu près normal.

Pas besoin d'entendre la voix de Grace ni de voir son visage pour savoir qu'elle était inquiète. Hélas ! de là où il se trouvait il ne pouvait rien pour l'aider. Bien sûr, il pouvait écrire à Malcolm pour lui demander de se montrer bienveillant envers elle mais ils n'avaient pas été en relation depuis son séjour à Porter Hall quatre ans plus tôt. Il y avait fort à parier que les sentiments de son frère envers Grace n'avaient pas changé entre-temps.

Ce n'était pas pour Grace qu'il se faisait le plus de souci. Si la vie devenait intolérable, elle pouvait s'en aller. Il lui avait fait parvenir la plus grande partie de sa solde aux bons soins de Dennick et il était certain qu'elle l'avait déposée à la banque en même temps que sa paie. C'était sa mère qui lui donnait le plus d'inquiétude car elle était très vulnérable.

Malcolm avait toujours exercé un grand pouvoir sur son père. Son influence s'était toujours révélée importante et… exécrable. Compte tenu de l'état d'ébriété quasi permanent de lord Porter, il devait être aisé de l'amener à faire n'importe quoi. Malcolm n'était pas un sentimental. Il ne réfléchirait pas à deux fois avant de placer sa mère dans un hôpital pour se débarrasser d'elle. Et il la laisserait croupir là, réglant ainsi de vieux comptes avec elle.

Edward avait beau tourner et retourner le problème dans sa tête, il ne voyait pas comment en sortir. Que pouvait-il faire pour protéger sa mère ? L'encourager à aller voir sa sœur en Amérique et y rester jusqu'à la fin des hostilités ? C'était une idée — mais traverser l'océan n'était pas sans risque avec tous les U-boats en activité dans l'Atlantique. Bien que les navires de guerre soient, en principe, les cibles, il était arrivé que des bateaux civils soient coulés.

— Lieutenant Porter ?

Surpris au milieu de sa réflexion, Edward se retourna. Le major Farraday se tenait à l'entrée de la tente, dans sa blouse chirurgicale, son masque accroché autour du cou. Aussitôt, Edward se leva et salua.

— Major.

— Depuis ce matin je veux vous parler mais la journée est passée sans que j'aie trouvé le temps de le faire.

Jetant un coup d'œil sur le bureau, il poursuivit.

— En train d'écrire à votre amie ?

— Oui, monsieur, répondit Edward en opinant.

— Vous pouvez oublier le « monsieur », dit le major. Je rentre chez moi. On me renvoie dans un hôpital militaire en Angleterre. On m'autorise à emmener trois membres de l'équipe et je me demandais si vous seriez intéressé. Vous serez un jour un chirurgien hors pair et je dois dire que je ne serais pas mécontent d'être pour quelque chose dans votre succès futur. Il vous reste encore nombre de choses à apprendre et je pourrais vous les enseigner quand nous serons de retour à Dublin.

Edward resta pensif un moment. La proposition méritait d'être considérée et cependant…

Il secoua la tête.

— Si cela vous est égal, je pense que je préférerais rester ici. Les Italiens sont en pleine déroute et j'aimerais assister à leur défaite jusqu'au bout. Le travail que j'accomplis ici n'est pas négligeable. Je ne pense pas que quiconque puisse faire mieux.

Farraday lui tapa sur l'épaule.

— C'est cela que j'aime en vous, Edward. Vous avez l'assurance inébranlable du chirurgien. Restez toujours ainsi, mon vieux. Vous irez loin.

— Merci, monsieur.

Ils se serrèrent la main et le major sortit sous le regard d'Edward. Un sentiment de culpabilité lui serra alors la poitrine mais il l'ignora. Il aurait pu accepter la proposition. Un hôpital militaire en Angleterre aurait été plus sûr qu'un hôpital de campagne à vingt kilomètres de la ligne de front.

Mais il aurait encore été à des kilomètres de Grace, alors, était-ce si important ? Est-ce que cela en valait la peine ? Ici, il était utile et il en apprenait beaucoup plus que dans un hôpital normal.

Il se rassit à son bureau et reprit sa plume. Mais à peine avait-il couché deux mots sur le papier, un soldat d'ordonnance fit irruption.

— Lieutenant Porter, nous avons des blessés qui arrivent. Le major Percy a dû réopérer un patient, il demande donc que vous les dirigiez au fur et à mesure qu'ils arrivent. Le major Farraday attend au bloc.

— Merci, soldat.

Edward plia la lettre dans son journal, mit le tout sur l'étagère du haut de son bureau et, après un regard circulaire autour de la tente, sortit. La nuit était tombée et l'air était vif. Les déserts étaient connus pour être chauds et secs et ils l'étaient, mais pendant la journée. Les nuits, en revanche, étaient fraîches, froides même, comme en Irlande en hiver.

Quelques instants plus tard, les ambulances déboulaient. Les soignants se dépêchèrent d'en descendre et commencèrent à décharger les brancards tout en lançant quelques informations sur l'état d'un blessé avant de passer au suivant.

— On a un officier ici ! cria un des brancardiers.

— Je vais bien, cria l'officier en se relevant sur les coudes. Occupez-vous d'abord de mes hommes.

Edward reconnut tout de suite la voix et se précipita vers l'ambulance de tête.

— Miles ? C'est toi ?

— Bon Dieu, Edward.

Miles s'assit et tendit la main.

— Edward Porter ! Bon sang de bonsoir, qu'est-ce que tu fiches ici ?

— Je soigne tes hommes, dit-il en soulevant le tissu qui recouvrait la jambe de Miles. Ce n'est pas trop vilain, rajouta-t-il. Ça saigne mais pas trop.

Il pinça les orteils de l'officier et les trouva chauds.

— Un éclat d'obus dans la jambe, c'est tout. Occupe-toi des autres et reviens quand tu auras fini avec eux.

Edward attrapa un secouriste par la manche et lui demanda de transférer Miles dans la tente voisine.

— Pas d'inquiétude pour lui. Demande à un soldat d'aller lui chercher une flasque de whisky et dis-lui qu'on n'a pas de foutues serveuses de malheur ici pour lui en apporter d'autres.

L'infirmier fronça les sourcils.

— T'inquiète pas. Il saura ce que je veux dire.

Pendant les trois heures qui suivirent, Edward fit le tri parmi les soldats blessés pour y voir plus clair et établir les priorités. Les *Prioritaires 1* étaient emmenés tout de suite au bloc. Les *Prioritaires 2* et *3* étaient moins urgents. Les *Prioritaires 4* étaient emmenés dans une tente bien tranquille où ils pouvaient mourir en paix, leur état étant si désespéré que l'on ne pouvait plus rien pour eux.

Deux soldats seulement sur les vingt-sept qui avaient été amenés en même temps que Miles relevaient des Prioritaires 4 et étaient promis à une mort certaine. Deux de trop, pensa Edward.

Quand l'aube pointa, Edward entra dans la tente voisine et trouva Miles là où les brancardiers l'avaient déposé.

Il s'était débrouillé pour obtenir une bouteille entière de whisky et la buvait tranquillement.

— Une autre fois, je veux qu'on me soigne ici, dit-il en agitant sa bouteille. Je préfère ce genre de potion aux sulfamides ignobles qu'ils utilisent dans l'hôpital de campagne.

— Comment te sens-tu? demanda Edward en s'accroupissant près de la civière.

Il écarta le bandage de fortune et, d'un geste de la main, appela un soldat qui se précipita avec une bassine d'eau chaude et des pansements.

Edward déchira la jambe de pantalon de Miles jusqu'au genou et commença à nettoyer la blessure du sang séché sur son mollet.

— Comment ça va pour mes hommes?

— T'en as perdu deux, dit Edward. Deux autres sont dans un état critique mais avec de la chance ils s'en sortiront peut-être. Les autres souffrent de blessures mineures ou superficielles.

Miles se rallongea sur le brancard et soupira.

— Ça tire à sa fin, dit-il. Les Italiens se sont fait encercler. C'est la déroute pour eux. Ils ne devraient plus tarder à se rendre.

— Et alors? demanda Edward.

— Je ne sais pas, dit Miles. Je suis officier dans la septième division armée britannique. Je vais là où on me dit d'aller.

Edward examina la blessure.

— Et s'ils te disent de rentrer?

— Ma place est ici, répondit Miles. Je suis soldat. Je pense que mon père savait ce qu'il faisait quand il m'a envoyé faire l'école militaire de Sandhurst.

Il rit dans sa barbe.

— De toute manière, personne ne m'attend. Et toi ?
Tu es marié ?

— Non, murmura Edward. Mais il y a une femme
qui m'attend.

Il soupira.

— Hier soir, juste avant que tu arrives, on m'a proposé
de retourner travailler dans un hôpital militaire en
Angleterre.

— Tu y vas, j'imagine ?

Edward secoua la tête.

— Non, je suis comme toi. Je reste jusqu'à ce que le
boulot soit fini. Elle sera là-bas quand je reviendrai.

— Comment s'appelle-t-elle ?

— Elle s'appelle Grace, dit-il.

Il adorait prononcer son nom. C'était tellement doux
sur ses lèvres quand il le disait.

— Grace, répéta-t-il plus bas, comme pour lui-
même.

— Je me rappelle, dit Miles. C'est la fille *lumineuse* !

Edward fronça les sourcils puis se rappela la conversation qu'ils avaient eue au pub quatre ans plus tôt. Il
rit à son tour.

— Oui, c'est elle.

15

Grace baissa les yeux sur l'exemplaire de l'*Irish Times* qu'elle avait ouvert en grand sur la table de la cuisine. Elle se frotta les yeux et essaya de se concentrer sur l'article qu'elle lisait. Bien que l'Irlande soit restée neutre, la guerre avait fini par se propager en Irlande. Les journaux étaient pleins de mauvaises nouvelles et la liste des citoyens irlandais tombés en Europe, en Angleterre, dans le Nord, dans l'Atlantique ne cessait de s'allonger.

La neutralité ne s'était pas révélée payante. Les bombardiers allemands et les avions de chasse traversaient la mer d'Irlande régulièrement pour venir se poser en terrain neutre quand ils ne pouvaient pas retourner à leur base. N'empêche que ces mêmes avions tuaient des Irlandais qui servaient dans l'armée britannique en Afrique du Nord. Grace ne parvenait pas à admettre pareille situation. Elle ne comprenait pas que son pays ne vienne pas en aide à l'homme qu'elle aimait.

En avril, le Blitz de Belfast avait pratiquement détruit la capitale du Nord. Deux cents bombardiers allemands avaient attaqué et plus d'un millier de personnes étaient mortes. Parmi ceux qui restaient, un quart était sans abri. Le bombardement éclair de Belfast les avait tous épouvantés. Isabelle, hystérique, avait insisté pour qu'on ferme tous les rideaux de Porter Hall pour ne pas se faire repérer. Elle était quasiment certaine qu'un bombardier allemand allait lâcher une bombe sur la propriété. Malcolm s'était moqué d'elle — elle était ridicule d'avoir peur, ricanait-il —, n'empêche qu'au cours de la nuit du 30 mai 1941, les Allemands avaient bombardé Dublin.

Plus tard, ils avaient prétendu que c'était une erreur mais beaucoup, en Irlande, n'avaient pas été convaincus. Pour eux il s'agissait bien d'une attaque, de représailles pour punir les Irlandais d'avoir aidé à éteindre les incendies du Blitz de Belfast. Un des ambassadeurs allemands avait même osé affirmer que le bombardement avait été le fait de pilotes britanniques embarqués à bord d'avions allemands qui avaient été confisqués.

Ce 30 mai, les Porter et leurs domestiques avaient passé la nuit à écouter les explosions qui éclataient au loin tandis que les incendies illuminaient le ciel. Trente-quatre personnes avaient été tuées. La guerre dans toute sa réalité avait mis le pied sur le sol irlandais.

La vie au jour le jour n'avait changé en rien à Porter Hall. C'était Isabelle qui régnait sur la maison maintenant que Geneva s'enfonçait de plus en plus dans son monde. A peine l'œil ouvert, lord Porter commençait à boire. Il ne s'arrêtait que le soir quand, complètement ivre, il s'écroulait sur son lit. Malcolm n'avait pas tardé à intervenir et avait pris en main les affaires de la famille et défendait ses intérêts.

Malcolm n'avait guère changé. Les années écoulées n'avaient fait qu'aggraver une méchanceté doublée de cruauté. Quand il ne raillait pas les Irlandais, leur mode de vie et leur paresse — légendaire, disait-il —, il houspillait sa femme ou sa mère ou terrorisait son petit garçon.

Grace s'était arrangée pour le croiser le moins souvent possible, grâce à l'appui de Cook et de Dennick.

— Lady Porter réclame son thé, dit Cook en entrant dans la cuisine. Tu pourrais peut-être essayer de la convaincre de prendre un bain. Depuis que Malcolm a renvoyé sa servante, elle n'a pas passé beaucoup de temps à sa toilette. Il serait bon qu'elle se lave.

La servante de Geneva était la troisième domestique renvoyée de Porter Hall depuis le début de l'année. Récemment, Margaret Flynn avait été limogée après avoir accusé Malcolm d'avoir tenté d'abuser d'elle, un soir tard dans sa chambre. Isabelle avait aussitôt riposté, arguant que la fille avait essayé d'extorquer de l'argent à la famille avec ses mensonges. Personne ne savait si de l'argent avait été ou non versé, mais les autorités n'avaient jamais été alertées et Margaret avait perdu sa place.

Grace avait vraiment songé à partir. A son avis, Malcolm n'allait plus tarder à s'attaquer à elle. Ce n'était qu'une question de temps. Chaque fois qu'elle pénétrait dans une pièce, elle sentait son regard qui la suivait partout. A plusieurs reprises, il s'était planté derrière elle, à la frôler, comme s'il la mettait au défi de lui résister. Il était horrible. Pervers, rusé comme un chat qui joue avec une souris. Mais Grace craignait que, bientôt, il ne se lasse de ce jeu et saute sur elle.

Elle replia le journal et se leva.

— Je vais voir, dit-elle. Si elle refuse de prendre un bain, j'essaierai au moins de lui laver les cheveux.

— Il faut qu'on se démène pour la garder en bonne forme, dit Cook. J'ai surpris une conversation entre Malcolm et lord Porter. Il parlait de la renvoyer à l'hôpital. Il disait à lord Henry qu'il avait entendu parler d'un nouveau médecin à Dublin qui pratique les électrochocs pour stabiliser l'humeur.

Grace frissonna. Elle était le seul rempart entre Geneva et cet horrible traitement. Avait-elle le droit de quitter Porter Hall dans ces conditions? Pouvait-elle laisser sa maîtresse, la mère de son amour, entre les mains de ces deux monstres?

— Je vais lui parler, dit Grace.

Cook sourit et plongea la main dans la grande poche de son tablier.

— Tiens, voilà de bonnes nouvelles pour toi.

Elle lui tendit une enveloppe que Grace reconnut aussitôt. C'était une enveloppe de l'armée, de celles dont Edward se servait.

— C'est Dennick qui me l'a confiée pour toi avant de partir avec lord Porter.

Grace l'arracha à Cook et l'enfouit dans la poche de son propre tablier.

— Regarde au moins le cachet de la poste, la pressa Cook.

Elle la ressortit.

— Londres.

Les yeux écarquillés, incrédule, elle fixa Cook avant de relire.

— Londres. Ça vient de Londres.

Des larmes montèrent aussitôt à ses yeux. Emue, elle se mordit la lèvre pour tenter de dominer son émotion.

— Il n'est plus en Afrique, dit-elle, perplexe.

— C'est une bonne nouvelle, non? dit Cook en la serrant dans ses bras.

Très vite, Grace prépara le plateau du thé. C'était certain, les Porter allaient recevoir eux aussi une lettre. Quand

Geneva apprendrait la nouvelle, son moral remonterait. Edward était sain et sauf et il était de retour. Cela ne faisait aucun doute, il serait bientôt en Irlande.

Quatre à quatre, elle monta l'escalier de service qu'empruntaient les domestiques pour aller dans leurs quartiers sous les toits mais elle s'arrêta au deuxième étage et longea le couloir qui menait à la chambre de Geneva. Malcolm, qui l'attendait devant la suite de sa mère, adossé au montant de la porte, l'arrêta.

Il ricana doucement mais il n'y avait pas beaucoup d'amabilité dans ce rire, plutôt de la méchanceté.

— Ça me dépasse que tu continues à la traiter comme une lady, gronda-t-il. Tu ferais mieux de lui verser le thé sur la tête au lieu de le lui faire boire. Ça fait combien de jours qu'elle ne s'est même pas lavée ?

— J'allais justement lui faire couler un bain, répondit Grace.

— Comme par hasard, ricana Malcolm en se penchant sur elle.

Il avait l'haleine lourde, il sentait le whisky. Dégoûtée, elle se détourna.

— Dis-moi, Grace, tu retires tous tes vêtements quand tu te laves ? J'aimerais bien venir te reluquer dans ton bain.

— Allez-vous-en, marmonna Grace. Votre mère attend son thé.

Il tendit le bras et lui caressa la joue.

— Je ne comprendrai jamais ce que mon frère a pu te trouver de si fascinant. Cependant, je dois dire que je commence à apprécier certaines de tes... qualités... bien particulières.

Il effleura ses lèvres.

— Si vous n'arrêtez pas tout de suite de me toucher, j'appelle Isabelle, menaça Grace en le regardant droit dans les yeux, sans ciller.

— Amuse-toi à faire ça, et tu vas voir. Je te renvoie séance tenante dans le caniveau, là d'où tu viens.

Il fit la moue et se poussa.

— Que deviendrait ma pauvre, pauvre maman sans sa petite Charlotte chérie ? On la mettrait à l'hôpital. Ou dans un asile psychiatrique. Oui, un asile de fous serait sans doute le mieux indiqué. Encore que j'aie toujours pensé que, quand un animal est malade, il faut l'abattre.

Le plateau du thé en équilibre sur un bras, Grace ouvrit la porte de Geneva et entra. Elle referma derrière elle et resta adossée à la porte, le souffle court et le cœur battant. Malcolm était-il *vraiment* capable de faire du mal à sa mère ? Elle le savait diabolique mais ne le pensait quand même pas capable de tuer.

Elle inspira une longue goulée d'air et attendit un peu que ses mains cessent de trembler avant de traverser la chambre jusqu'au lit. Geneva était couchée, roulée en boule sur le côté, les couvertures remontées sur le nez.

— Je vous apporte votre thé, dit Grace tout doucement.

Elle posa le plateau sur la table et repoussa les couvertures de son visage. Les cheveux de Geneva, si brillants et si lisses autrefois, étaient tout emmêlés et pleins de nœuds. Elle s'était rongé les ongles jusqu'au sang. Elle devait être déshydratée car elle avait la peau cireuse et toute ridée et paraissait beaucoup plus que son âge.

Grace posa la main sur ses cheveux et les lissa tant bien que mal.

— Ce serait bien que vous preniez un bain, lady

Geneva, dit-elle. Qu'en pensez-vous ? Vous pourriez barboter dans un bon bain chaud, le temps que vous voudrez et, ensuite, je m'occuperais de vous. Je vous pomponnerais, je vous maquillerais, je vous parfumerais et nous descendrions dîner.

Geneva ne réagit pas.

— Ça vous plairait, mère ? Voulez-vous bien faire cela pour votre Charlotte ?

Tout doucement, lady Porter se retourna et regarda Grace.

— Tu n'es pas Charlotte.

— Bien sûr que non, répliqua Grace. Mais Charlotte est au ciel et elle vous regarde et je suis certaine qu'elle aimerait bien vous voir propre et jolie. Elle ne veut sûrement pas voir sa maman malheureuse. Voulez-vous prendre un bain, lady Porter ?

Geneva enfonça la tête dans l'oreiller, emmêlant un peu plus ses cheveux.

— Je veux dormir.

— Vous avez une autre raison pour sortir de votre lit. J'ai le sentiment que Monsieur Edward ne va plus tarder à revenir.

— Comment le sais-tu ?

— Je n'en suis pas certaine, mais j'en ai le pressentiment.

Cette fois, Geneva s'agita un peu. Après s'être de nouveau tournée dans son lit, elle se releva, s'assit, repoussa les cheveux de ses yeux.

— Cela fait si longtemps que je n'ai pas vu Edward.

— Justement. Il faut vous faire belle pour son retour.

Grace s'avança tout près du lit et aida Geneva à se lever.

— Voilà, dit-elle d'une voix enjouée. Regardez, vous avez déjà meilleure mine !

Tenant lady Porter par la main, elle alla dans la salle de bains et fit couler l'eau. Elle lui ôta sa chemise de nuit et l'aida à enjamber le bac.

— Je suis sûre que vous vous sentez déjà mieux.

En tout cas, elle l'espérait. Elle aimait lady Porter. Geneva avait tant fait pour elle pendant des années… Elle devait aussi à Edward de veiller sur sa mère. Aussi longtemps qu'il serait loin, elle s'occuperait d'elle. Sinon, qui le ferait ?

Debout sur la passerelle de la barge militaire qui accostait au port de Belfast, Edward regardait les marins amarrer le bateau au quai. Il avait passé les deux dernières heures sur le pont à regarder l'Irlande grandir devant ses yeux au fur et à mesure que le bateau avalait les milles. Il était impatient.

Cela faisait environ un mois qu'il était en Angleterre, stationné dans un hôpital militaire juste à l'extérieur de Londres. Il n'avait pas prévu de revenir en Irlande, mais il avait été choisi pour accompagner un major général britannique blessé en se battant contre Rommel et son Afrikakorps. L'état de l'officier supérieur exigeait que des soins lui soient prodigués vingt-quatre heures sur vingt-quatre, même à bord du navire-hôpital. Edward avait accepté la mission d'autant plus volontiers qu'il avait pensé que ce serait l'occasion, peut-être, de revoir Grace.

Il avait hésité à écrire à ses parents pour leur annoncer son retour en Angleterre mais n'en avait finalement rien fait de peur que cela n'interfère avec ses retrouvailles avec Grace. Il s'était arrangé pour avoir une permission de trois jours et avait télégraphié à Dennick qu'il s'organise pour que Grace puisse venir à Belfast. Un jour de voyage à l'aller, un jour de voyage pour le retour, cela lui laissait vingt-quatre heures, ce qui, après deux ans de séparation, lui semblait une éternité.

En fait, Edward n'était pas sûr qu'elle soit là. Il avait quitté l'Angleterre avant que Dennick ait eu le temps de lui télégraphier une réponse. Qu'importe, pour une nuit avec la femme aimée, il était prêt à prendre le risque.

Il tira de la poche de sa chemise la photographie qu'elle lui avait donnée le matin où il était parti. Il l'avait un peu déchirée et salie mais ce n'était pas grave. Ils en prendraient une autre à Belfast, de tous les deux ensemble, et il la garderait précieusement avec lui jusqu'à la fin de la guerre.

Quand les Britanniques et les Australiens avaient bouté l'armée italienne hors d'Afrique du Nord, tout le monde avait cru que cette déroute signait la fin de la campagne. C'était sans compter avec Hitler. Jugeant que l'Afrique du Nord était beaucoup trop stratégique pour la quitter sans y livrer une bataille digne de ce nom, il avait envoyé Rommel et sa Panzer Division pour soutenir les Italiens. Et le combat avait repris, et pour de bon.

Il avait vu Miles à plusieurs reprises au cours des mois qui avaient précédé son retour. Savoir qu'il était toujours en vie l'avait rassuré. Miles avait été promu au grade de major et commandait maintenant un escadron avancé de la septième division armée. Quand Miles lui avait demandé s'il accepterait de former des infirmiers et des ambulanciers de terrain pour son bataillon, Edward n'avait pas hésité une seconde.

Son expérience comme médecin-assistant dans l'hôpital de campagne l'avait fait enrager. Assis des heures durant à attendre les blessés, il avait eu le temps de réfléchir et s'était convaincu que, avec quelques aménagements sur le front lui-même, il pourrait augmenter le taux de survie des soldats blessés. Miles l'avait présenté au lieutenant-colonel qui commandait le bataillon et un transfert avait été prévu. Quand il retournerait en Afrique du Nord, il ne resterait pas à des kilomètres derrière les soldats, il serait parmi eux, avec les soldats combattant et les para-médicaux qui les secouraient.

Un long, long sifflement résonna. Edward empoigna son sac et le balança par-dessus son épaule. Il avait réussi à trouver un petit hôtel qui tenait encore debout malgré le Blitz et avait réservé une chambre pour Grace. Comme il descendait l'échelle de coupée, il adressa une prière muette à Dieu pour qu'elle soit là.

Il sauta dans un autobus qui se dirigeait vers le centre de Belfast et regarda, consterné, les dommages que les Allemands avaient causés à la ville. Elle était dévastée. Autour de lui, ce n'était que ruines, bâtiments éventrés, immeubles écroulés. Certaines rues n'étaient plus praticables, d'autres en revanche n'avaient pas été touchées. Le Blitz avait cessé, finalement, plus d'un an plus tôt, la Luftwaffe ayant été incapable de pénétrer l'espace, empêchée par les radars aéroportés britanniques et la défense antiaérienne.

Il trouva son hôtel après avoir emprunté un deuxième autobus. A son arrivée, il était presque 2 heures de l'après-midi, deux heures de retard sur l'heure qu'il avait prévue. Edward traversa la rue en courant, évitant de justesse un camion de déblais, et entra dans le hall de l'hôtel.

Il la vit tout de suite. Ils restèrent un moment à se regarder, incapables de bouger, comme pétrifiés. Puis elle se leva, lentement, et marcha vers lui. Il ôta sa casquette et lâcha son paquetage et, en trois grandes enjambées, avala la distance qui les séparait. Il prit Grace dans ses bras et l'embrassa, sa bouche trouvant la sienne instinctivement.

Plongeant les doigts dans ses cheveux, il délogea les épingles qui tenaient les mèches en place et, quand il recula enfin pour la contempler, elle avait l'air d'être tombée du lit. Tout ce qu'il éprouvait pour elle revint en force. Submergé par l'émotion, il sourit.

— Tu es belle, murmura-t-il.

— Je n'arrive pas à y croire, dit-elle.

Elle plaqua les mains sur sa veste et la caressa, taquina les boutons de cuivre, leva les yeux vers lui, sourit.

— Tu es magnifique, dit-elle. Tu as vieilli mais ça te va bien.

Elle cessa de jouer avec les boutons et lui caressa le visage.

— Tu es toujours aussi beau.

De nouveau il l'embrassa mais, cette fois, plus profondément.

Il avait rêvé de cet instant pendant des mois et, maintenant qu'elle était dans ses bras, il se demandait comment il allait pouvoir la quitter.

— Tu t'es enregistrée à la réception ?

Elle fit oui.

— Je leur ai dit que j'étais Mme Porter. J'avais peur

qu'ils refusent de me donner une chambre s'ils savaient que nous n'étions pas mariés.

— C'est tout comme, dit Edward.

— Je suppose qu'il y a des tas de soldats qui viennent ici avec leur...

— Non, coupa-t-il. C'est tout comme parce que nous allons nous marier. Maintenant. Il y a un bureau des mariages juste au bout de la rue. On va s'enregistrer.

Il mit un genou à terre, lui prit la main et la regarda dans les yeux.

— Mary Grace Byrne, je t'aime depuis la seconde où je t'ai vue. Acceptes-tu de me faire l'honneur d'être ma femme ?

Des larmes plein les yeux, elle hocha la tête de haut en bas puis le força à se relever.

— Oui, je le veux.

— Alors, marions-nous et vivons le peu de temps que nous avons devant nous comme mari et femme.

— Combien de temps avons-nous ? demanda-t-elle.

Il l'embrassa avec tendresse.

— Pas longtemps, murmura-t-il. Vraiment pas long-temps.

— Mais quand la guerre sera finie, nous aurons le reste de la vie, dit Grace.

Edward abandonna son paquetage au réceptionniste et, tenant Grace par la main, sortit dans la rue. Il voulut lui acheter une alliance mais elle lui dit que c'était inutile, que la bague de grenat qu'il lui avait offerte quelques années plus tôt en ferait office. Ils s'arrêtèrent tout de même chez un bijoutier pour acheter une alliance pour Edward, avant de se rendre au bureau des mariages.

Comme ils entraient, Grace s'arrêta et se tourna vers lui.

— Nous ne pouvons pas nous marier. Il fallait publier les bans d'abord, dit-elle.

— Je me suis arrangé pour obtenir une autorisation spéciale, dit Edward. Ils ont été publiés il y a trois semaines.

— Comment t'y es-tu pris ? demanda-t-elle.

— Le Dr Farraday m'a aidé. Il a appelé le major général, un de ses vieux amis, qui a arrangé l'affaire. Ils sont obligés de prendre des dispositions particulières pour les soldats en permission. Nous allons être mariés légalement, il n'y aura pas de retour en arrière possible, Grace. Cela ne te dérange pas que ce soit une cérémonie civile, j'espère ?

Grace secoua la tête.

— Je veux être ta femme, c'est tout ce qui compte. Peu m'importe de quelle façon.

Une heure plus tard, ils sortaient du bureau des mariages, mari et femme. Edward avait glissé leur certificat de mariage dans la poche de sa veste et était prêt, le cas échéant, à le produire à la réception de l'hôtel pour prouver qu'ils étaient bien mariés, quand ils demanderaient leur clé. Le réceptionniste se contenta de poser la clé sur le bureau avec un hochement de tête et se replongea dans son journal.

La porte de leur chambre à peine refermée derrière eux, ils ôtèrent leurs vêtements fiévreusement, chacun déshabillant l'autre. Une fois nus, il enfouit son visage dans le creux de son cou. A cet instant seulement, il réalisa à quel point les caresses de Grace lui avaient manqué.

Edward écarta sa main doucement, toujours niché contre elle. Il murmura :

— Il faut que nous allions plus doucement. Cela fait si longtemps que je rêve de ce moment, je ne voudrais pas qu'il se termine trop vite.

Il l'entraîna vers le lit et ils s'allongèrent sur le couvre-lit, jambes emmêlées, mains fébriles sur leur peau nue.

— Tu ne peux pas savoir le nombre de fois où j'ai pensé à ça, murmura Edward, traçant un chemin de baisers de son cou à ses seins. La nuit, je fermais les yeux et je te voyais. Tu étais là, sur moi, autour de moi, partout.

Grace s'allongea sur lui.

— Sur toi, répéta-t-elle en le chevauchant.

Elle le guida en elle puis, lentement, se délecta.

— Autour de toi, chuchota-t-elle.

Juste cela, et il faillit jouir. Il fallait qu'ils arrêtent, qu'il prenne le paquet de préservatifs dans son paquetage. Mais ce qu'il ressentait était si fort, l'effet de leurs corps intimement soudés était si incroyable qu'il ne voulut pas réfléchir davantage. Grace commença à bouger. A onduler. On aurait dit une amazone. Le rythme était délicieux. C'était merveilleux, à la fois excitant et apaisant, entre plaisir et douleur.

Doucement, il glissa la main entre eux pour la toucher. Surprise, elle sursauta et laissa échapper un gémissement. Puis, enhardie par le geste d'Edward, elle se fit plus fiévreuse. Des sensations violentes, comme un vent furieux qui emporte tout, soufflèrent sur elle. Edward dut se contenir. Mais quand Grace tressaillit de tout son corps et l'appela à la rejoindre, il l'étreignit sur son torse, l'embrassa à pleine bouche et s'abandonna enfin avec elle.

Ils restèrent allongés un long moment, haletants, pantelants. Tout doucement, Edward lui caressa les cheveux, essayant de mémoriser la douceur de sa peau sur la sienne. Il fallait qu'il l'enregistre bien pour s'en souvenir plus tard quand il serait de nouveau séparé d'elle et qu'elle lui manquerait. Cette fois-ci, ils avaient vraiment donné un sens à l'expression « faire l'amour ». Le lien qui les unissait s'était encore renforcé et ce qu'ils avaient ressenti en avait été magnifié.

Edward déposa un petit baiser sur les lèvres de Grace et fit courir sa langue entre ses lèvres. Cela la fit rire et elle lui rendit le même baiser.

— Je pense qu'on ne devrait pas quitter cette chambre, dit-elle. On n'a qu'à demander qu'on nous monte notre dîner et passer le reste de la nuit ici.

— C'est notre lune de miel, madame Porter, et vos désirs seront des ordres que je serai heureux d'exécuter.

16

Songeuse, Grace regardait la campagne irlandaise défiler sous ses yeux. Elle avait pris le train après avoir adressé un dernier au revoir à Edward et elle était triste. Elle ferma les yeux et pensa aux derniers moments qu'elle avait passés avec son mari, essayant de se rappeler le moindre détail, toutes les paroles qu'ils avaient échangées, les baisers qu'ils avaient partagés.

Les larmes au bord des yeux, elle ravala son chagrin. Ils avaient passé la nuit entière à faire l'amour, perdus dans les plaisirs. Edward était presque arrivé à lui faire oublier que les heures qu'ils devaient passer ensemble étaient très limitées. Ce n'est qu'au petit matin qu'elle prit conscience que le temps avait filé très vite.

Finalement, ils n'avaient passé qu'une seule journée ensemble. Il était prévu qu'il attrape un transport de troupes en partance de Belfast le soir même. Aussi, plutôt que de la laisser seule dans la ville une autre nuit, il l'avait accompagnée à la gare pour prendre le dernier train du soir pour Dublin.

Ils étaient restés sur le quai, se tenant l'un l'autre, pendant un long moment. Incapable d'exprimer ses sentiments, Grace avait pleuré. La séparation lui faisait mal. Son cœur, son âme n'étaient que souffrance comme si on lui arrachait les entrailles. A la fin, il l'avait embrassée encore une fois, un baiser tendre, profond, et il s'était détourné et était parti.

Grace jeta un coup d'œil au sac à main qu'elle tenait sur ses genoux. Elle ouvrit le fermoir et sortit le certificat de mariage. Elle était sa femme, maintenant, et elle apprendrait à supporter leur séparation comme l'avaient fait des milliers d'autres femmes. Elle n'avait qu'à se concentrer sur l'avenir, sur la vie qu'ils partageraient quand la guerre serait finie, sur la famille qu'ils fonderaient et la maison qu'ils construiraient ensemble.

Grace remit le certificat dans son sac. Edward et elle avaient parlé de la manière dont ils annonceraient la nouvelle à ses parents. Edward avait d'abord envisagé de leur téléphoner de Belfast pour le leur annoncer personnellement mais Grace avait préféré qu'ils gardent la nouvelle pour eux deux pour l'instant.

C'était certain, il y aurait des accusations et de la colère dans l'air. Lord Porter tenterait sans doute tout pour faire annuler le mariage même si Edward pouvait témoigner qu'il avait été fait le plus légalement du monde et consommé. Grace redoutait que Malcolm en profite pour la mettre à la porte pour de bon. Il n'avait aucun respect envers Edward et, par voie de conséquence, ne se sentait aucune responsabilité vis-à-vis de l'épouse d'Edward. De plus, avec Geneva dans cet état de fragilité, ni Grace ni Edward ne voulaient prendre le risque de la laisser seule sans allié dans la maison.

Finalement, ils étaient convenus que Grace leur annoncerait la nouvelle quand elle estimerait le moment opportun. Avant de partir pour la gare, Edward avait écrit une lettre pour son père que Grace était chargée de lui faire passer le moment venu, lettre dans laquelle il expliquait leur décision et ses souhaits que le meilleur traitement soit réservé à Grace à Porter Hall.

Il lui avait également donné un billet de banque et lui avait fait promettre de s'ouvrir un compte dans une banque de Dublin et de lui envoyer le numéro du compte. Edward y ferait verser son traitement tout le temps qu'il servirait et, si jamais il fallait qu'elle quitte Porter Hall, elle aurait les moyens de se retourner.

Avec l'argent qu'Edward lui avait fait parvenir par le biais de Dennick, Grace avait apprécié le sentiment d'avoir maintenant le choix dans la vie. Si Porter Hall devait se révéler trop intolérable, dorénavant elle serait libre de s'en aller.

Ses pensées dérivèrent vers Malcolm et, à la pensée de sa réaction quand il apprendrait que la petite bonne irlandaise qu'il détestait faisait maintenant partie de sa famille, elle se mit à trembler. S'il se permettait encore de la toucher, elle pourrait maintenant le repousser. Après tout, ce serait tenter de séduire l'épouse de son frère, une femme mariée, crime beaucoup plus grave que lutiner la domestique de la maison.

Le voyage de Belfast à Dublin, trois heures de train pourtant, fila à toute vitesse. A peine était-elle partie qu'elle était arrivée. A sa descente du train, la première personne qu'elle aperçut sur le quai fut Grady. Il avança vers elle, la serra dans ses bras puis prit son bagage et la précéda hors de la gare.

— Edward a téléphoné pour demander que je vienne te chercher, dit-il. Ça m'a fait plaisir d'entendre sa voix. Ça faisait longtemps.

Grace lui adressa un pauvre sourire.

— Merci d'être venu.

Ils rentrèrent à Porter Hall sans parler. Arrivé à la maison, il arrêta l'automobile derrière la remise aux voitures.

— Ils pensent que tu es allée t'occuper du voisin malade, dit Grady. Personne n'a posé de questions mais si tu arrives avec cette tête de cent pieds de long, ils vont s'en poser.

Elle opina et plaqua un sourire sur son visage.

— Je serai triste à l'intérieur seulement.

— Comment va Monsieur Edward ? s'enquit Grady.

— Il va bien, dit Grace. Un peu maigre mais en bonne santé.

— Va-t-il rester en Angleterre jusqu'à la fin de la guerre ?

— Non, répondit-elle. Il va repartir bientôt pour l'Afrique du Nord. Il dit qu'il sera beaucoup plus utile là-bas et qu'il n'y a pas à s'inquiéter, qu'il ne sera pas en danger derrière la ligne.

— Je suis sûr que si Monsieur Edward dit ça, c'est en connaissance de cause. Tu verras, Grace, il sera rentré bien vite. Un jour, cette guerre ne sera plus qu'un mauvais souvenir pour nous tous.

Quand elle arriva aux cuisines, Grace embrassa Cook sur la joue puis, sans se presser, se dirigea vers l'escalier de service. Arrivée en haut, au troisième étage, elle s'assit sur son lit et ferma les yeux, essayant de lutter contre le flot de larmes qu'elle sentait monter. C'était trop d'émotion. Pour se réconforter, elle sortit le journal intime de la table de chevet et l'ouvrit à une page qu'elle connaissait bien.

« 22 mars 1846
» Mon bébé a fini par faire son entrée en ce monde, c'est une petite fille que j'ai prénommée Elisabeth comme

la mère de Michael. Elle est née sous un toit, avec de la nourriture dans le garde-manger et un feu de tourbe dans la cheminée. Mais de quoi seront faits ses jours ? Bien que la nourriture soit rare, il sera bientôt temps de planter le jardin. Je planterai des pommes de terre mais j'essaierai d'autres légumes aussi. J'ai entendu dire que le fléau qui a gâché la récolte de pommes de terre a sévi encore plus durement dans l'Ouest que par chez nous. On ne sait toujours pas ce que c'est... Quand je pense au malheur que ce fléau a déjà causé ici, à Wexford. Les propriétaires ont commencé à chasser les paysans les plus pauvres qui louaient leurs terres, et les malheureux errent partout à la recherche de travail et de choses de première nécessité pour vivre. Je suis gâtée d'avoir ce que j'ai. Et j'en suis reconnaissante. »

Grace reposa le petit livre et posa la main sur son ventre. Un bébé poussait-il en elle aussi ? Elle ferma les yeux et pria en silence pour que ce soit *oui*, qu'Edward lui ait laissé un petit peu de lui-même. Tout sourires, elle songea à ce qu'il penserait si elle lui annonçait cette nouvelle. Il avait beau être loin, ils auraient quelque chose de merveilleux qui les relierait, quelque chose qui leur appartiendrait à tous les deux.

Si elle était enceinte, elle le saurait très vite. Et puisque Jane avait donné naissance à son bébé en pleine famine, elle réussirait bien aussi à devenir mère en pleine guerre et à survivre à son tour.

— Le médecin sera là d'ici une heure, murmura Cook. Malcolm et lord Porter se sont enfermés dans la bibliothèque toute la journée pour discuter de la santé de lady Porter. J'ai bien peur, s'ils l'emmènent, qu'on ne la revoie plus jamais.

Grace saisit la main de Cook qui était assise de l'autre côté de la table et la serra.

— Il faut faire quelque chose, dit-elle. Il y a sûrement un moyen de les empêcher de faire ça.

Alors que la guerre faisait rage en Europe, une petite guerre avait éclaté à Porter Hall, avec ses manœuvres secrètes et ses batailles clandestines. Geneva était malade depuis trois mois, maintenant, et Malcolm commençait à s'impatienter de la réticence de son père à la placer dans un établissement spécialisé. Isabelle s'était instituée maîtresse de maison du manoir et, en tant que telle, estimait que le statut social de la famille était sapé par l'état de Geneva.

Plus personne ne leur rendait visite, les invitations aux soirées, réceptions et autres manifestations mondaines avaient cessé de pleuvoir, en conséquence de quoi Isabelle se sentait exclue de la haute société anglaise de Dublin. Personne n'avait pris le soin de lui expliquer qu'avec la guerre qui dévastait leur pays, les amis anglais de la famille avaient sérieusement réduit leurs obligations sociales. De plus, de par son attitude hautaine et avec ses propos méprisants, Isabelle ne s'était pas fait aimer de la population anglo-irlandaise qui avait compris que sa fortune future dépendait de sa souplesse à négocier avec les Irlandais. Les traiter de haut était donc contraire à leurs intérêts.

— Quand ont-ils l'intention de l'emmener ? demanda Grace.

— Malcolm veut qu'elle soit partie avant la fin de la semaine, répondit Dennick. Il faut que nous joignions

Monsieur Edward. Est-il toujours en Angleterre ? Peut-on lui envoyer un télégramme ?

— Je ne sais pas, dit Grace.

Ils étaient mariés depuis trois semaines, maintenant, et Grace n'avait reçu qu'une seule lettre d'Edward, postée de l'hôpital près de Londres. Dennick la lui avait apportée la semaine dernière. Dedans, Edward lui annonçait qu'il allait bientôt embarquer pour l'Afrique du Nord.

— Il est peut-être encore là.

Elle prit un morceau de papier et un stylo et inscrivit l'adresse de l'hôpital.

— Envoie-lui un câble. Dis-lui qu'il y a urgence à la maison et qu'il faut qu'il revienne au plus vite.

— Mais s'il est déjà parti ? dit Cook.

— En ce cas, il faudra qu'on entreprenne une action radicale, dit Grace.

— Mais encore ? insista Dennick, le front creusé par la perplexité.

Elle s'éclaircit la voix.

— Je prendrai lady Porter avec moi et nous irons à Belfast ou à Dublin. Je trouverai un endroit où nous cacher jusqu'à ce qu'elle aille mieux. J'ai un pécule de côté. Je peux tenir cinq ou six mois. D'ici là, Edward se sera manifesté, c'est sûr. Il nous dira que faire ensuite.

La décision de Grace était prise : elles allaient quitter Porter Hall. Trois nuits plus tôt, un Malcolm complètement ivre avait tenté de faire irruption dans sa chambre mais Dennick avait apposé un verrou juste quelques jours auparavant et sa tentative était restée vaine. Grace avait soufflé de soulagement. Mais le soir suivant, quand elle était montée dans sa chambre, elle avait découvert que le loquet avait été dévissé. Cette nuit-là, elle s'était barricadée dans sa chambre en poussant sa commode devant la porte. C'était certain, il allait revenir tenter sa chance et Grace était bien déterminée à ce qu'il se casse le nez quand il reviendrait.

Elle posa la main sur son ventre. Il ne s'agissait plus seulement d'elle, maintenant. Elle aurait dû avoir ses règles et elle n'avait rien vu venir. Peut-être, sans doute était-elle enceinte ? Une grossesse, s'était-elle dit, n'allait pas arranger ses affaires dans la maison. Il était donc plus prudent qu'elle s'en aille. Hier, elle avait adressé une lettre à Edward ; elle lui faisait part de ses intentions et aussi de son espoir de porter son enfant. Et même si, d'abord, elle n'avait pas songé à emmener Geneva avec elle, c'était ce qu'elle allait faire. Parce que c'était la plus sûre façon de les protéger tous : le bébé, Geneva et elle.

— Attendons de voir ce que le médecin va dire, proposa Grace. D'ici là, on n'a qu'à préparer un sac avec des affaires pour Geneva et le cacher dans la remise aux voitures. Si on part, il faudra se sauver au milieu de la nuit. Malcolm et lord Henry seront ivres, comme d'habitude, et quand ils ont bu ils sont sourds. Je pense donc qu'on ne craint rien d'eux. En revanche, il faut se méfier d'Isabelle. Elle passe son temps à rôder partout dans la maison.

— C'est bien, comme projet, dit Dennick en opinant.

Il agita la feuille de papier.

— Je vais descendre en ville en voiture pour envoyer le télégramme à Monsieur Edward.

A cet instant, un bruit sourd contre la porte ébranla la maison. Lentement, Grace se leva.

— Ce doit être le médecin, dit-elle.

Puisqu'il était portier, Dennick sortit de la cuisine

pour aller l'accueillir. Debout, Grace et Cook attendirent son retour en silence. Quelques instants plus tard, il revenait dans la cuisine, une petite enveloppe à la main. Son regard se posa sur Grace, puis sur l'enveloppe et de nouveau sur Grace et encore sur l'enveloppe qu'il serrait très fort dans ses doigts. Le manège dura ainsi quelques secondes interminables. Grace vit Cook plaquer la main sur sa poitrine comme si elle suffoquait. En tremblant, Dennick tendit à Grace la petite enveloppe.

— C'est un télégramme du ministère de la Guerre, dit-il très bas.

Grace sentit la peur l'envahir. Le souffle coupé, les jambes molles, elle commença à défaillir. Cook lui approcha aussitôt une chaise.

— C'est pour moi?

— C'est écrit Mme Edward Porter, répondit Dennick. Je suppose que c'est toi?

Grace retint un sanglot étouffé et fit oui de la tête.

— Prends-le, je ne veux pas le voir.

Puis elle se releva brusquement et arracha le télégramme à Dennick et le jeta vers le feu.

— Il y en avait un autre pour lord Porter. Je le lui ai apporté dans la bibliothèque.

Grace sentit un cri se former au creux de ses entrailles, un cri qui enflait, enflait… Mais elle n'entendit rien. Et puis, tout d'un coup, il s'échappa de sa bouche, si déchirant qu'elle ne put imaginer que c'était elle qui l'avait poussé. Elle s'écroula sur le sol de pierre de la cuisine et pleura. La douleur était si intense qu'elle crut qu'elle allait l'étouffer.

Cook s'agenouilla près d'elle et la serra dans ses bras mais Grace la repoussa violemment. Ce n'était pas possible!

Elle venait de le revoir, de le caresser, de l'embrasser ! Ils avaient fait l'amour et elle l'avait tenu dans ses bras, il était chaud, vivant, merveilleux !

Dennick releva le télégramme froissé et le sortit de l'enveloppe.

« Le ministère de la guerre de Sa Majesté a le regret de vous informer que le lieutenant Edward Porter est porté disparu et présumé mort. Le navire de transport de troupes, *HMS Wildemoor*, a été touché par une torpille allemande dans l'Atlantique Nord le 3 octobre 1942. Il a coulé. Les survivants ont été secourus le lendemain. Le lieutenant Edward Porter n'est pas au nombre des rescapés. Nous vous adressons nos plus sincères condoléances. »

Brisée, Grace se balançait d'avant en arrière en gémissant, noyant de ses pleurs les dalles de pierre. Sous ce torrent de larmes intarissable, elle dérivait sur une mer de souffrance, poussant une douce plainte lancinante.

Il faisait tellement attention à ne pas prendre de risques. Il était si prudent. Jamais elle n'avait envisagé qu'il pourrait être tué à la guerre, encore moins sur le bateau… Des images d'une précision effrayante se mirent à se bousculer dans sa tête. Refusant de les voir, elle pressa les doigts sur ses tempes pour les chasser.

Une pluie de feu et l'eau glacée. Des profondeurs insondables et sombres et puis le noir total. Lequel, du feu ou de l'eau, lui avait ravi son mari ? Sa dernière pensée avait-elle été pour elle ? Un nouveau sanglot secoua son corps supplicié. Il ne saurait jamais qu'il allait être père. La lettre qu'elle lui avait écrite devait traîner encore quelque part en Irlande.

— Viens, dit Cook en tentant de la relever. Dennick va te monter dans ta chambre et je vais t'apporter du thé.

Grace essaya de monter l'escalier mais ses jambes étaient sans forces. Dennick la prit dans ses bras et la porta jusqu'en haut de l'escalier. Là, il alla vers sa chambre et la déposa doucement sur son lit. Assis près d'elle, il lui caressa le front.

— Je ne peux pas me mettre à ta place, dit-il à voix basse. Je ne peux pas savoir ce que tu ressens mais je sais une chose, c'est qu'Edward t'adorait. Et cet amour ne mourra pas parce que l'un de vous n'est plus là. Tu dois t'accrocher à tes sentiments pour traverser cette épreuve.

— Comment puis-je continuer sans lui ? dit-elle. Nous étions faits pour nous aimer toujours, pour vieillir ensemble tous les deux.

— Il ne vieillira pas, dit Dennick avec un sourire. Dans ton esprit et dans ton cœur, il sera toujours le beau jeune homme qui t'a appris à monter à cheval et à conduire. Le garçon qui sculptait des petits animaux pour toi.

Les pleurs redoublèrent. Dennick se pencha sur elle et l'embrassa sur le front.

— Cook ne va plus tarder avec son thé. Je vais descendre et voir ce que lord Porter et Malcolm sont en train de faire.

— Geneva, dit Grace, serrant la main de Dennick. Il ne faut pas lui dire la vérité. Pas maintenant. Elle ne s'en remettrait jamais.

— Je ne pense pas qu'ils se débarrassent d'elle dans un avenir proche. Cela ferait mauvais effet et Isabelle est beaucoup trop attachée aux apparences.

Grace regarda Dennick se diriger vers la porte. Une fois

seule, elle se tourna sur le côté et fixa l'étagère encombrée des petits sujets qu'Edward avait sculptés pour elle.

Brusquement, elle se leva du lit, attrapa le petit lapin aux oreilles cassées et le serra dans sa main.

Elle voulait revenir en arrière, retrouver l'époque où ils étaient si jeunes et où la vie était si simple. Peut-être qu'en le désirant très fort, cela serait possible ? Alors, elle ferait tout pour l'écarter de son destin funeste. Elle ferma les yeux, serra très fort les paupières pour se concentrer sur cet espoir. Mais quand elle les rouvrit, elle se trouvait toujours dans la mansarde minable sous les toits.

Elle s'assit au bord du lit, ouvrit le tiroir de sa table de nuit. Elle en sortit le journal intime et en tourna les pages jusqu'au feuillet qu'elle avait lu et relu des centaines de fois.

« 7 août 1846

» Michael est mort. J'écris ces trois mots mais je ne peux pas encore le croire. Une lettre est arrivée ce matin écrite par John Cleary. Il a commencé par envoyer une lettre à ses parents avec mission de me la remettre mais avec la famine ils sont partis eux aussi pour l'Amérique. Alors il en a envoyé une autre dans laquelle il me dit que mon mari est mort depuis presque un an. Michael a été emporté par une fièvre terrible après trois semaines de traversée. Comme cela se fait quand on est embarqué à bord d'un navire, son corps a été jeté à la mer. Pendant tout ce temps, je l'ai imaginé en Amérique, travaillant dur pour nous envoyer de l'argent à moi et à Elisabeth. Au lieu de ça, il nous regardait du ciel. Il aurait pu m'envoyer un signe, peut-être ? J'attendais un mot de lui et voilà qu'une mauvaise nouvelle est arrivée à la place et je ne supporte pas de l'entendre. Dieu ait pitié de nous. »

17

Grace pleura tellement que ses larmes finirent par se tarir. Epuisée, elle resta étendue sur son lit jusqu'à ce que toute la maison sombre dans le silence, le petit lapin serré dans la main. Elle se moquait de savoir si les autres avaient du chagrin. Qu'est-ce que cela lui aurait apporté ? Elle était la seule à aimer Edward de toute sa force, de tout son cœur, comme il le méritait.

Elle ferma les paupières et essaya de dormir mais des bruits bizarres et des images infernales tournaient dans sa tête. A un moment, elle crut qu'il était là, près d'elle, et elle fit un bond dans son lit, tâtonnant partout pour le trouver dans l'obscurité. Cook était venue dans sa chambre avant qu'elle ne se couche et s'était assise à côté d'elle pendant un petit moment mais Grace n'avait rien entendu de ce qu'elle lui disait. De toute façon, aucun mot ne pouvait soulager sa souffrance.

Elle se concentra sur sa respiration, inspira, expira, plusieurs fois de suite. Elle adressa prière sur prière au Seigneur pour tenter de le convaincre qu'il avait fait une erreur, que c'était le mari d'une autre femme qu'il avait voulu reprendre et non le sien. Edward était peut-être vivant quelque part, simplement ils ne l'avaient pas trouvé. Il devait être accroché à un morceau de l'épave et flotter. Ou bien peut-être avait-il échoué sur un rivage éloigné ?

Peut-être aussi n'avait-il pas embarqué? Elle allait le voir apparaître d'un instant à l'autre. Il ouvrirait la porte, traverserait la pièce et tout redeviendrait comme avant.

Les gonds de sa porte craquèrent. Grace s'assit sur le lit, et dégagea les cheveux de ses yeux.

— Edward?

Une silhouette grande et maigre se tenait dans l'embrasure de la porte. Elle se détachait en ombre chinoise sur la lumière du couloir. Grace se frotta les yeux.

— C'est toi?

— Tu attends Edward? Tu ne doutes de rien!

Au son de la voix de Malcolm, un frisson la parcourut des pieds à la tête. Il referma la porte derrière lui. D'un bond, elle se leva, se cogna dans la commode en reculant.

— Sortez, dit-elle. Sortez d'ici ou je crie.

Au début, elle crut que la menace allait l'effrayer mais elle vit qu'elle se trompait. Au lieu de s'enfuir, il traversa la chambre dans sa direction. Avant qu'elle ait eu le temps de reprendre son souffle, il l'avait attrapée et lui plaquait la main sur la bouche.

— Je crois qu'il vaut mieux que nous trouvions un terrain d'entente, dit-il tout bas, lui soufflant au visage son haleine avinée. Sinon, je te rejette à la rue. Tu sais comment on vit sur le trottoir, tu en viens.

Il ricana.

— Néanmoins, je ne tiens pas à ce que les choses tournent mal pour toi. Ce serait dommage, n'est-ce pas, d'en arriver à une telle extrémité? Voilà, moi, je te propose un gentil petit arrangement où chacun de nous pourra trouver son compte.

Il la poussa vers le lit.

— Si tu es d'accord pour réfléchir à ma proposition, fais-moi oui de la tête. Sinon, on y arrivera d'une autre façon.

Nouveau ricanement.

Grace essaya de garder son calme. Malcolm était ivre. Elle avait cet avantage sur lui, elle était parfaitement sobre. Il ne connaissait pas bien la chambre et il avait toujours sous-estimé son intelligence et sa volonté. Il était inutile de le provoquer, encore plus inutile de l'attaquer de front. Mieux valait lui faire croire qu'elle acceptait et, ensuite, se débrouiller pour lui échapper.

Lentement, elle hocha donc la tête.

— Tu m'assures que tu ne vas pas crier?

Grace hocha une nouvelle fois la tête.

Malcolm enleva sa main de la bouche de Grace mais continua de la tenir par la taille. Il la serrait contre lui, faisait courir sa main libre sur son ventre, ses hanches, sa poitrine, pressait son ventre contre le sien.

— Je suis heureux que tu comprennes qui commande ici.

— Vous avez dit qu'on pourrait trouver un terrain d'entente, murmura Grace. A quoi est-ce que vous pensiez?

Il s'esclaffa, un rire gras d'alcoolique qui glaça Grace jusqu'aux os.

— J'ai toujours su que tu n'étais qu'une fille cupide et avide, une petite putain qui cherchait la bonne affaire. Maintenant qu'il n'y a plus d'Edward, je suppose que je suis la prochaine cible. L'argent, c'est ça que tu veux, dis-le!

— Quoi encore? dit Grace.

Il la fit pivoter sur elle-même et la serra de nouveau contre lui.

— Je pense qu'on peut trouver un accord. Tu me donnes ce que je veux et je te donne ce que tu veux.

— Il faudrait peut-être commencer par se mettre d'accord sur ce qu'on veut, dit Grace en lui caressant la poitrine.

Comme il desserrait son étreinte, elle recula d'un pas en s'arrangeant pour qu'il continue de regarder la main qu'elle promenait sur lui. Si elle réussissait à mettre suffisamment de distance entre eux, elle pourrait peut-être courir à la porte. Une fois dans le couloir, elle crierait, et Cook et Dennick accourraient aussitôt. Ce serait l'affaire de quelques secondes.

Elle posa la main sur le premier bouton de sa chemise et le taquina un moment, puis, doucement, poussa Malcolm sur le lit où il tomba assis. Il était déjà plus détendu. Grace n'avait plus qu'à tenter sa chance. Inspirant à fond, elle plongea vers la porte. Hélas ! Malcolm avait anticipé sa fuite, la rattrapa à la porte et lui agrippa le poignet.

Cette fois, il n'était plus gentil du tout. Plaquant de nouveau la main sur la bouche de Grace et sur son nez, il la souleva et la bascula sur le lit. Se débattant comme elle pouvait pour reprendre son souffle, elle le griffa aux bras — mais cette brute ne sentait rien, apparemment. A ce moment, son regard tomba sur le plateau du thé sur sa table de nuit. Posé sur la serviette en lin, il y avait un couteau. Grace se contorsionna, parvint à l'atteindre. Mais, privée d'air, elle sentit qu'elle commençait à perdre conscience.

Enfin, ses doigts se saisirent du manche. Sans hésiter, elle planta la lame dans les côtes de Malcolm, une fois, deux fois. Un grognement sourd monta dans la chambre. Malcolm lâcha aussitôt prise et s'effondra complètement sur le lit. A la limite de l'asphyxie, Grace se releva en titubant.

Le sang giclait de la blessure. Malcolm avait les yeux hagards et ne réussissait pas à se lever. Affolé, il regardait et tâtait le couteau planté dans son corps.

La panique saisit alors Grace. Que faire, mon Dieu, que faire ?

Le mieux, c'était d'appeler à l'aide mais elle savait ce qui se passerait. Malcolm rejetterait la faute sur elle et elle irait en prison. Il fallait agir autrement. Très vite, elle rassembla ses pauvres affaires et les noua dans son tablier. Le journal intime et son passeport avec son certificat de mariage plié dedans à la première page, son chéquier, la petite pochette de soie dans laquelle se trouvaient les grenats qu'Edward lui avait offert et sa collection de figurines de bois sculpté qui se trouvait sur la petite étagère.

Une fois ramassé tout ce qui était important pour elle, elle regarda vers le lit. Les yeux de Malcolm étaient fermés et sa respiration était laborieuse. Sa chemise était gorgée de sang sur le côté et la couverture était toute tachée.

Grace alla à reculons jusqu'à la porte sans cesser de le regarder, s'attendant à ce qu'il lui saute dessus encore une fois. Mais il ne bougeait pas. Elle se glissa furtivement dans le couloir, hésita à réveiller Cook ou Dennick mais, décidant qu'il valait mieux éviter, passa devant leurs chambres sans s'arrêter et dévala les trois étages d'escalier. Elle avait fait ce qu'elle devait faire. Si c'était un meurtre, eh bien, c'en était un ! Elle n'avait fait que se défendre et défendre le bébé d'Edward !

Elle traversa toute la maison en courant, serrant son tablier devant elle. Quand elle arriva dehors, elle se demanda ce qu'elle allait faire. Si elle prenait en direction du village, on la rattraperait tout de suite. Il y avait un autobus qui traversait le village en direction de Dublin toutes les trois ou quatre heures mais jamais si tard le soir. Etait-ce raisonnable d'attendre que le jour se lève ?

Elle délaça son tablier et en fit un baluchon qu'elle noua avec les deux lanières de la ceinture. A cet instant, elle prit conscience qu'elle n'avait pas un shilling sur elle pour monter dans le car. Elle ferma les yeux et inspira une grande bouffée d'air. Il ne lui restait qu'à retourner à Porter Hall afin de voler un peu de monnaie.

La pierre près de la clôture lui revint alors à la mémoire. Autrefois Edward y avait caché un peu d'argent pour elle, jusqu'à ce qu'il commence à l'envoyer à Dennick. Il devait y avoir quelques pennies dans la petite boîte en fer, assez peut-être pour faire le voyage jusqu'à Dublin. Il avait placé la carte dans le râteau à foin des écuries.

Grace soupira et traversa le jardin en courant.

Arrivée aux écuries, elle trouva une petite lanterne dont elle alluma la mèche. La lumière jetait des ombres fantomatiques sur les vieux murs de pierre. Elle passa devant le box de Violette, se détourna quand elle vit la pouliche tendre la tête par-dessus la porte pour recevoir son morceau de sucre habituel. Ce n'était pas le moment d'être sentimentale. De tout ce qu'elle laissait derrière elle, Violette était la *chose* la moins grave.

Grace trouva la carte à l'endroit précis où Edward l'avait laissée. Elle déroula la feuille et enregistra ce qui était écrit.

— Trois pierres vers le bas, puis six pierres à l'horizontale, murmura-t-elle.

Il avait toujours promis de la protéger. Comment allait-il pouvoir le faire maintenant, après ce qu'elle avait fait à Malcolm ?

Elle toucha le médaillon qu'elle portait sous sa blouse et le porta à sa bouche.

— L'amour triomphera, murmura-t-elle.

Dans un mouvement de rage, elle tira dessus ; la fine lanière de cuir se cassa facilement. L'amour n'avait pas triomphé et ne triompherait jamais. Elle n'était qu'une sotte d'avoir cru dans cette baliverne.

Dorénavant, elle laissait son enfance et sa jeunesse pour toujours derrière elle, ainsi que les rêves qu'elle avait faits pour Edward et pour elle. Elle enveloppa le médaillon dans la carte et remit le tout dans la cachette. Elle avait aimé un seul homme dans sa vie, n'en aimerait qu'un seul et cet homme était mort. Il était temps de penser à elle.

A la lumière de la lanterne, elle avança jusqu'à la clôture. Dans la nuit, toutes les pierres se ressemblaient mais elle trouva tout de suite celle qui était marquée d'un point rouge. Elle compta alors trois vers le bas puis six horizontalement. La lanterne posée à ses pieds, elle agrippa la pierre de toutes ses forces pour la sortir de son logement mais elle résista.

Elle insista et, subitement, la pierre qui refusait de bouger glissa hors du mur. Grace enfonça la main dans le trou et toucha la petite boîte de fer. Elle la sortit, souleva le couvercle, soupira. Elle était pleine d'argent, cent livres sterling au moins, peut-être plus. Elle referma la boîte et la mit dans son baluchon avec ses autres trésors.

Elle avait largement de quoi aller à Dublin maintenant,

peut-être même jusqu'à Belfast. Elle trouverait bien un moyen de semer la police et de recommencer une nouvelle vie dans un nouvel endroit. Toutes ses affaires rassemblées, Grace retraversa le jardin. La voiture d'Edward était toujours garée dans la remise. Elle n'avait qu'à la prendre pour se rendre à Dublin et l'abandonner une fois à destination. Après tout, elle était sa femme. Et ce qui lui appartenait lui appartenait à elle aussi.

Ce n'est qu'après avoir conduit jusqu'à la grand-route que Grace soupira. Alors seulement elle réalisa ce qu'elle avait fait. Les coups qu'elle avait assenés à Malcolm avaient été fatals. Ils avaient mis un point final à sa vie de coureur alcoolique mais aussi à la sienne, telle qu'elle la vivait avant.

Les larmes lui montèrent aux yeux mais elle les essuya d'un revers de main. Ce n'était pas le moment de perdre ses nerfs. Tout ce qu'elle avait connu était à Porter Hall, tous les souvenirs qu'elle chérissait. Sa mère, Edward, Cook et Dennick, Geneva, toutes les personnes qu'elle avait tant aimées. Maintenant, plus personne n'était là, elle n'avait plus personne.

Grace retint son souffle.

Tous sauf un…

Elle posa la main sur son ventre pour se rassurer. Son bébé était toujours là, le bébé d'Edward. Ils se construiraient une vie tous les deux mais, cette fois, Grace ne permettrait pas que ce soit le sort qui décide de leur avenir. Elle ferait tout, absolument tout, pour que leur vie soit un chemin de roses, sûr, calme, sans danger.

*
* *

La cathédrale respirait la sérénité ; seuls quelques pas étouffés rompaient parfois le silence. Agenouillée sur un prie-Dieu, tête baissée, mains jointes, Grace priait. Cela faisait à peine deux jours qu'elle était à Dublin et déjà elle se rendait compte qu'elle allait avoir du mal à vivre seule. Pire, même, que ce serait quasiment impossible.

Avec l'argent qu'elle avait accumulé à la banque, elle pourrait tenir six ou sept mois au plus sans travailler. Cela aurait été suffisant si Edward avait été en vie. Il lui aurait fait parvenir une partie de sa solde et elle aurait annoncé à sa famille qu'ils s'étaient mariés. A l'époque, ils auraient pu le faire mais, aujourd'hui, elle ne pouvait plus. Personne ne l'embaucherait sans références.

Elle était donc venue à la cathédrale de Notre-Seigneur-Jésus-Christ pour se recueillir et prier, dans l'espoir que l'esprit de sa mère et celui de son défunt mari l'écouteraient et la guideraient.

— Je vous salue Marie pleine de grâces, le Seigneur…, murmura-t-elle. Vous êtes bénie entre toutes les femmes, et Jésus…

Elle ravala ses larmes, ce qui lui fit mal. C'était comme si elle avait eu une boule coincée dans la gorge. Elle se sentait plus proche d'Edward ici, en ce lieu où ils étaient venus ensemble quand ils avaient fait le voyage à Dublin. Mais cela ne diminuait en rien son chagrin. Comme des souvenirs lui remontaient à la mémoire, un sanglot lui échappa et elle se remit à pleurer toutes les larmes de son corps. Elle se rappelait la dernière fois qu'elle l'avait vu, elle se rappelait quand elle l'avait embrassé sur le quai de Belfast et l'avait regardé s'en aller.

Pourquoi ne l'avait-elle pas regardé avec plus d'attention encore ? Pourquoi n'avait-elle pas pensé qu'elle ne le reverrait peut-être jamais plus ? Ils étaient tous les deux si gamins, préférant ignorer les réalités de la guerre pour vivre leur conte de fées. Il y avait encore tellement de choses qu'elle avait à lui dire, tellement de paroles qui resteraient à jamais inexprimées.

Soudain, Grace sentit la présence d'une main sur son épaule. Surprise par ce contact, elle se retourna. Un soldat était assis derrière elle.

— Je… je m'excuse, dit-elle, d'une voix timide. Je vous ai dérangé ?

— Ça va ? demanda-t-il. Je peux faire quelque chose pour vous ?

C'était un Américain. Cela s'entendait à son accent.

Elle secoua la tête.

— Non, ça va.

— Voulez-vous que je vienne m'asseoir à côté de vous un moment ?

Elle se sentait si seule ces derniers jours, si abandonnée… Ce ne serait pas désagréable d'avoir quelqu'un à qui parler.

Il fit le tour du banc et s'assit sur le banc à côté d'elle. Ils restèrent ainsi un moment, assis à côté l'un de l'autre, en silence, le regard fixé sur l'autel en haut des marches, dans le chœur.

— Je m'appelle Adam, dit-il tout d'un coup. Adam Callahan.

— Moi je m'appelle Grace. Grace Byrne.

Elle marqua un temps d'arrêt. Non, pas Byrne. Porter. Elle n'avait encore jamais eu l'occasion de se présenter sous son nom de femme mariée. D'ailleurs, avait-elle vraiment été mariée ? Une cérémonie à la sauvette dans un bureau d'état civil de Belfast et une nuit dans un hôtel, pouvait-on appeler cela un mariage?

— Pourquoi êtes-vous si triste, Grace Byrne? Je peux peut-être faire quelque chose pour vous?

Elle brûlait d'envie de lui parler d'Edward, de l'homme qu'elle avait tant aimé et qu'elle aimerait toujours de tout son cœur, de leur vie ensemble. Mais son cœur était trop lourd, la blessure trop fraîche et trop vive. Pleurer et s'effondrer devant un parfait inconnu aurait été humiliant pour elle, et embarrassant pour lui.

— Je… j'ai perdu mon emploi, bafouilla-t-elle. J'en cherche un autre mais personne ne veut m'embaucher.

— Que faites-vous?

— Je travaillais comme domestique dans une maison de maîtres. J'étais lingère et dame de compagnie de la maîtresse de maison. J'aidais aussi aux cuisines.

Elle sourit tristement.

— Je vois que vous êtes soldat.

— Je suis ingénieur du génie. Je construis des ponts et des routes. Je suis stationné à Belfast mais je dois bientôt rejoindre le continent. Je suis venu à Dublin pour visiter la ville. Mes grands-parents sont nés ici. Pas à Dublin, mais en Irlande.

— Ah! Vous ne pleurez pas quelqu'un, alors?

— Non. Ma petite amie a rompu avant que je parte. Elle pensait que j'allais la demander en mariage à la fin de mes études mais au lieu de ça, je lui ai annoncé que je m'engageais.

Grace se tourna vers lui pour le regarder avec plus d'attention. Il avait les cheveux noirs, comme Edward, et les yeux bleus. Mais alors qu'Edward avait les traits fins, un peu sévères et aristocratiques, Adam Callahan avait un visage un peu enfantin et souriant.

— Je suis désolée, dit-elle. A propos de la fille.

— Ce n'était pas la bonne, murmura Adam. Je pense que la bonne, je ne l'ai pas encore trouvée. Elle doit être quelque part mais je ne sais pas où ; en tout cas, ce n'est pas dans les baraquements avec cinquante soldats autour de moi que je la trouverai.

— Vous finirez par la trouver un jour, répondit Grace.

Il balaya des yeux l'intérieur de la cathédrale.

— C'est une belle église. On a des églises comme celle-là chez nous, à Boston. Pas aussi anciennes, évidemment. Ma mère sera heureuse d'apprendre que je suis allé à l'église au moins une fois pendant que j'étais ici.

— Vous savez que ce n'est pas une église catholique ici ? dit Grace.

— Ah bon ?

Elle hocha la tête et rit doucement. Elle ne reconnut pas sa voix mais c'était bon de rire, c'était comme un baume sur une blessure béante. Cela faisait du bien.

— C'est une église anglicane. L'Eglise d'Angleterre.

— Ah ! Alors ça ne va pas faire l'affaire. Savez-vous s'il y a une église catholique quelque part dans le coin ?

— Il y a Saint-Audoen. On voit son clocher d'ici. C'est la plus ancienne église d'Irlande. Elle date du XXᵉ siècle. Et il y a un enclos tout autour avec une porte qui donne sur la vieille ville. Il y a encore des murs debout.

— Dites-moi, vous êtes très calée.

Grace secoua la tête.

— Non. C'est simplement que j'y suis allée hier pour prier et ils distribuent des dépliants aux touristes.

Adam rit, un bon rire franc, sonore, qui résonna dans toute la cathédrale. Très vite il plaqua la main sur sa bouche pour étouffer son rire.

— J'ai encore quelques jours à passer à Dublin, chuchota-t-il. Je ne connais pas âme qui vive ici. Ça vous dirait de visiter la ville avec moi? On pourrait regarder si on trouve d'autres églises catholiques. Je ne voudrais pas partir à la guerre sans avoir mis le Bon Dieu dans ma poche.

Grace commença par hésiter puis accepta. Après tout, avoir quelque chose à faire qui la distraie de son chagrin, ce ne serait peut-être pas si mal.

— Je pensais aller à Belfast, dit-elle. Je trouverai peut-être du travail là-bas. Les Anglais cherchent tout le temps des domestiques.

Comme ils sortaient de la cathédrale, Grace observa l'homme qui marchait à côté d'elle. Il était gentil et intelligent — et beau, par-dessus le marché. Il n'avait personne dans sa vie, rien ne lui interdisait de tomber amoureux. Elle, de son côté, n'avait pas de toit, elle avait peu d'argent et un bébé qui germait en elle.

Adam Callahan lui offrirait peut-être un abri. Il lui offrirait peut-être la sécurité et un moyen de quitter l'Irlande avant que la police ne lui mette la main dessus. Elle ne voulait pas accoucher dans une prison irlandaise. Non! Elle ferait tout ce qui serait en son pouvoir pour leur éviter à tous les deux, son bébé et elle, les barreaux d'une geôle.

— C'est comment Boston? dit Grace en sortant en pleine lumière.

Aveuglée par le soleil qui brillait sur Dublin en ce bel après-midi, elle cligna des yeux.

— Je crois savoir qu'il y a beaucoup d'Irlandais là-bas.

18

EMMA

« *6 novembre 1846*

» *Je suis seule dans ce lieu étranger et terrible que j'appelais autrefois mon chez moi. Je regarde partout autour de moi et je ne reconnais rien qui puisse mettre un sourire sur mes lèvres ou m'inspirer une pensée heureuse. Je ne vois que peine, chagrin, désespoir — et la faim. Oui, la faim. Les gens errent dans les rues, sans autre but que de trouver quelque chose à manger ou un endroit où s'allonger pour mourir. Une fois de plus, la récolte est anéantie. Tous nos espoirs d'un avenir meilleur sont ruinés et la famine qui a débuté il y a un an continue. Le fléau s'est étendu à tout le pays et il n'y a pas une pomme de terre qui n'ait pas été contaminée. Le mildiou a tout dévasté. Le gouvernement ne nous vient pas en aide ; les Britanniques disent que les Irlandais n'ont qu'à organiser leurs comités de secours et que nous n'avons qu'à nous entraider. Mais qui peut faire l'aumône d'un shilling à son voisin ? Personne. Personne n'a un penny à donner. Je crains qu'aucune aide ne nous parvienne jamais et que nous ne mourions tous. Que Dieu ait pitié de nous.* »

*
* *

— Bien… Je ne vois pas ce qu'il espère que nous fassions d'elle. Elle ne peut pas s'installer ici avec nous. Maintenant qu'il l'a épousée, il n'a qu'à lui procurer un toit.

Theresa Callahan baissa la voix d'un ton mais le verbe était encore assez haut pour que Grace entende depuis le petit salon où elle était assise.

— Quant à ce bébé, qui lui dit qu'il est de lui?

Grace regarda son ventre rebondi. A sept mois maintenant, ses rondeurs se voyaient sous sa robe de grossesse. Elle s'attendait à un accueil mitigé de la part de la famille d'Adam mais quand même pas à cette hostilité déclarée.

Adam et elle s'étaient mariés à Belfast une semaine après s'être rencontrés. Elle avait répété les mêmes vœux qu'elle avait prononcés pour son mariage avec Edward dans la salle voisine. Pour Adam, cette histoire était un coup de foudre. De son côté, Grace se taisait et ne l'avait pas détrompé. Dès l'instant où elle l'avait vu, sa décision avait été prise : Adam Callahan était l'homme providentiel qui l'aiderait et les sauverait, elle et son bébé. Il lui donnerait un toit et il serait un père pour son enfant.

Elle avait prévu de rester à Belfast pendant toute la durée de la guerre. Adam embarquerait pour le continent, comme il l'avait dit, et lui enverrait une partie de sa solde pour qu'elle puisse louer une chambre dans une pension de famille. Tout s'était parfaitement enchaîné jusqu'à ce qu'elle lui adresse la fameuse lettre. Mais il le fallait bien. Elle lui annonçait, deux mois après leur mariage, qu'elle était enceinte de… son enfant.

A la suite de ce courrier, elle n'avait plus entendu parler de lui pendant deux mois — et puis, un jour, il était arrivé à sa porte, armé d'une permission d'une semaine, rayonnant de fierté. Grace avait joué la comédie à merveille, lui avait dit son bonheur à l'idée qu'ils soient bientôt parents, que rien n'aurait pu la rendre plus heureuse...

La bonne nouvelle avait bientôt pris un goût amer et ils s'étaient disputés. Car Adam insistait pour qu'elle trouve le moyen de venir vite en Amérique afin que leur enfant puisse naître là-bas. Mais Grace ne voulait pas quitter Belfast. Elle avait fini par y trouver la vie plutôt confortable, elle y avait pris ses habitudes et était maintenant certaine que les autorités ne la retrouveraient plus. Elle ne risquait donc rien à rester sur place.

Leur conversation avait dégénéré et fini en franche querelle. Les arguments de Grace étaient imparables : tout le monde s'accordait à reconnaître les difficultés qu'il y avait à traverser l'Atlantique sans autorisation particulière, par ces temps troublés. Il y avait bien les avions de ligne mais Grace ne voulait même pas en entendre parler. Quant aux navires de guerre, ils risquaient de se faire bombarder pendant la traversée ou de recevoir la torpille d'un sous-marin allemand croisant au large ou même tout près des côtes.

Adam avait donc quitté Belfast sans trouver de solution à leur désaccord et Grace avait été soulagée. Elle donnerait naissance au bébé d'Edward sur le sol irlandais comme elle le souhaitait.

Mais un mois plus tard, elle recevait une autre lettre de son mari dans laquelle il lui expliquait en détail les dispositions qu'il avait prises pour son transport...

C'est à cette occasion qu'elle avait appris que le père

d'Adam Callahan était le parlementaire Jack Callahan, de Marlborough dans le Massachusetts, politicien américain d'origine irlandaise, entretenant des liens étroits avec l'armée.

D'après ce qu'écrivait Adam, son père avait usé de son influence pour obtenir une place pour elle sur le navire-hôpital qui ramenait aux Etats-Unis les soldats blessés en Europe.

Grace avait failli se sauver une nouvelle fois. Elle était prête à emporter les quelques biens et le peu d'argent qu'elle avait pour disparaître en Angleterre ou en Ecosse ! Seulement voilà…, son bébé avait commencé à bouger et elle avait bien dû admettre que partir dans ces conditions présentait un réel danger pour elle et son enfant. Alors, elle avait attendu…

Et, début avril, elle avait embarqué à Belfast à bord d'un navire en partance pour New York, son nouveau pays.

Tandis que, debout sur le pont, dans les frimas d'une fin d'hiver rude, elle regardait se dresser la statue de la Liberté, ses pensées n'allaient pas à son nouveau mari et au foyer qu'ils allaient créer en Amérique : elles étaient toutes tournées vers Edward. Lui aussi avait fait ce voyage. Il avait admiré la statue, s'était émerveillé devant le spectacle des gratte-ciel ruisselant d'or et d'argent sous le soleil du petit matin. Que de fois ils avaient évoqué les aventures qu'ils partageraient ! Hélas ! aujourd'hui, ce voyage, loin d'être une belle aventure, était celui de la peur et de l'appréhension. Grace se sentait une étrangère dans un monde inconnu.

— Tu ne trouves pas curieux qu'il ne nous ait jamais écrit pour nous parler de cette fille ?

Grace ferma les yeux et s'adossa à la porte du salon. Elle

était censée dormir mais elle était descendue chercher quelque chose à manger pour se caler l'estomac. Comme c'était bizarre de ne pas entendre les inflexions mélodieuses de l'anglais parlé par les Irlandais. Les Américains avaient un ton si monocorde qu'ils donnaient l'impression de s'ennuyer à mourir quand ils parlaient.

Grace reconnut tout de suite la voix de Theresa, la sœur aînée d'Adam, un filet de voix haut perchée, geignard, reconnaissable entre tous et qui lui portait déjà sur les nerfs. A l'instant où elles s'étaient dit bonjour pour la première fois, Grace avait lu sur le visage de la jeune femme un tel mépris qu'elle en avait eu froid dans le dos. Pour elle, cela ne faisait aucun doute, le mariage d'Adam avec une Irlandaise était la pire des choses.

Verna, la mère d'Adam, ne manifestait guère plus d'enthousiasme. Quand ils étaient venus la chercher au débarcadère, à New York, elle l'avait détaillée de ses petits yeux soupçonneux piqués de chaque côté d'un nez long et idiot. Grace l'avait laissée la toiser sans mot dire.

— De toute façon, aucune des filles que ton frère aurait pu épouser ne t'aurait plu, dit Verna qui dressait le couvert avec sa fille. Ce qui est fait est fait. Essayons de composer. Tant qu'elle ne met pas la famille dans des situations embarrassantes, je ne dirai rien.

— Tu te rappelles quand même qu'il devait épouser Francine, dit Theresa. Avec elle, au moins, j'aurais eu une sœur. De plus, Francine est comme nous. Elle fait partie de notre milieu.

— Tu oublies que c'est Francine qui a rompu avec ton frère avant son départ. Ce n'est pas lui.

— Elle l'aime toujours, c'est elle qui me l'a dit. En fait, elle lui en a voulu de s'être engagé sans même lui en parler avant. Elle lui a écrit six lettres et il n'a jamais répondu.

— Evidemment ! Puisqu'il est marié, maintenant ! J'espère qu'il saura honorer le vœu qu'il a prononcé, quelle que soit la femme envers laquelle il s'est engagé.

— J'ai rêvé ou elle a dit qu'elle était domestique avant de rencontrer Adam ? Cuisinière, ou lingère, je ne sais plus très bien. Papa est aux anges, évidemment, encore que je me demande bien pourquoi.

— Le district qui l'a désigné est constitué en majorité d'Irlandais, expliqua Verna. Grace est un atout capital, pour lui, et aussi pour Adam s'il désire se présenter aux élections. Une petite prolétaire irlandaise qui s'est élevée, on ne peut pas rêver mieux.

Theresa, dédaigneuse, ricana.

— Elle ne vaut pas ça.

Elle insista en grommelant.

— Je ne sais pas comment on va faire pour l'emmener aux réceptions de Washington. Elle va détonner. Elle est tellement… ordinaire. Et ces vêtements ! Tu as vu comment elle s'habille ! Décidément, ces Irlandais n'ont aucun sens de la mode. En fait, je pense qu'elle coud ses vêtements elle-même.

Grace entendit la porte à double battant cogner, les voix s'évanouirent, les deux femmes étaient parties vers la cuisine. Lentement, elle fit le tour du petit salon, examinant attentivement les photos accrochées aux murs. La maison n'était pas aussi imposante que Porter Hall mais elle jouissait d'une décoration beaucoup plus raffinée. Les accessoires et les rideaux étaient neufs, à l'inverse de ceux de Porter Hall qui étaient vieux et défraîchis quand ils n'étaient pas déchirés. Cela ne faisait pas de doute, les Callahan étaient aisés et n'avaient pas peur de le montrer.

Elle s'approcha du piano à queue, s'assit sur le tabouret et laissa ses doigts courir sur le clavier. Un petit sourire au coin des lèvres, elle attaqua une sonate assez complexe de Bach qu'elle avait jouée de multiples fois à Geneva. Ses doigts dansaient sur les touches et elle fut surprise de voir qu'elle n'avait pas oublié le morceau.

Quelques instants plus tard, Verna et Theresa apparaissaient sur le seuil du salon. Aussitôt, Grace s'arrêta à mi-phrase et reposa les mains sur ses cuisses.

— Je ne vous gêne pas, j'espère ? dit-elle. Ce piano est très beau.

Elle regarda Theresa.

— Tu joues ? On pourrait jouer à quatre mains ?

— Non, répondit Theresa, la bouche pincée. Je ne joue pas. Mais… je croyais que tu te reposais.

Grace se leva.

— Je n'arrivais pas à dormir. J'ai tout le temps faim, maintenant.

— Theresa, va demander à Livvy de nous faire du café, dit Verna à sa fille. Dis-lui de nous apporter des biscuits et le pain à la banane qu'elle a confectionné. Nous ne passons pas à table avant 19 heures, j'espère que cet en-cas te permettra de tenir jusqu'au dîner, ajouta-t-elle en se tournant vers Grace.

— A vrai dire, je ne bois pas de café, dit Grace. Mais si je pouvais avoir du thé…

— Du thé, marmonna Theresa. Je vais voir s'il y en a.

Sur ces mots, elle sortit, laissant sa mère avec Grace. Tout de suite, Verna s'approcha du piano.

— Tu joues bien, dit-elle.

— Merci, répondit Grace.

Elle savait que Verna brûlait d'envie de savoir comment une petite bonne irlandaise avait fait pour apprendre le piano, mais elle n'était pas disposée à le lui dire.

— Et vous, vous jouez?

Verna hocha la tête.

— Le piano sert quand nous donnons des réceptions. Nous recevons beaucoup, dîners, cocktails... C'est important pour la carrière politique de mon mari.

Verna passa derrière Grace qui prit une photo encadrée posée sur le piano. Grace reconnut tout de suite Adam et Theresa, adolescents. Il y avait un troisième personnage sur la photo. Un garçon.

— Je ne savais pas qu'Adam avait un frère plus âgé que lui, dit Grace.

— J'imagine qu'il y a beaucoup de choses que tu ignores d'Adam, dit Verna. Compte tenu qu'il ne t'a pas fait la cour bien longtemps avant de t'épouser.

Elle reprit la photo des mains de Grace et la remit à sa place sur le piano.

— Patrick vit avec sa femme au nord de l'Etat de New York. Elle vient d'une très bonne famille de Saratoga, en Floride. Il se présente aux prochaines élections sénatoriales pour l'Etat de New York qui ont lieu à l'automne. Nous mettons beaucoup d'espoir en lui. Il devrait faire une belle carrière politique, tout comme son frère Adam, d'ailleurs.

— Mais Adam est ingénieur. Il m'a dit qu'il voulait construire des ponts, des routes et des gratte-ciel.

— Il exercera un métier, évidemment. Mais il suivra la voie de son père en politique, j'en suis sûre. Il n'y a pas d'avenir dans la construction de ponts, dit Verna.

Toi qui es sa femme, j'espère que tu le soutiendras dans ce choix.

Grace haussa les épaules.

— Le soutenir ? Mais je le soutiendrai quelle que soit la carrière qu'il choisisse.

— Oui, laissa tomber Verna.

Elles s'assirent toutes les deux cependant qu'un silence pesant planait sur le salon. Cinq minutes plus tard, Theresa revenait suivie de Livvy, la domestique, une jeune fille noire. La fille posa le plateau sur la table basse puis prit la passoire et la remplit de thé. Grace s'avança vers elle et lui prit gentiment l'objet de la main.

— Laisse-moi te montrer, murmura-t-elle en souriant à la jeune femme.

Elle prit une cuillerée de thé dans la boîte et la versa dans la théière d'eau chaude, puis, avec la cuillère, elle remua. Elle posa ensuite la passoire sur le dessus de la théière.

— Je m'arrangerai pour bien le faire la prochaine fois, mademoiselle, dit Livvy.

— Ne te tracasse pas, répondit Grace. Tu sais, je ne suis pas une princesse, je peux préparer mon thé toute seule.

Quand elle eut fini, Grace prit un biscuit d'une main, sa tasse de l'autre et s'assit sur le canapé.

— Parle-nous de ta famille, dit Verna.

Perchée sur l'accoudoir de Verna, Theresa soupira.

Grace but une gorgée de thé.

— Je n'en ai pas. Je n'ai jamais connu mon père. Et ma mère est morte quand j'avais quatorze ans.

Sidérée, Theresa poussa un nouveau soupir.

— Tu n'as jamais connu ton père ? Ça veut dire que tu es…

— Une bâtarde ? Non, en tout cas pas que je sache. Mon père s'est fait tuer avant ma naissance. Il était membre de l'IRA et il est mort dans une embuscade. Ma mère est morte de la tuberculose.

Grace s'arrêta.

— J'ai des oncles et des tantes qui habitent en Amérique mais je ne les ai jamais vus. Je suis sûre qu'ils ne savent même pas que j'existe. Je crois que j'aimerais bien les retrouver un jour.

— Tout ceci est très intéressant, ma chère. Mais je te conseille de garder pour toi les activités politiques de ton père. Mon mari marche sur des œufs dès qu'il est question de l'unification de l'Irlande.

Verna se tourna vers Theresa et elles se levèrent d'un même mouvement.

— Nous allons te laisser boire ton thé tranquillement. J'ai des lettres à écrire et Theresa doit se préparer pour une réception à laquelle elle a été conviée ce soir.

Grace hocha la tête.

— Je trouverai sûrement quelque chose à faire pour m'occuper. Livvy a peut-être besoin d'aide dans la cuisine.

— Tu ne vas pas travailler dans la cuisine, dit Verna sèchement. Cela est hors de question. Si tu te lies d'amitié avec les domestiques, elles en profitent et elles ne font plus rien. Ce sont des paresseuses. Prends plutôt un livre pour lire ou un journal. Je pense que cela ne pourra pas te faire de mal de t'instruire un peu plus sur ce pays. Theresa pourra te conseiller quelques lectures.

— Ne vous inquiétez pas, je trouverai sûrement quelque

chose dans la bibliothèque, dit Grace. J'aime beaucoup l'écrivain américain Nathaniel Hawthorne. J'ai lu beaucoup de livres de Mark Twain, également. En ce qui concerne les poètes, mon préféré c'est Walt Whitman. Mais aucun ne remplacera jamais Yeats et Joyce dans mon cœur, parce qu'ils sont Irlandais comme vous le savez.

Verna se força à sourire et sortit sans ajouter un mot. Theresa lui emboîta le pas mais, arrivée à la porte, se retourna et regarda Grace avec perplexité. Quand elles furent toutes les deux dans le couloir, Grace se jeta sur l'assiette de biscuits et en dévora deux.

Elle en avait trop vu en vingt et un ans de vie pour laisser Verna et sa fille la terroriser. Après tout, elle s'était battue avec Malcolm Porter et elle l'avait emporté. Ces deux femmes étaient de pathétiques petites mauviettes comparées à lui.

Grace se rassit et grignota un troisième petit gâteau. Elle ne pouvait s'empêcher de se demander ce que le sénateur Callahan et sa snobinette de femme penseraient d'elle s'ils apprenaient qu'elle avait commis un meurtre. Comparées à cette sombre aventure, les activités IRA de son père n'étaient peut-être pas aussi discutables qu'il y paraissait !

Grace se trouvait sur le quai de la gare, sa fille Emma dans les bras. Les parents d'Adam avaient tenu à ce que la famille au grand complet, le frère aîné y compris, soit là pour l'accueillir. Grace lança un regard désespéré à ce groupe pour lequel elle éprouvait toujours aussi peu de sympathie. Si seulement elle avait pu être seule pour les retrouvailles avec son mari au lieu d'avoir tous ces yeux braqués sur elle pour surprendre sa réaction !

En fait, elle accueillait un parfait étranger. Bien qu'elle lui ait écrit consciencieusement une fois par semaine pendant trois ans, plus par devoir que par envie, pour lui donner des nouvelles, leur relation ne s'en était pas trouvée renforcée. C'est tout juste si elle se rappelait à quoi il ressemblait et les photos qu'il envoyait régulièrement à sa famille ne lui inspiraient aucune émotion. Non, vraiment, elle ne se sentait aucunement attachée à lui. Il n'était à ses yeux qu'un homme en uniforme de soldat, une connaissance, tout au plus, un amant qui avait traversé sa vie tel un éclair il y a bien longtemps.

La guerre en Europe avait pris fin un beau matin de printemps. Le soleil brillait sur les Etats-Unis en ce 8 mai 1945. Grace jouait avec sa fille sur la pelouse quand elle avait entendu les cloches de l'église carillonner à toute volée. Quelques minutes plus tard, Verna s'était précipitée dehors en lui criant que c'était l'armistice en Europe. « On a gagné, avait-elle dit. C'est la victoire ! Adam va rentrer. » Mais au lieu d'être rapatrié dans son pays, Adam avait été envoyé dans le Pacifique Sud et il avait fallu trois autres mois pour que le Japon admette sa défaite. On était en août.

Grace s'était demandé ce qu'elle ressentirait quand elle le reverrait. Son mari allait revenir du front, mais ce n'était pas le mari qu'elle espérait. Pour Edward, le glas avait sonné beaucoup trop tôt. La mort l'avait cueilli dans sa prime jeunesse d'homme.

Elle avait mis au monde sa fille, Emma, cela faisait deux ans maintenant, et l'avait baptisée Emma du nom d'une héroïne de Jane Austen dont elle lisait le roman en accouchant. Verna avait discuté âprement avec elle. Elle voulait que le bébé porte le nom d'une des femmes de la famille. Celui de sa mère venait en premier, suivait au deuxième rang celui de la mère de son mari. Mais Grace s'était montrée intraitable. Il n'était pas question que sa fille s'appelle Suzan ou Alice, des prénoms qu'elle trouvait trop banals pour l'enfant d'Edward Porter.

Le travail avait été long et difficile. Le médecin lui avait proposé de soulager les douleurs mais elle avait refusé. Elle ne voulait rien perdre de la naissance de sa fille, comme si sa souffrance la rapprochait d'Edward.

Elle avait regagné la demeure des Callahan, son bébé dans les bras, et l'attente avait recommencé. Heureusement, Emma avait occupé chaque seconde de sa vie et Grace avait éprouvé un vrai bonheur à accomplir sa tâche de mère. Bien entendu, Verna s'en était mêlée, lui prodiguant des conseils dont Grace se serait passée. Mais elle avait appris à ignorer les interventions de sa belle-mère, ne se fiant qu'à son bon sens et à l'exemple que lui avait donné sa mère.

Elle usait d'autorité mais gentiment et savait faire comprendre à sa fille ce qu'elle attendait d'elle. Cela ne l'empêchait pas de lui laisser assez de liberté pour explorer le petit monde à sa portée, pour toucher, goûter, voir la vie comme elle se présentait… Une fabuleuse aventure.

Elle contempla sa fille et sourit. Emma portait une petite robe d'été que Grace avait dessinée, taillée et cousue dans une cotonnade qu'elle avait achetée en solde dans un grand magasin. Evidemment, Verna avait insisté pour qu'Emma porte la petite robe à smocks qu'elle lui avait achetée chez le grand faiseur de Boston, mais Grace, poliment mais fermement, avait refusé. Elle préférait que sa fille porte un vêtement plus pratique et moins chichiteux plutôt que cette robe ridicule en tulle et organza.

— Qui est-ce qui revient à la maison aujourd'hui ? dit Grace à Emma.

Ses grands yeux bleus écarquillés, ces yeux qui rappelaient tant ceux d'Edward, Emma regarda sa mère.

— Papa, répondit sa fille.

— Oui, dit Grace. Papa va revenir.

— Papa ? répéta l'enfant.

— Oui, papa. Et qu'est-ce que tu vas lui dire à papa ? Qu'est-ce que tu vas lui faire ?

La petite fille plaqua sa menotte sur sa bouche et fit mine d'envoyer un baiser.

— Tu es mignonne, dit Grace. Maman aussi va l'embrasser.

Elle essaya de manifester un semblant d'enthousiasme mais le cœur n'y était franchement pas. Cependant, elle devait bien reconnaître que, même si elle ne l'aimait pas, elle devait beaucoup à Adam Callahan. En remerciement, elle ferait de son mieux pour être une bonne épouse.

Plusieurs coups de sifflet au loin ébranlèrent l'air. Aussitôt un trac terrible étreignit Grace. Voulant tout de même faire bonne figure, elle plaqua un sourire sur son visage et prit sa respiration. Comme la rame approchait, elle passa rapidement en revue tout ce qu'il y avait en jeu. C'était trop important, elle ne pouvait pas saboter son mariage.

Avant même que le train ne s'arrête, Adam sautait sur le quai. Elle le reconnut aussitôt mais ses attitudes lui étaient totalement étrangères. Il aperçut ses parents en premier et se jeta dans leurs bras, sa mère d'abord puis son père, sa sœur ensuite qui l'embrassa sur la joue et son frère Patrick, en dernier, dont il serra la main, en homme.

Grace, en observatrice quasiment étrangère, regardait la scène. Elle le vit bientôt s'éloigner de sa famille et balayer le quai des yeux. Leurs regards se croisèrent et il lui fit un immense sourire. Sans hésiter une seconde, il vint vers elle et les prit toutes les deux, Emma et elle, dans ses bras. Se penchant sur Grace, il lui dévora les lèvres. Elle essaya de se détendre mais c'était impossible, trop de personnes les regardaient.

Quand il fut rassasié, il se tourna vers Emma.

— Tu sais qui je suis ?

Intimidée et inquiète, Emma le fixa en se tortillant dans les bras de Grace. Elle enfouit son petit visage dans le cou de sa mère.

— C'est papa, dit Grace.

— Papa, répéta Emma.

Il lui sourit.

— C'est ça, papa. Tu m'as beaucoup manqué, tu sais. Beaucoup, beaucoup. J'avais très envie de te voir. Depuis longtemps.

Adam approcha sa main qu'elle prit dans ses petits doigts potelés.

— Et tu es la plus jolie petite fille que j'aie jamais vue. Il n'y en a pas de plus mignonne dans toute la gare.

Le compliment lui échappa sûrement mais la voix douce d'Adam et le charme de son sourire durent lui plaire car elle s'écarta du cou de sa mère où elle s'était blottie et la regarda comme si elle cherchait son approbation. Grace hocha la tête. Emma se pencha alors vers Adam, enroula les bras autour de son cou et l'embrassa. Emu, il la prit dans ses bras.

Grace respirait mal tant l'émotion l'étreignait elle aussi. Elle se força tout de même à sourire. Si seulement elle avait pu réagir aussi simplement devant Adam ! Mais elle était mariée avec un inconnu et ils étaient sur le point d'entamer leur vie à deux. C'était la chose la plus effrayante qui lui fût jamais arrivée.

19

— Je ne comprends vraiment pas pourquoi il faut absolument que j'y sois, dit Grace. On est à peine arrivé que tu me laisses pour aller parler politique avec les invités, et moi je suis obligée de faire la conversation avec des gens que je ne connais pas ou si peu, et qui, en plus, ne me plaisent pas.

Adam s'était arrêté devant l'entrée de la cuisine de leur maison, située dans le quartier de Marlborough. Grace, Emma et lui avaient quitté la maison de ses parents un an après son retour de la guerre. Pour un observateur étranger, tout semblait aller bien pour eux, ils formaient un couple harmonieux, avaient une jolie petite fille et une belle maison. Mais sous le vernis, le tableau était moins idyllique. Depuis le retour d'Adam, trois ans plus tôt, leur couple filait en fait du mauvais coton et leur mariage partait à la dérive.

Adam n'ignorait pas que l'adaptation serait difficile. Grace et lui se connaissaient à peine avant de se marier et, les circonstances eussent-elles été différentes, il aurait regardé à deux fois avant de se précipiter dans ce mariage. Mais la guerre amplifiait tout, sentiments et émotions, aussi s'était-il laissé emporter et guider par la loi du cœur. En d'autres temps, il aurait certainement fait preuve de plus de prudence et de circonspection.

— Cela fait partie du métier, dit-il. En tant que conseiller municipal, je me dois d'être présent à ces réunions. C'est pour la bonne cause.

Grace hocha la tête.

— Tu ne comprends donc pas que c'est difficile pour moi ? Ces femmes me considèrent comme une étrangère, c'est tout juste si elles ne se moquent pas de moi à cause de mon accent et de mes manières. J'ai essayé de m'intégrer, mais elles ne m'acceptent pas dans leur groupe.

— Mais non, Grace, tu n'as pas essayé. Tu ne fais aucun effort. Tu te tiens tout le temps en retrait et elles voient cela non comme de la timidité de ta part mais comme de la suffisance ou de l'orgueil.

— Je ne leur plais pas.

— Comment peux-tu dire cela ? Elles ne te connaissent pas, dit Adam.

Amère, Grace rit.

— Elles, elles sont persuadées de me connaître. Ta mère et ta sœur leur ont certainement raconté par le menu les détails de ma vie. Que je suis une petite Irlandaise orpheline et pauvre qui a été recueillie par une famille anglaise fortunée qui m'a élevée comme une lady. Elles ne peuvent pas avoir la moindre idée de ce qu'a été ma vie.

— Elles font cela pour te rendre service.

— Pour me rendre service ? Tu es sûr que ce n'est pas plutôt pour *te* rendre service ?

Grace appuya lourdement sur le *te*.

— Tu veux que je te dise ce que je pense, Adam ? Elles s'imaginent que répandre ce genre d'histoires t'attirera plus de votes. Elles m'utilisent et je n'aime pas ça du tout.

Mécontent, Adam grommela.

— Je suis un homme politique, Grace. Je dois tirer profit de tout. Je ne vais pas le nier, ton passé représente un énorme avantage pour moi.

— Ça oui, dit Grace. Toute la classe ouvrière irlandaise m'adore. Je suis devenue leur sainte patronne, la fille du bon vieux pays. Mais je n'ai pas le droit de fréquenter des gens de la classe laborieuse. A la place, on m'oblige à papoter avec les femmes d'hommes d'affaires soi-disant importants. Des snobs que je déteste.

Adam fixa sa femme un long moment. Elle était si belle, si courageuse et si… obstinée. Il n'avait jamais réussi à saisir son âme et à la retenir. Chaque fois qu'il avait essayé, elle lui avait glissé entre les doigts comme l'eau vive d'un ruisseau.

Allaient-ils pouvoir continuer ainsi encore longtemps ? Divorcer n'était pas envisageable s'il souhaitait faire une carrière en politique. Mais s'ils ne divorçaient pas, il faudrait qu'ils trouvent un arrangement. Soudain, le poids des difficultés l'écrasa. Sa vie, c'était affreux à dire, était plus facile du temps où il combattait. En Europe tout était blanc ou noir, les choix étaient simples, il n'y avait pas de demi-mesure. Ici, à l'inverse, les loups étaient toujours gris.

— Je vais te poser une question, dit-il. Et je veux que tu me répondes franchement.

Grace leva les yeux vers lui et fit oui de la tête.

— M'as-tu jamais aimé ?

Elle ouvrait la bouche pour répondre quand Emma fit irruption dans la pièce. Elle portait encore l'uniforme de son école, jupe écossaise et blouse blanche.

— Papa ! s'écria-t-elle en se jetant dans les bras d'Adam. Papa, tu es là !

Elle lui prit la main.

— Regarde ce que j'ai fait à l'école aujourd'hui, dit-elle en l'entraînant vers le réfrigérateur.

Du haut de ses cinq ans, elle lui montra trois petits personnages stylisés.

— C'est moi, maman et papa. Un, deux, trois.

Adam se pencha et passa le bras autour de sa taille pour l'embrasser.

— C'est très joli. Et ça, qu'est-ce que c'est ? demanda-t-il en pointant une tache de peinture.

— Ça, c'est le bébé, dit Emma.

— Le bébé ?

Elle opina, faisant bouger ses anglaises comme des ressorts.

— Kevin Flannery a dit que, quand son papa a descendu le berceau du grenier, le jour d'après il y avait un bébé dedans. Je crois qu'il faut qu'on achète un berceau. Autrement, comment on fera pour avoir un bébé ?

Adam jeta un regard à Grace qui avait rougi. Mal à l'aise, elle souriait.

— Tu as raison. Comment va-t-on s'y prendre ? murmura-t-il.

— C'est ça que je veux pour mon anniversaire, dit Emma. Un nouveau bébé.

— Ton anniversaire est la semaine prochaine, je ne pense pas qu'on ait assez de temps, répondit Adam.

Il l'embrassa sur le front et lui donna une petite tape dans le dos.

— Allez, va vite te changer. Tu pourras ensuite aller jouer dehors en attendant le dîner.

Une fois Emma sortie de la pièce, Adam traversa la

cuisine pour s'approcher de Grace. Il s'assit sur le comptoir et la regarda qui s'affairait devant l'évier.

— Elle a fait une remarque intéressante, dit-il. Je devrais peut-être aller acheter un berceau. Ça fonctionnerait peut-être mieux...

Il éclata de rire.

— C'est vrai qu'on n'a pas fait grand-chose pour que ça marche ! ajouta-t-il.

— Non, ce n'est pas tout à fait vrai.

— Tu sais très bien ce que je veux dire, insista-t-il. Je pensais qu'à mon retour de la guerre, on voudrait avoir d'autres enfants. Emma aimerait avoir un petit frère ou une petite sœur. Et mes parents commencent à se demander s'il y a...

— Tes parents ? releva Grace. Qu'est-ce que tes parents ont à voir là-dedans ? Ça ne les regarde pas.

Elle leva la main.

— Oh ! Excuse-moi, reprit-elle. J'oubliais qu'ils ont leur mot à dire dans tout ce que nous faisons. Depuis l'entreprise où tu travailles jusqu'à l'église que nous fréquentons en passant par l'école où va Emma. On devrait peut-être les envoyer chercher ce bébé dont tu as tellement envie !

Adam sentit la colère monter en lui.

— Bon sang, Grace ! Peux-tu me dire ce que tu veux ? Je ne te comprends pas. Je ne sais pas ce qui pourrait te rendre heureuse. J'ai cherché, mais je reste sans réponse.

Elle prit un torchon et s'essuya les mains, les yeux baissés.

— Je ne sais pas, dit-elle tout bas. Mais je ne veux pas me battre avec toi.

— Ça ne me suffit pas, répondit-il.

— Partons d'ici, allons ailleurs nous faire une vie à nous, sans tes parents sur le dos. Je ne supporte plus d'être obligée de suivre ce qu'ils ont décidé pour toi.

— Je ne vois pas ce que cette vie a de si insupportable ?

Elle l'entendit enrager tout bas.

— Ce n'est même pas la peine que tu me répondes. Ça fait trop longtemps qu'on répète les mêmes choses. Je n'ai pas envie de les entendre une fois de plus.

Entre fureur et accablement, il quitta la cuisine, un sentiment d'échec au cœur. Depuis le début, il s'était dit qu'il ne connaissait pas sa femme. Quand il l'avait rencontrée, elle n'était qu'un petit être fragile et vulnérable, une pauvre fille qu'il avait eu le désir de protéger. Mais, depuis, elle avait changé. Elle avait dressé un mur autour d'elle, une sorte de citadelle dont il n'avait jamais pu franchir la porte.

Arrivé sur le seuil, il s'arrêta et se retourna.

— Elle est de moi ?

Grace tourna la tête brusquement vers lui et le fixa.

— Quoi ?

— Emma ? Elle est de moi ?

Un sourire cynique flotta sur les lèvres de Grace.

— Je vois que tu as écouté ta sœur…

— Pas du tout, dit-il. Je veux seulement savoir. Cela ne changera rien à ma tendresse pour elle. Je serai toujours son père mais je veux savoir si elle est de moi.

— Bien sûr, dit Grace en lui tournant le dos.

Il resta pensif une seconde et s'en alla. Pouvait-il la croire ? Il n'en était pas sûr. Mais quelle différence cela faisait-il ? Dans son cœur, Emma était sa fille et rien n'y changerait rien. Il l'aimerait toujours. Et s'il ne devait pas avoir d'autres enfants, ce n'était pas important.

Grace prit la carte et jeta un coup d'œil aux panneaux qui défilaient dans les rues. Emma était assise près de la fenêtre, le nez écrasé contre la vitre. Elles avaient sauté dans le car à Marlborough à 9 heures ce matin. La route déroulait son ruban d'asphalte à travers les villages qui s'étalaient de chaque côté de l'axe qui allait vers Boston.

— On est bientôt arrivées ? demanda Emma.

— Pas encore, dit Grace.

— On va où ?

— A la bibliothèque.

Elles avaient une journée entière devant elles. De cette façon, à supposer qu'elles se trompent de bus dans la ville, elles avaient tout de même le temps de rentrer à l'heure pour préparer le dîner d'Adam.

Elle ferma les yeux un moment pour essayer de se reposer. Elle se sentait épuisée. Depuis quelques mois, ses nuits étaient hantées par des cauchemars non pas affreux mais étranges qui l'arrachaient au sommeil. Cela avait commencé quand elle vivait seule à Belfast, quelques semaines après le départ d'Adam pour l'Europe. Puis les cauchemars avaient repris après la naissance d'Emma et de nouveau juste avant le retour d'Adam.

Pourquoi revenaient-ils la hanter cette fois-ci ? Elle ne comprenait pas. Seule chose dont elle était sûre, elle voulait que ça cesse une fois pour toutes. La nuit, elle n'osait plus fermer les yeux de peur de dire quelque chose qui la trahisse pendant son sommeil alors qu'Adam était allongé près d'elle.

Les images étaient toujours les mêmes. Malcolm. Sa tête, ses mains, sa voix. Il plaquait la main sur sa bouche et manquait l'étouffer. Elle cherchait l'air désespérément, le griffait jusqu'au sang mais il ne la lâchait pas. Et puis, alors qu'elle était sur le point de s'évanouir, elle se réveillait en sursaut, hors d'haleine, le corps en nage.

Grace avait pris l'habitude de se coucher à côté d'Adam, le soir et, quand il était endormi, d'aller s'allonger dans le salon où elle pouvait fermer les yeux sans crainte. A deux reprises, Adam l'avait retrouvée sur le canapé au petit matin. Elle avait bafouillé une vague excuse, que son ronflement la gênait — mais un jour ou l'autre il exigerait des explications plausibles.

Les cauchemars et ses craintes n'avaient fait que les éloigner un peu plus l'un de l'autre. Pouvait-elle lui avouer ses secrets ? Lui faire confiance ? Aucun homme ne pouvait accepter que sa femme soit une meurtrière, encore moins un homme ambitieux briguant une grande carrière politique.

Alors, elle gardait tout pour elle. Chaque fois que quelqu'un toquait à sa porte, elle pensait qu'on venait l'arrêter.

Elle balaya le car des yeux. Tous ces passagers avaient-ils, comme elle, des secrets inavouables enfouis au fond de leur âme mais prêts à resurgir ? Quelles peurs les maintenaient éveillés la nuit ?

Peut-être avait-elle besoin de s'occuper l'esprit pour ne plus penser ? Maintenant qu'Emma allait à l'école toute la journée, Grace avait songé à trouver un travail ou à prendre des cours à la faculté en auditeur libre. Rester à la maison pour Adam ne lui suffisait plus.

Elle se souvenait des promesses qu'Edward et elle s'étaient faites, de vivre ensemble une vie d'aventure, de voyages, loin, pour voir d'autres choses, différentes et belles. Elle abritait toujours les mêmes rêves mais elle se sentait piégée dans une vie qui lui suçait le sang et détruisait lentement la personne qu'elle était vraiment.

Emma et elle descendirent de l'autobus un arrêt après celui de la bibliothèque et revinrent sur leurs pas vers l'impressionnant bâtiment. Arrivée devant la porte, elle leva la tête et lut tout haut :

— « Le Commonwealth voit dans l'éducation du peuple la promesse de l'ordre et de la liberté ».

— Qu'est-ce que ça veut dire ? demanda Emma.

Un petit sourire flotta sur les lèvres de Grace.

— Cela signifie que tu dois travailler dur à l'école pour être instruite. Autrement, quelqu'un viendra et te privera de ta liberté.

Elle prit la main d'Emma et l'entraîna à l'intérieur.

— C'est ce qui est arrivé en Irlande, tu sais. Les Britanniques nous ont volé notre liberté et il a fallu se battre pour la retrouver. Cela a pris du temps, beaucoup plus de temps qu'il n'en a fallu aux Américains pour se débarrasser des Anglais. Mais maintenant, l'Irlande est libre.

Quelques mois plus tôt, les vingt-six comtés de l'Eire s'étaient retirés officiellement du Commonwealth. L'événement était passé presque inaperçu, les radios n'ayant pas beaucoup relayé la nouvelle, mais partout, dans les quartiers irlandais des environs de Boston, on avait célébré l'événement. N'empêche, les supporters irréductibles de l'IRA avaient vécu l'affaire comme un échec de leur campagne pour une Irlande unifiée.

Elle eut une pensée pour son père, se demanda ce qu'il aurait pensé de tout cela s'il avait vécu. Il aurait eu l'âge du père d'Adam aujourd'hui. Elle aurait eu une vie tellement différente… si elle avait grandi entre deux parents, peut-être dans un joli petit cottage, avec des frères et des sœurs. Elle n'aurait jamais croisé Edward Porter, n'aurait jamais eu Emma.

Mais, qui sait, sa famille aurait peut-être émigré en Amérique et ils se seraient peut-être installés à Boston, ou même à Marlborough. Alors, elle serait peut-être allée à l'université où elle aurait peut-être rencontré le fils d'un sénateur américain dont elle serait tombée amoureuse.

Grace fonça les sourcils. Qu'avait dit Edward, déjà, à propos du destin? Que la vie n'était qu'un enchaînement de coïncidences si étonnant que nous l'attribuions au destin, se rappela-t-elle. Peut-être suivait-elle son destin depuis le début, un destin tout tracé auquel elle ne pouvait rien changer? Ou bien peut-être l'avait-elle trouvé avec Edward et l'avait-elle perdu pour toujours?

Elles traversèrent le hall de la bibliothèque et s'arrêtèrent pour en admirer la splendeur. Le plafond formait une voûte, très haut au-dessus de leurs têtes. C'était beau et impressionnant. Elles reprirent leur marche, longèrent des couloirs, traversèrent d'autres pièces tout aussi grandioses. Le silence, que seul troublait le bruit de leurs pas sur le sol de pierre, était assourdissant.

Quand elles atteignirent le bureau de la documentaliste, Grace commença par lui faire un signe de tête.

— Bonjour, dit-elle. Je voulais savoir si vous conserviez les journaux. Je cherche des journaux irlandais très anciens.

— Publiés ici ou en Irlande ? s'enquit la documentaliste.

— En Irlande. A Dublin. L'*Irish Times*, peut-être ?

— Le mal du pays, on dirait ? enchaîna la documentaliste.

Grace acquiesça.

— On a les dernières parutions sur les étagères, encore qu'elles aient en général une à deux semaines de retard. Les plus anciennes sont sur microfilms ou dans des volumes. Cherchez-vous des dates en particulier ?

— Oui, dit Grace.

La date était comme marquée au fer rouge dans sa tête, elle ne risquait pas de l'avoir oubliée.

— Le journal du 5 octobre 1942 et les jours suivants.

— Il faut que vous remplissiez ce formulaire, dit la bibliothécaire. Vous avez votre carte d'abonnée ?

— Non, dit Grace. Mais j'en voudrais une.

La documentaliste se pencha par-dessus le bureau et sourit.

— Je pense qu'il t'en faut une pour toi aussi, ma mignonne ?

Emma opina.

— Oui, madame.

— Retournez à l'accueil. Ils vous expliqueront la marche à suivre. Je fais partir votre demande et, le temps que vous reveniez avec la carte, les documents que vous m'avez demandés seront là.

Un quart d'heure plus tard, Grace et Emma revenaient. En passant, elles s'étaient arrêtées à la bibliothèque pour enfants pour prendre des livres d'images pour Emma. La documentaliste tendit à Grace deux gros volumes qu'elle emporta vers une table où elle s'assit.

— Tu vas lire les deux gros livres ? demanda Emma à sa mère, l'air étonné.

— Non, je ne vais pas les lire, je vais faire comme toi, je vais regarder les images.

Grace feuilleta les journaux jusqu'à ce que ses yeux tombent dessus... sur le numéro du jour où elle s'était enfuie de Porter Hall.

Elle inspira profondément et continua de lire les gros titres des articles. Avait-on parlé du meurtre de Malcolm Porter ? Comme elle ne trouvait rien dans les numéros suivant le jour de sa fuite, elle alla au-delà. Apparemment, il n'y avait pas eu de reportage sur le crime. C'était pourtant un beau sujet d'actualité. Ce n'était pas tous les jours qu'ils avaient un fait divers aussi passionnant à se mettre sous la dent ! Le fils aîné d'un Anglais très en vue frappé à mort de plusieurs coups de couteau chez lui.

Et tout d'un coup, elle le vit... Lui, Edward, son Edward. La photo du lieutenant Edward Porter était imprimée là, sous ses yeux. Le souffle coupé, elle eut un vertige. C'était la même photo que celle qu'elle avait mise dans le journal intime. Edward en uniforme. Que de fois elle l'avait regardée, et voilà qu'elle l'avait là, sous les yeux, dans le carnet du jour, à la rubrique décès.

Bouleversée, Grace sentit sa vue se brouiller. Le doigt sur la photo, elle effleura le visage d'Edward.

— Maman, qu'est-ce qu'il y a ?

Grace regarda Emma et sourit.

— Rien, ma chérie, tout va bien, j'ai juste une poussière dans l'œil.

Emma se leva, fit le tour de la table et regarda la page du journal.

— Il n'y a pas beaucoup d'images, dit-elle.

— Regarde celle-ci, dit Grace en pointant du doigt la photo d'Edward. Tu as vu comme il est beau ?

Emma considéra la photo avec attention et pencha la tête.

— J'aime bien son chapeau.

— Je trouve qu'il a l'air d'un homme bien, insista Grace.

Elle souffla.

— Moi aussi j'aime son chapeau.

— Comment il s'appelle ?

— Edward. Edward Porter.

Grace se mit à lire l'avis de décès.

— « De la part de ses parents lord et lady Porter et de son frère Malcolm Porter », murmura-t-elle. De la part de *Malcolm* ?

Elle s'arrêta brusquement. La voix tremblante, elle dit tout bas :

— Mais alors, il est vivant…

Elle se cala contre le dossier de sa chaise et ferma les yeux. Elle pouvait recommencer à respirer, à vivre normalement, alors !

Pas certaine d'avoir bien vu, elle lut encore deux fois l'avis de décès. Nulle part on ne faisait allusion à elle. Nulle part il n'était fait mention de la « femme » d'Edward, elle. Autrement dit, personne ne savait, sauf Cook et Dennick. Même après ce qui était arrivé à Malcolm, les deux domestiques n'avaient rien dit. C'était comme si son mariage avec Edward n'avait jamais existé…

Mais peut-être n'avait-il effectivement jamais existé ?

pensa-t-elle, l'air songeur. Elle s'était accrochée à ce mariage comme à une bouée — mais si elle voulait bien oublier, peut-être pourrait-elle se construire une autre vie avec Adam ?

Oublier Edward…

Lentement, elle referma le gros livre et regarda sa fille.

— Es-tu prête ?

Emma hocha la tête.

— Je peux emporter les livres avec moi ?

— Tu peux. Je pense qu'on devrait venir une fois par semaine à la bibliothèque pendant que tu es en vacances. On pourrait prendre le car et déjeuner en ville. Faire un peu de shopping ensuite, venir lire à la bibliothèque et rentrer. Ça te plairait ?

— J'ai faim, maman, dit Emma.

Grace se leva et prit sa fille par la main. Elles retraversèrent la bibliothèque et sortirent. Une fois dehors, elle s'arrêta et avala une grande bouffée d'air. Ce soir, elle pourrait dormir. Malcolm Porter ne hanterait plus ses rêves.

Mais il y avait toujours Edward.

Sauf à le rayer totalement de son cœur, elle ne pourrait jamais aimer Adam.

Leur union était vouée à l'échec.

20

Ses cahiers de classe ouverts devant elle, Emma rêvassait dans la cuisine. Depuis qu'elle était au lycée, il lui semblait qu'elle ne faisait que travailler. Le soir, les week-ends, et même pendant les vacances, elle ne faisait que ça, étudier. Après avoir fréquenté l'école catholique où les religieuses lui avaient inculqué le sens de l'effort et les bonnes manières, ses parents avaient finalement accepté, non sans réticence, de l'inscrire au lycée de Marlborough.

Là, elle avait trouvé que les devoirs étaient très faciles et elle faisait juste ce qui était nécessaire pour avoir le tableau d'honneur. En fait, sa principale préoccupation dès l'instant où elle avait mis le pied dans l'établissement avait été sa vie sociale, autrement dit... les garçons.

Emma Callahan s'était jetée à corps perdu dans la vie de son lycée avec un enthousiasme que ses amis trouvaient presque épuisant. Elle ne manquait pas un événement sportif, un bal organisé à l'école, une réunion au club ou une réception chez l'un ou l'autre. En tant qu'élève de seconde année, elle avait été élue secrétaire des élèves, présidente du Pep Club, elle était pom-pom girl de la fac et avait déjà épuisé trois garçons qui n'avaient pas été de simples flirts mais des petits amis attitrés.

Elle sourit et se pencha sur ses livres. Son devoir d'histoire était d'une simplicité désarmante. En se dépêchant un peu elle pourrait bientôt rejoindre ses amis au parc. Tommy McDonald avait promis de l'y retrouver. Il ne faisait aucun doute qu'il voudrait s'éloigner du groupe pour aller flirter dans les buissons.

Emma relut les directives qu'avait données le professeur d'histoire pour faire le devoir. Elle était censée établir la généalogie de sa famille et pour cela interviewer ses deux parents et, si possible, ses grands-parents. Curieusement, sa mère avait montré peu d'empressement à coopérer.

— On nous a dit qu'il fallait qu'on retourne trois générations en arrière, dit-elle en relisant ses notes.

Emma retrouva le tableau qu'elle avait fait, le tendit à son père qui y jeta un coup d'œil et opina.

— Pour le côté Callahan, c'est juste.

— Maintenant, où vous êtes-vous mariés, maman et toi? demanda Emma en prenant son crayon.

— A Belfast, en Irlande, déclara son père. J'étais stationné là-bas pendant la guerre. On s'est mariés le 14 octobre 1942.

— J'avais entendu dire que les hommes oublient toujours la date anniversaire de leur mariage, plaisanta Emma.

— Comment pourrais-je l'oublier? dit-il.

Il regarda sa mère et son sourire s'évanouit. Certains jours, Emma aurait giflé Grace. Pourquoi faisait-elle si souvent la tête? Peut-être pas vraiment la tête, mais elle était sinistre. Elle n'avait pas d'humour.

Emma inscrivit la date, fixa des yeux ce qu'elle venait d'écrire et commença à compter sur ses doigts. Ça ne faisait que huit mois... C'était neuf mois, en principe, pour avoir un enfant!

— Tu es née avec un mois d'avance, murmura sa mère qui s'affairait à la vaisselle. Si c'est à cela que tu penses.

Emma sourit.

— Bon, et qui sont mes grands-parents maternels ?

Sa mère se tourna pour prendre un torchon et s'essuya les mains.

— Est-ce vraiment nécessaire de donner tous ces détails à ton professeur ? C'est notre vie privée, je ne vois pas en quoi cela la regarde.

— On doit tous le faire, maman. C'est notre devoir d'histoire. Elle dit qu'on doit être fiers de nos ancêtres. En plus, plus de la moitié des élèves du lycée sont irlandais. Je ne vois pas où est le problème.

— Eh bien, c'est moi qui ai immigré. Voilà, dit Grace. Tu n'as pas besoin d'en savoir plus.

Entendant le ton monter, Adam toussota. Aussitôt Emma et Grace se turent.

— Grace, il me semble que tu devrais lui donner un peu plus de renseignements, fit-il remarquer. Tu n'as pas à avoir honte. D'autre part, maintenant que je suis retiré de la politique pour de bon, ça n'intéressera personne.

Emma adressa à son père un sourire reconnaissant. Il s'approcha d'elle et lui pinça gentiment le nez.

Après les erreurs de son grand-père Callahan, la carrière politique de son père s'était vite arrêtée. Même son oncle Patrick avait décidé ne pas se représenter aux prochaines élections. Elle n'avait pas vraiment su ce qui s'était passé avec son grand-père Jack, sinon que tout le monde avait crié au scandale.

— Allez, maman. Donne-moi au moins quelques noms et des dates. Je voudrais bien finir vite. J'ai promis à Ellen que j'irais au parc avec elle. On est en train de mettre au point le nouveau programme des pom-pom girls.

— D'accord. Mais puisque tu veux absolument savoir qui sont tes ancêtres, je vais te montrer quelque chose.

Sa mère sortit de la cuisine. Emma regarda son père qui haussa les épaules. Quand Grace réapparut, elle tenait dans les mains un petit livre à la couverture de cuir qu'elle tendit à Emma, ouvert à une page marquée d'un ruban.

— Qu'est-ce que c'est? demanda Emma.

— C'est un peu de l'histoire de ta famille. Ton aïeule a écrit ce journal intime à la fin des années 1840 quand la grande famine sévissait en Irlande. Lis-le.

« *23 avril 1847*

» *Une famille est venue frapper à ma porte ce matin. Ils étaient vêtus de haillons et quémandaient de la nourriture. Leurs corps étaient si maigres qu'on aurait dit des squelettes. Au lieu de répondre, j'ai pris ma fille sous le bras et je me suis cachée dans l'ombre en attendant qu'ils s'en aillent. Ce sont les morts-vivants, ceux qui sont encore capables de marcher. Il n'y a pas d'espoir pour eux et, bientôt, ils succomberont à la fièvre, à la faim et, là où ils tomberont, ils mourront. Pendant un moment, il y avait du désespoir dans leurs yeux mais maintenant je ne vois que l'acceptation. Ils savent que la fin est proche et qu'il n'y a pas de moyen d'y échapper.*

» *Les propriétaires continuent à mettre les locataires à la porte partout dans le pays. Ils vont même, parfois, jusqu'à mettre les maris en prison et jeter leur famille dehors où elles n'ont qu'à se débrouiller toutes seules. D'autres achètent des places sur les bateaux en partance pour le Canada pour leurs locataires, mais beaucoup meurent pendant la traversée. Je mets ma foi en Dieu et resterai un été de plus. Et quand la terre sera assez réchauffée, et donc assez meuble pour être retournée, je planterai des pommes de terre avec l'espoir d'une bonne récolte. Si cela échoue encore, j'embarquerai avec ma fille sur un de ces navires en partance pour l'Amérique et prierai le ciel de pouvoir commencer une autre vie de l'autre côté de l'océan. »*

Emma posa le journal intime sur la table.

— C'est vrai tout ça ? demanda-t-elle.

Sa mère hocha la tête.

— Oui. C'est ainsi qu'ont vécu tes ancêtres, Emma Callahan. Tu es issue d'une longue lignée de femmes courageuses. Ma mère, Rose Catherine Doyle, était l'une d'elles. Elle a épousé Jamie Byrne qui s'est engagé dans les rangs de l'IRA qui combattait pour une Irlande libre. Il est mort d'une balle dans la tête dans une embuscade, juste après que le gouvernement a signé le traité avec les Anglais. Je suis née un mois plus tard. Quand j'ai eu trois ans, nous avons perdu notre maison et ma mère et moi nous nous sommes retrouvées à la rue. Pendant des mois j'ai dormi dehors, dans des parcs publics ou sous les ponts. Pour me nourrir, ma mère faisait les poubelles.

Brusquement, Emma plongea la tête sur son livre et se boucha les oreilles. Elle ne voulait pas en entendre plus. L'histoire de la famille du côté de sa mère était une tragédie épouvantable.

La curiosité l'emportant malgré tout, elle releva la tête. Elle voulait savoir comment l'histoire s'était terminée.

— Tu avais peur ?

— Non, je ne me rappelle pas avoir eu peur. Ma mère se comportait de telle sorte que je ne me sentais pas menacée. Et puis un jour, une dame très gentille nous a recueillies. Elle nous a emmenées chez elle et a donné du travail à ma mère. Ma mère s'occupait du linge de la famille, le lavage, le repassage, le raccommodage. A mes moments perdus, j'apprenais les bonnes manières. La dame m'apprenait comment devenir une lady. Et puis ma mère est morte. J'avais quatorze ans. Je me suis retrouvée orpheline.

— Qu'est-ce que tu as fait ? demanda Emma.

— J'ai pris la suite de ma mère comme lingère. Lavage, repassage, raccommodage… et puis, en prenant de l'âge, j'ai décidé de partir pour faire autre chose de ma vie. C'est à ce moment-là que j'ai rencontré ton père. J'étais venue en ville pour essayer de trouver du travail. On s'est rencontrés dans une grande église de Dublin.

— Ta mère pleurait parce qu'elle n'arrivait pas à trouver d'emploi, poursuivit Adam. Je me suis approché et lui ai demandé si je pouvais quelque chose pour elle. Elle était jolie comme tout. Je crois que je n'avais jamais vu une femme aussi jolie.

— C'est vrai ? demanda Emma.

Elle jeta un regard à sa mère et vit un petit sourire lui retrousser les lèvres.

— Ça a été le coup de foudre ?

— Je crois que l'on peut appeler ça comme ça, dit Adam. Nous nous sommes mariés au bout d'une semaine. Les choses étaient différentes, à cette époque. Il y avait la guerre. Les soldats avaient besoin de se raccrocher à quelque chose qui soit un peu comme une maison, un foyer. Ils avaient besoin de se dire que quelqu'un les attendait. C'était effrayant de partir à la guerre en se disant qu'on ne reviendrait peut-être jamais.

— Tu avais peur, papa ? demanda Emma.

Son père hocha la tête.

— Oui.

— Ce n'était pas mieux d'attendre, ajouta sa mère. J'avais peur de finir comme ma mère, toute seule, sans mari, et de devoir élever mon enfant seule.

— A ce moment-là, j'ai envoyé ta mère chez grand-mère et grand-père Callahan et je suis revenu à la fin de la guerre. C'est là que je t'ai vue pour la première fois. Et, de nouveau, ça a été le coup de foudre.

Grace s'approcha de la table et s'assit en face d'Emma.

— Maintenant qu'on a commencé, on n'a qu'à finir, dit sa mère. Tu as d'autres devoirs et il se fait tard. Tant pis pour le parc !

Attentive, Emma écouta sa mère. Grace était intarissable sur l'histoire de sa famille, remontant jusqu'à Jane McClary, la femme qui avait écrit le journal intime.

— Je pourrai en photocopier certains passages ? demanda Emma.

Elle les inclurait dans son devoir, effort qui lui vaudrait certainement des points supplémentaires…

L'arbre généalogique terminé, elle caressa la couverture du petit livre.

— Je peux le lire ? demanda-t-elle.

— Un jour, dit sa mère en le prenant et le serrant contre son cœur. Un jour, il sera à toi. C'est ton passé, c'est ton héritage.

La pendule posée sur le manteau de la cheminée sonna les douze coups de minuit. Adam referma le livre qu'il lisait et ôta ses lunettes. Il regarda Grace qui se tenait près de la fenêtre depuis une bonne heure.

— Ça ne sert à rien de rester plantée là, dit-il. Ça ne la ramènera pas plus vite à la maison.

— Il faut appeler la police, dit Grace.

— Elle a une heure de retard. Le match de basket a peut-être duré plus longtemps que prévu. Attendons encore un peu.

— Mais si elle est blessée ? Elle a peut-être eu un accident ? murmura Grace. Il neige et les routes sont glissantes. Je me demande bien pourquoi tu l'as autorisée à prendre la voiture.

— Elle a dix-sept ans. Elle a le droit de conduire. Dorénavant, il faut s'attendre à ce qu'elle rentre quelquefois plus tard que l'heure autorisée. A l'automne prochain, elle entre à l'université. Que vas-tu devenir ? Tu ne seras pas là pour contrôler ce qu'elle fait ni vérifier l'heure à laquelle elle rentre.

Grace se retourna vers la vitre et replongea dans le silence. Ils étaient en désaccord sur beaucoup de sujets, l'éducation d'Emma en faisait partie. Depuis qu'Emma était toute petite, Grace la couvait comme si une force maléfique invisible la guettait, prête à la kidnapper. Elle voyait le danger partout, même là où il n'y en avait pas, des problèmes avant qu'ils ne se produisent. Et la plupart du temps, il ne se passait rien. Elle essayait de régenter la vie d'Emma depuis la seconde où elle se réveillait jusqu'à ce qu'elle se couche. Au début, Emma s'était soumise à la surveillance constante de sa mère mais elle avait fini par se rebeller.

Si elle avait eu d'autres enfants, sans doute n'aurait-elle pas toujours été sur le dos de sa fille ? Mais leur vœu de donner une sœur ou un frère à Emma n'avait pas été exaucé. Cela n'avait pourtant pas été faute d'essayer. Pendant un temps, court il est vrai, Adam avait pensé qu'ils allaient surmonter leurs difficultés de couple. Cela s'était passé quand Emma avait commencé à aller à l'école. Grace avait semblé plus ouverte à l'idée d'avoir d'autres enfants. Leurs relations avaient changé, ils avaient paru mieux se comprendre et s'accepter et la tension qui régnait à la maison s'en était trouvée allégée.

Mais après trois années de tentatives infructueuses, Grace avait abandonné l'idée d'agrandir la famille. Adam avait insisté pour qu'ils consultent un médecin pour savoir ce qui n'allait pas, mais elle avait refusé. Peu à peu, l'affection qu'ils s'étaient découverte mutuellement avait disparu. Et les choses avaient repris le même cours qu'auparavant.

Il avait songé très souvent au divorce. Maintenant qu'il ne briguait plus aucun mandat électoral, plus rien ne l'arrêtait. Il pourrait trouver le bonheur ailleurs qu'avec Grace qui pourrait reprendre sa liberté. Mais se séparer de Grace voulait dire se séparer aussi d'Emma et cela Adam n'était pas disposé à l'accepter.

Peut-être plus tard, quand Emma aurait grandi et quitté le nid familial, considérerait-il cette éventualité. Pour l'heure, il allait respecter les vœux prononcés le jour de son mariage, même s'il ne restait de leur mariage que le nom !

— Grace, je t'en prie, assieds-toi. Elle rentrera quand elle rentrera. On réglera le problème avec elle à ce moment-là.

Elle se tourna vers lui.

— On réglera le problème ? Allons, Adam, tu sais très

bien que tu ne régleras rien du tout. Si je te laissais faire, elle ferait tout ce qui lui passe par la tête.

— Elle est intelligente, raisonnable. Elle connaît les limites et je lui fais confiance pour les respecter. J'estime que tu devrais en faire autant.

— Fais-moi grâce de tes conseils pour élever ma fille !, répliqua Grace avec énervement. Je sais ce que j'ai à faire.

Furieuse, elle pivota et sortit comme une bombe de la pièce. Il y eut un bref silence puis un remue-ménage — qu'Adam connaissait bien — de casseroles qui s'entrechoquent et de vaisselle qui vole.

Et voilà. Ça recommençait comme aux plus beaux jours. C'était toujours quand il était question d'Emma que la conversation s'envenimait. « Ma fille », disait Grace. *Ma* fille. Pas une fois elle ne disait *notre* fille. C'était elle qui prenait toutes les décisions concernant Emma. Où elle irait en classe, avec qui elle serait autorisée à sortir, dans quelles universités elle devait déposer un dossier. Jamais, pas une fois, elle ne le consultait.

Il avait toujours eu un doute. Certes, Emma était née en avance et c'était aussi un petit bébé, deux kilos trois cents grammes. Certes, il lui trouvait un petit air Callahan dans le sourire et dans l'éclat des yeux quand elle pouffait de rire. Pourtant, il avait pensé la soumettre à un test d'ADN…

Et puis il s'était ravisé. Si jamais il s'avérait qu'elle n'était pas sa fille, il n'aurait plus aucun droit sur elle. Grace pourrait divorcer dès le lendemain en emmenant Emma sans qu'il ait son mot à dire.

Ils avaient donc poursuivi une vie de faux-semblants,

les secrets qui les éloignaient l'un de l'autre les empêchait à tout jamais de vivre une union harmonieuse.

Il s'approcha du bar et se versa un whisky pour lui, puis en versa un autre pour Grace, et revint dans la cuisine. Il la trouva devant le fourneau, s'affairant de ses mains nerveuses. Il posa les deux verres et prit les mains de Grace dont il desserra les doigts noués.

— Elle va bientôt partir et nous serons bien obligés de la laisser vivre sa vie, murmura-t-il. Tiens, bois.

Grace but une gorgée de whisky.

— Je sais.

— Une fois qu'elle sera partie, plus rien ne nous forcera à rester ensemble.

Grace croisa son regard.

— Que veux-tu dire?

— Si tu ne veux plus vivre avec moi, je ne t'empêcherai pas de divorcer, Grace. Emma ne sera plus là, elle est assez grande, maintenant, pour comprendre que nous n'ayons plus envie de vivre ensemble. Tu pourras garder la maison, je continuerai à te donner de l'argent. Mais nous sommes encore jeunes tous les deux. Nous avons encore le droit d'être heureux.

— C'est ce que tu veux?

Adam lui caressa la joue et, pour la première fois depuis longtemps, elle ne cilla pas quand il la toucha.

— Je t'ai aimée tout de suite, dit-il. Dès que je t'ai vue, tu m'as plu. J'ai peut-être profité de la situation. Je savais que tu avais besoin que quelqu'un s'occupe de toi. J'ai sauté sur l'occasion pour le faire. Je ne peux pas te reprocher de ne pas m'aimer.

— C'est moi qui ai profité de toi, dit-elle.

Elle ferma les yeux et inspira longuement, comme si elle hésitait encore à dire quelque chose.

Adam savait ce qu'il allait entendre, mais il ne voulait pas l'écouter. De toute façon, qu'est-ce que cela aurait changé?

Il mit un doigt en travers de sa bouche pour empêcher Grace de parler.

— Je sais. Je crois que je l'ai toujours su. Mais cela ne change rien. En tout cas, pour moi. Elle est ma fille et je l'aimerai toujours.

Les larmes affluèrent aux paupières de Grace. Pendant un long moment, elle ne put regarder Adam en face.

— Je te demande pardon, murmura-t-elle. Je n'ai pas été gentille avec toi et tu ne méritais pas que je te traite de cette manière.

Elle inspira encore et jura tout bas.

— A cause de moi tu as été malheureux, je t'ai fait payer pour un secret que j'ai gardé trop longtemps pour moi toute seule. Je t'ai puni de vouloir m'aimer. Mais je ne veux plus de mensonge. Je suis fatiguée, tu comprends. Fatiguée de tout ça.

— Que veux-tu alors, Grace? Je ferai ce que tu décideras. Parle.

Elle prit sa main et la serra si fort qu'Adam crut qu'elle allait lui broyer les doigts.

— Je… je n'en sais rien.

— J'ai une proposition à te faire, dit-il.

L'air penaud, elle lui sourit.

— Si on recommençait? Depuis le début. On oublie le passé et on apprend à se connaître. J'aimerais qu'on essaie, Grace, si tu le veux bien. On laisse derrière nous tout ce qui nous ennuie et on repart de zéro, sans remords ni amertume.

— Tu es prêt à me pardonner? demanda-t-elle.

— On se pardonnera mutuellement, dit-il.

Se mordillant la lèvre, elle réfléchit. C'était leur dernière chance. Si elle ne la saisissait pas, il ne resterait pas avec elle. Il ferait la part du feu et c'en serait fini de leur mariage.

— Je veux bien, dit-elle. Je veux bien essayer. Mais je ne sais pas par quel bout commencer.

Il prit sa main et la porta à ses lèvres. Puis il embrassa le creux de son poignet.

— Je m'appelle Adam Callahan, dit-il.

— Et moi, Mary Grace Byrne, répondit-elle. Mary Grace Byrne Porter Callahan.

— Porter?

Les yeux baissés, elle opina.

— C'est le nom de mon premier mari. Il a été tué à la guerre. Nous sommes restés mariés moins d'un mois.

Adam prit le menton de Grace entre son pouce et l'index et la força à le regarder.

— Je suis désolé pour toi, dit-il. Ce devait être un homme bien.

Grace acquiesça.

— Et je l'aimais. Mais cela fait longtemps, maintenant.

Adam se pencha et effleura sa bouche d'un baiser. Les yeux fermés, Grace appuya son front contre le sien.

— Il y a tellement longtemps, murmura-t-elle. Je crois que je ne sais même plus comment faire.

— Ne nous précipitons pas, dit-il. Prenons notre temps.

Elle passa les bras autour de son cou et leva son visage vers celui d'Adam. Celui-ci posa les mains sur ses hanches et se pencha vers elle pour goûter la saveur de sa bouche.

Ils étaient comme deux inconnus qui se rencontrent pour la première fois. Tant de choses avaient changé, en dix-huit ans de mariage. En revanche, l'attirance qu'Adam ressentait pour Grace n'avait pas faibli.

Le bruit de la porte d'entrée interrompit leur étreinte. Grace recula comme une adolescente prise en faute. Adam prit sa main et l'entraîna dans le couloir. Il mit son doigt en travers de sa bouche pour qu'elle n'appelle pas leur fille, et ils écoutèrent. Sur la pointe des pieds pour ne pas être entendue, Emma montait dans sa chambre…

— Je vais aller lui parler, finit par dire Grace.

Adam secoua la tête.

— Cela peut attendre demain. Demain, nous lui parlerons tous les deux.

Grace s'inclina. Adam prit sa main et monta avec elle. Arrivé devant la porte de leur chambre, Adam ne savait trop que faire. Depuis son retour de la guerre, ils avaient toujours partagé le même lit mais… cela faisait des années qu'ils ne s'étaient plus touchés.

Finalement, ils s'allongèrent et le sommeil vint les engourdir. Adam serrait Grace dans ses bras, elle nichait le visage contre lui. C'était un premier rapprochement, songea alors Adam qui la sentit se détendre pour la première fois depuis bien longtemps. L'intimité viendrait en son temps. Ou pas. Ils avaient le reste de leurs vies devant eux maintenant.

21

— Il faut que tu viennes. Nick vient avec un copain pour toi.

Emma secoua la tête et leva les yeux du roman qu'elle lisait.

— Je lis un livre génial : *La Vallée des poupées*. J'ai une pizza congelée qui m'attend et un pack de six tab, je suis bien comme ça. Je ne veux rien de plus.

Diane s'assit sur le canapé et prit le roman des mains d'Emma.

— Je sais que ton père te manque. Mais je ne crois pas qu'il aimerait te voir triste. Je suis sûre qu'il voudrait que tu t'amuses.

Emma posa les pieds sur la table basse et serra les bras autour de ses genoux. Son père était mort subitement six mois plus tôt. Un jour il était là, drôle, vif, toujours prêt à lui souffler un conseil, toujours fort pour l'aider — et, le lendemain, c'était fini. Une crise cardiaque l'avait emporté.

Cela avait été un choc terrible et Emma n'en était toujours pas remise. Son chagrin était immense et elle avait l'impression que rien ne la consolerait jamais. Elle qui avait cru son père éternel... Elle s'était imaginé qu'il serait toujours là, à ses côtés pour la conduire à l'autel le jour de son mariage, pour jouer avec ses enfants quand elle en aurait, pour accompagner sa réussite dans la vie — et pour répondre aux questions qu'elle n'avait pas eu le temps de lui poser.

Dire que c'était trop tard…

Il avait l'air tellement heureux, les derniers temps : il pensait lancer une nouvelle société de consultant en affaires. Emma savait que son père et sa mère avaient eu un passage à vide dans leur vie de couple mais, depuis quelques années, les difficultés avaient dû s'aplanir car ils avaient l'air de plus en plus attachés l'un à l'autre. Ce n'était peut-être pas une passion dévorante, mais ils semblaient sereins.

— Comment va ta mère ? demanda Diane.

Emma haussa les épaules.

— Difficile de savoir. Tu la connais, elle n'est pas rigolote. Et elle est fermée comme une huître. Elle n'était pas démonstrative avec mon père, pourquoi le serait-elle avec moi ? C'est quelqu'un qui ne dit jamais ce qu'elle ressent. Parfois, j'en arrive à me demander si elle est vraiment triste qu'il soit mort.

Emma secoua la tête en grommelant.

— J'exagère, je ne devrais pas dire ça. Si, je pense qu'il lui manque.

— Tu sais, tu ne devrais pas transposer ta vision de la relation idéale avec un homme sur les relations qu'avaient tes parents. Ils sont d'une autre génération. De leur temps, les hommes ne communiquaient pas aussi facilement qu'ils le font aujourd'hui et les femmes se contentaient de peu. Personne ne faisait étalage de ses sentiments, c'était indécent. Mal perçu. Oui, c'est ça, les gens étaient plus pudiques. Qui te dit que tes parents n'ont pas eu une vie de couple très heureuse ?

— Tu as peut-être raison, dit Emma.

Diane était licenciée en psychologie de l'université de Boston et lui exposait fréquemment ses points de vue qui différaient souvent des siens.

Si la vie conjugale de ses parents n'avait pas été ratée, en revanche la vie professionnelle de son père avait été une sérieuse déception. Quand Jack Callahan avait été condamné pour prise d'intérêts, pots de vin et abus de biens sociaux, le scandale avait rejailli sur toute la famille au point que son père, qui visait un siège au Sénat, avait dû oublier ses ambitions politiques. La campagne pour les primaires avait pris fin quelques jours avant la démission de son grand-père.

Verna Callahan, tombée du piédestal social où l'avait hissée la gloire de son mari, avait exigé qu'ils vendent leur maison de Marlborough et déménagent en Californie où les mémoires sont courtes et les journées chaudes. Sa tante Theresa, toujours célibataire, les y avait suivis. Elle travaillait comme assistante de direction dans un studio de cinéma de Hollywood et adorait cette nouvelle vie qu'elle trouvait absolument *affolante*. Retourné à la vie civile, Adam Callahan avait travaillé comme ingénieur pour l'Etat du Massachusetts.

— Ma mère voulait que je revienne vivre à la maison après l'enterrement, dit Emma en fixant ses orteils. D'une certaine façon, j'aurais bien aimé me réinstaller là-bas pour me sentir plus près de mon père mais j'ai pensé que si je faisais ça, je serais piégée pour le reste de ma vie.

— Je suis contente que tu aies emménagé avec moi, dit Diane. Je ne sais pas si j'aurais trouvé une colocataire avec laquelle je m'entende aussi bien.

Diane et elle partageaient déjà leur chambre en première

année de faculté. Depuis, elles ne s'étaient pas quittées. Emma avait été acceptée à Wellesley et à Mount Holyoke, mais les finances de sa famille ne lui avaient pas permis d'intégrer l'une ou l'autre de ces universités. Elle avait donc dû se rabattre sur une université d'Etat, beaucoup moins onéreuse. Emma avait choisi celle du Massachusetts à Amherst.

Finalement, l'endroit s'était révélé idéal pour elle. Elle n'avait jamais été taillée pour l'atmosphère plus conservatrice des facultés spécifiquement féminines. C'était pourtant le rêve de sa mère et sa dernière tentative pour faire de sa fille une vraie jeune fille.

Mais à Amherst, elle avait commencé à apprécier le pouvoir naissant des femmes dans la société, la liberté dont elles commençaient à jouir dans leur choix de vie et de carrière, et dans leurs relations... sexuelles y compris. Emma s'était investie dans la vie politique, dans les mouvements féministes, dans la lutte contre la violence et donc la guerre, dans les mouvements sociaux et, en seconde année, avait décidé de présenter un doctorat en sciences sociales. A vingt-cinq ans, elle était maintenant une jeune femme brillante, ambitieuse, qui ne pensait qu'à sa carrière. Elle dirigeait un centre pour la jeunesse au sud de Boston. Elle adorait son métier même si son salaire lui permettait à peine de payer son loyer.

— Tu es sûre que tu ne veux pas venir avec nous ? demanda Diane. On n'aura pas besoin de rester longtemps. On boit un verre et on s'en va.

— Il risque d'être déçu, le copain de...

— Il vient d'arriver. Il faudra qu'il s'y fasse.

A reculons, Emma se leva du canapé et lissa les plis de la jupe qu'elle avait portée au travail.

— Tu penses qu'il faut que je me change ?

Diane lui jeta un coup d'œil.

— Coiffe-toi et change de chaussures. Tes porte-avions ne sont pas très féminins, tu n'as pas de talons ?

En bougonnant, Emma alla changer de chaussures et elles sortirent. Leur bar préféré se trouvait trois rues plus loin, sur la baie de Boston. Diane entra la première. Cachée derrière son dos, Emma grommela.

— Je te préviens, si c'est un dingo, je tourne les talons et je m'en vais. Tu n'auras qu'à lui dire qu'il a fallu que je rentre… me laver les cheveux à la maison.

Diane fouilla le bar des yeux dans l'espoir de trouver son ami.

— Voilà Nick, dit-elle. Je l'aperçois là-bas au fond, près de la table de billard.

— Et le type qui est avec lui ?

— Je ne vois pas comment il est, il me tourne le dos.

Diane se tut un instant et reprit.

— Attends une seconde. Nick m'a vue. Il se retourne et…

— Et quoi ? grogna Emma. Vas-y, parle.

— Oh ! la ! la ! ce qu'il est mignon ! lança Diane, tout excitée.

— Mignon ?

— Oui… Enfin… Disons plutôt beau. Sublime. Je ne sais pas pourquoi mes petits copains ne sont jamais aussi bien.

— Si tu me mens, je…

— Non, dit Diane en la prenant par le bras. Allez, viens.

Elle tira son amie par la manche.

— Tiens, regarde toi-même. Allez, dis-leur bonjour. Un petit geste de la main, ça ne coûte rien. Souris, bon sang, ils ne t'ont rien fait ! Fais semblant d'être contente d'être là.

Emma s'exécuta. Petit signe de la main, sourire forcé.

— Tu as raison, il est mignon, dit-elle en retirant sa veste. Comment s'appelle-t-il ?

— Je ne me rappelle pas. Nick m'a dit qu'il était Irlandais, il doit avoir un nom impossible ! Quand j'ai su ça, j'ai tout de suite pensé que ça devrait marcher entre toi et lui.

— Parce qu'il a un nom impossible ?

— Non, parce qu'il est Irlandais. Vous allez pouvoir parler irlandais ensemble. Il vient juste de débarquer de son bateau.

— Quel bateau ?

— Je viens de te dire qu'il est Irlandais. Il est arrivé il y a quelques semaines seulement. Allez, viens, on va se présenter. Au fait, tu n'oublieras pas de me remercier plus tard.

Les yeux braqués sur l'Irlandais qui ne la quittait pas du regard lui non plus, Emma traversa le bar. Comme elle approchait, elle le vit se pencher vers Nick et lui dire quelque chose qui devait être drôle car ils rirent tous les deux. Il avait un sourire magnifique, se dit Emma, un brin songeuse. Magnifique et moqueur. Ses cheveux, noirs, longs et drus bouclaient légèrement sur le col de sa chemise, une chemise un peu passée. En revanche, son jean était neuf et le cuir de ses boots quelque peu éraflé.

Elle lui tendit la main.

— Salut. Je suis Emma Callahan.

Son sourire s'illumina encore, découvrant deux rangées de dents d'un blanc nacré.

— Padriag Quinn. Paddy pour les intimes.

Il lui prit la main et la serra dans les deux siennes, plus longtemps que nécessaire.

— Je vois ça, dit-il de son inimitable accent irlandais.

— Tu vois quoi ?

— Que tu es Irlandaise. Ça se voit à ton visage.

— Ma mère est de là-bas, dit Emma.

Il plissa les yeux, des yeux rieurs d'une couleur inhabituelle, mélange étrange de vert mousse et de doré.

— Quelle coïncidence ! lança-t-il. La mienne aussi.

Emma rit nerveusement.

— Raconte un peu, Paddy Quinn. Pourquoi as-tu franchi l'océan ? Qu'est-ce qui t'amène ici ?

— Je crois que c'est toi, dit-il. Oui, je pense que je suis venu ici pour te rencontrer.

Emma sentit qu'elle piquait un fard. Venant d'un autre garçon, la remarque lui aurait paru idiote. Elle aurait trouvé cette entrée en matière pour la draguer vraiment nulle. Mais venant de lui, elle la trouva littéralement dévastatrice… et efficace.

— Avec un numéro de charme pareil, tu vas faire un malheur aux Etats-Unis. Les Américaines vont adorer, se moqua-t-elle.

— C'est parfait. Parce que, justement, elles commencent à me faire fantasmer, les Américaines. Une en particulier.

Emma se pencha pour prendre la chope de bière que Nick avait apportée et se servit. Ce faisant, elle frôla le bras de Paddy et sentit qu'elle rougissait encore. Son cœur se mit à battre plus vite. C'était incontestable, il était superbe et charmant. Mais elle n'était pas en demande de petit ami.

Elle jeta un coup d'œil à Diane qui lui fit un clin d'œil en retour. L'air de rien, Diane et Nick se tournèrent vers le billard, laissant Emma et Paddy bavarder ensemble.

— Sérieusement, reprit Emma. Qu'est-ce qui t'amène ici ?

Elle avala une gorgée de bière.

— Mon travail. Je me lance dans une grande aventure commerciale. Je suis pêcheur professionnel et j'ai prévu d'acheter un gros bateau de pêche. Oui, enfin, pas si énorme que ça pour commencer. Je verrai par la suite.

— J'aime le poisson, dit Emma.

— Et moi, je vais le pêcher. A nous deux, on fait la paire.

Il tendit la main.

— Tu danses, Emma ?

Elle balaya le pub des yeux. Un disque passait sur le juke-box mais personne ne dansait.

— Ici ?

— Où tu veux, dit-il. Tu connais un autre endroit ?

Emma fit oui de la tête.

— Il y a un petit club un peu plus loin dans la rue. On pourrait…

Il prit le verre de bière qu'elle tenait à la main et le posa sur le comptoir.

— On y va, dit-il.

Il attrapa sa veste, l'enfila, l'aida à passer la sienne, laissant son bras sur ses épaules pendant qu'elle la boutonnait. Avant de sortir, Emma fit un signe à Diane et à Nick.

Dehors, d'énormes flocons de neige balayés par le vent leur fouettèrent le visage. Elle leva le nez et sortit la langue pour en recueillir quelques-uns.

— J'adore quand il neige, dit-elle en tournant sur elle-même comme une toupie, bras écartés.

Il l'attrapa et l'attira à lui, puis, lentement, commença à aller et venir, d'avant en arrière, sur un rythme facile. Subitement, elle se rendit compte qu'ils dansaient sur le trottoir.

— Mais… il n'y a pas de musique, dit-elle.

Il se mit à fredonner un air des Beatles.

— *I am happy to dance with you.*

Après avoir fredonné le premier vers, il se mit à chanter. Captivée par la beauté de sa voix, Emma l'écoutait. Sa chanson était constellée d'erreurs mais il le faisait exprès, pour rire, parce qu'il voulait que cet instant soit joyeux et bon enfant.

Elle commença à chanter avec lui. En quelques secondes, ils tourbillonnaient sur le trottoir en chantant à tue-tête. Quand la chanson fut finie, il se pencha sur elle et la serra très fort contre lui.

Ils se regardèrent un moment. Paddy pencha alors la tête et lui prit la bouche. Le baiser fut parfait, ni trop appuyé ni trop mièvre, mais assez passionné tout de même pour qu'elle comprenne combien elle lui plaisait.

Quand il se redressa, Paddy prit son visage dans ses mains et sourit.

— Je crois vraiment que tu es la plus belle femme d'Amérique, dit-il.

— Tu n'as pas encore croisé toutes les filles qui vivent en Amérique, plaisanta Emma. Tu ne peux donc pas le savoir.

— Je sens les choses, répondit Paddy. Tu peux me croire.

Il l'embrassa encore et lui prit la main. Comme ils descendaient la rue, Emma, perplexe, se demanda où cela allait les mener. Jamais encore elle n'avait ressenti une attirance aussi foudroyante pour un homme. Certes, certaines de ses amies lui avaient raconté comment elles s'étaient retrouvées en train de faire l'amour avec des garçons qu'elles avaient rencontrés le jour même mais, elle, cela ne lui était jamais arrivé.

A la simple pensée de faire monter Paddy chez elle, de lui arracher ses vêtements et de le renverser sur son lit, son cœur se mit à cogner comme un fou. Avait-elle vraiment envie de gâcher cette merveilleuse attraction en acceptant de coucher avec lui dès ce soir ? Ou bien valait-il plus que cela ?

— J'ai l'air de quoi ?

Emma posa la main sur le revers de la veste de Paddy et le caressa.

— Tu es superbe. Ne t'inquiète pas.

Paddy se regarda dans le rétroviseur et se passa la main dans les cheveux. Il aurait pu s'offrir une coupe chez le coiffeur. Hirsute comme il était, il avait l'air d'un rocker à sa descente de scène.

Emma l'avait invité à dîner chez sa mère dimanche et il avait d'abord décliné. Et puis, après réflexion, il s'était ravisé. Il était temps, s'était-il dit, de faire sa connaissance. Cela faisait deux mois maintenant qu'ils sortaient ensemble. Qu'Emma lui accorde une place importante dans sa vie avait été une surprise. Paddy, à l'inverse, avait tenté de freiner des quatre fers.

Jamais il n'aurait pu imaginer que ses premières semaines en Amérique seraient aussi mouvementées et riches. Rencontrer la fille de ses rêves si vite relevait du conte de fées, ou du miracle. Il ne s'expliquait toujours pas qu'elle soit attirée par lui. Elle était belle et intelligente et pouvait prétendre à n'importe quel Bostonien. Et elle était avec lui, un garçon lambda, sans don particulier, sans grands moyens, sans travail pour l'instant. Avec juste des rêves.

— J'ai trouvé un bateau, dit-il.

— Où ça ?

— Aux chantiers de Quincy. J'ai assez d'argent pour l'acheter, mais je vais devoir emprunter pour le remettre en état. Je ne sais pas comment cela va se passer compte tenu que je ne suis pas citoyen américain. Je me demandais si je ne pourrais pas proposer au patron des chantiers de mettre de l'argent dans les réparations, en échange de quoi je lui donnerais une partie des résultats de la première saison de pêche.

— Ça me paraît une bonne idée, dit-elle.

De nouveau, elle lissa son revers.

— Ne te laisse pas impressionner par ma mère, O.K. ?

— Pourquoi dis-tu ça ? Elle a une grosse verrue sur le nez et trois yeux ?

— Non, pouffa Emma. Mais elle n'est pas toujours commode. C'est une femme autoritaire qui aurait bien aimé régenter ma vie qu'elle voyait évidemment d'un autre œil que moi. Elle rêvait pour moi d'un mari riche, d'une grosse maison dans un quartier ultra chic avec des voisins hyper snobs et trois enfants, si possible surdoués.

— Cela ne t'aurait pas plu?

— Non, dit Emma. Je veux être heureuse, c'est tout.

— Crois-tu que tu pourrais être heureuse avec un plouc comme moi?

Emma hocha la tête, se pencha vers lui et l'embrassa.

— Je suis heureuse avec mon plouc chéri, dit-elle en forçant son accent irlandais. Au fait, t'ai-je dit que je te trouve très beau?

Il avait acheté sa veste dans un dépôt-vente mais elle était parfaitement à sa taille et semblait neuve ou presque. La cravate, il l'avait empruntée à Nick, ainsi que la chemise. Il avait acheté le pantalon mais c'était un investissement qui en valait la peine s'il lui permettait de séduire la mère d'Emma.

Arrivés à Marlborough, Emma lui indiqua la route.

— Nous y sommes bientôt, dit-elle.

Paddy commença à se sentir nerveux.

— Tu peux arrêter la voiture, c'est ici, dit-elle.

Paddy gara la voiture devant la maison, se regarda une nouvelle fois dans le rétroviseur et se recoiffa. Il se sentait comme un poisson échappé de l'aquarium. Il ne connaissait rien aux bonnes manières et ignorait l'attitude à adopter en pareilles circonstances. A Ballykirk, dans son village, toutes les familles se connaissaient, il n'y avait donc jamais de présentations très formelles. S'il avait envie de sortir avec une fille, il allait au pub et la croisait là, lui offrait quelques pintes de bière qu'il partageait avec elle et la voie était ouverte.

L'auto arrêtée, Paddy tira le frein à main et fit le tour de la voiture pour ouvrir sa portière à Emma. Le temps de contourner l'automobile, Emma était déjà descendue.

— Tu aurais dû attendre, dit-il. Si ta mère nous guette par la fenêtre elle va penser que je n'ai aucun savoir-vivre.

A la seconde où elle ouvrit la porte, Grace Callahan sut que ce garçon n'était pas l'homme qu'il fallait à sa fille. Sourire pincé, elle les pria d'entrer et les précéda dans le salon. L'interrogatoire commença aussitôt. Que faisait Paddy dans la vie ? Quels étaient ses projets ?

Suivirent les inévitables questions, sur sa famille d'abord, sur sa vie sentimentale ensuite. Ce fut tout pour les dix premières minutes.

Emma, qui lui avait servi à boire, le regardait agiter son verre dans sa main. Il était embarrassé. D'ailleurs, il n'avait pas bu une goutte de son apéritif. Sans doute voulait-il garder les idées claires.

Le voyant mal à l'aise, Emma avait essayé à plusieurs reprises de changer de conversation mais sa mère était revenue à la charge. Rien n'aurait pu la faire dévier de son sujet. Qu'importe ! Paddy prit la main d'Emma et la serra dans la sienne. Mme Callahan pouvait dégou-piller une grenade et la lancer à ses pieds, Paddy n'en démordrait pas. Il resterait toujours au côté d'Emma si tel était son désir.

— Parlez-moi un peu plus de votre activité, dit Grace. Etait-ce déjà votre métier quand vous étiez en Irlande ?

— Mon père et mon grand-père étaient tous les deux pêcheurs, expliqua Paddy. Mais la pêche là-bas n'est plus ce qu'elle était et on ne gagne pas bien sa vie. J'ai toujours été attiré par la pêche en haute mer. Il y a encore de l'argent à faire dans ce métier. Mais pas là-bas.

— Vous voulez dire que vous sortez en mer pour la journée, vous jetez votre ligne, c'est cela?

Paddy éclata de rire.

— Non. Le bateau prend la mer pour cinq ou six semaines. Il va loin, en général au-delà des grands fonds. On déroule un long filin en acier avec plein d'hameçons et d'appâts et on revient quelques jours plus tard, on remonte la ligne et quand la cale est pleine de poissons on rentre au port.

— Vous n'avez encore jamais pêché comme cela?

Paddy secoua la tête.

— Non, mais j'apprends vite. La pêche est une deuxième nature chez les Quinn. A Ballykirk, les gens disent que les Quinn entendent les poissons avant même de les voir. J'ai trouvé un embarquement à bord d'un bateau de pêche pour juillet. Mais, la saison prochaine, je compte bien avoir un bateau à moi.

— En juillet? demanda Emma. Tu ne me l'avais pas dit.

Paddy haussa les épaules.

— Ça me semblait tellement loin que j'ai pensé que j'aurais tout le temps de te le dire.

— Bien, je vais aller voir où en est le dîner, lança Grace d'un ton joyeux. Emma, peux-tu venir m'aider dans la cuisine?

A regret, Emma lâcha la main de Paddy et suivit sa mère qui avait déjà disparu dans l'office. Quelques instants plus tard, des bruits de voix éclataient, bas d'abord puis plus forts. Pas de doute possible, elles se disputaient.

— Et puis zut! jura Paddy. Ça va bien comme ça!

Il saisit le verre qu'Emma lui avait servi et qu'il avait reposé sur la table, le but d'un trait, se leva et alla s'en servir un deuxième au bar qu'il avala en deux ou trois gorgées.

Là-bas, à Ballykirk, on le considérait comme un beau parti. Il buvait avec modération, se baignait régulièrement et avait de bons revenus, c'était le genre de type auquel les mères faisaient les yeux doux. Le gendre idéal pour une Irlandaise. Ici, en revanche, on ne le voyait pas avec les mêmes yeux. Il n'était pas aux Etats-Unis depuis longtemps mais il avait déjà noté que les gens essayaient tous de se hausser du col. Ils se croyaient sortis de la cuisse de Jupiter ou s'employaient à le faire croire. Jamais satisfaits de ce qu'ils avaient, ils voulaient toujours plus.

Il avala un autre whisky et s'en servit encore un verre. Il lui faudrait bien cette dose d'alcool pour affronter le dîner. Il commençait à se détendre quand Emma déboula comme une tornade dans la pièce, les joues en feu.

— On s'en va, gronda-t-elle en attrapant son sac qu'elle avait posé par terre près du canapé.

— Mais… Et le dîner ?

— Tu veux rester ? demanda-t-elle, enragée. Eh bien, reste. Moi je m'en vais.

— Attends, je pars avec toi, dit Paddy.

Il engouffra le dernier whisky, plongea la main dans sa poche et en sortit les clés de la voiture d'Emma.

— Tiens. Je pense qu'il vaut mieux que ce soit toi qui conduises. Je crois que j'ai un peu bu.

— En l'espace de cinq minutes ?

— Ben… A l'idée d'un dîner de dix plats avec ta mère, j'ai ressenti le besoin de m'armer de courage. Alors, je me suis servi des whiskies. Il fallait bien que je calme mes nerfs.

Elle le prit par la main et l'entraîna vers la porte d'entrée. Quand ils furent dehors, elle se mit à hurler sa rage, tournée vers la maison.

— C'est ma faute. Je savais qu'il ne fallait pas venir. Je m'en veux de faire des bêtises pareilles.

— J'ai cru comprendre que je ne l'ai pas enthousiasmée, dit Paddy. Moi qui croyais que j'allais la retourner comme une crêpe avec mon numéro de charme !

Les sourcils plissés, Emma le regarda puis explosa de rire.

— Il faudrait que ma mère soit dans le coma pour qu'on réussisse à la dérider.

Le temps de s'installer dans la voiture, la bonne humeur avait repris ses droits.

— Elle a été odieuse avec toi.

— C'est une mère. Elle veut ce qu'il y a de mieux pour toi. C'est normal, dit Paddy.

— Tu ne penses pas que c'est à moi de décider de ce qui est le mieux pour moi ?

— En principe, oui, acquiesça Paddy.

Elle démarra et déboîta dans la rue. Assis à côté d'elle, il ne la quittait pas des yeux.

— Si tu devais faire l'inventaire de ce que tu considères comme bien pour toi, est-ce que je serais sur ta liste ?

Emma lui lança un coup d'œil et sourit.

— Tu serais en tête de liste, dit-elle.

— Gare-toi, ordonna Paddy en lui montrant le bord du trottoir. Gare-toi là.

Emma s'exécuta et arrêta la voiture sur le bas-côté. Aussitôt, Paddy l'attira à lui et l'embrassa avec fougue.

Quand il s'écarta d'elle pour reprendre son souffle, elle avait le visage écarlate et la respiration haletante.

— Je t'aime, Emma.

Etonnée, elle écarquilla les yeux.

— C'est vrai?

Il éclata de rire et lui caressa la joue.

— Oui, je t'aime.

Emma inspira. Paddy savait que c'était trop tôt, qu'il avait tort de lui exprimer déjà ses sentiments. Mais comment ne pas lui dire ce qu'il ressentait? Quand il plongeait dans son regard, il avait envie de lui livrer son cœur, de radoter comme un idiot jusqu'à ce qu'il soit sûr qu'elle ait compris qu'il l'aimait.

— Ne dis rien, murmura-t-il.

— Si, j'ai envie de parler, répondit Emma.

Elle chercha son regard, le soutint. Les bras autour du cou de Paddy, elle l'embrassa avec tendresse.

— Je t'aime, dit-elle.

Il avait déjà entendu ces mots-là. D'autres filles les lui avaient susurrés mais il n'y avait accordé aucune importance. Alors qu'aujourd'hui…

— C'est bon. C'est vraiment bon, dit-il.

22

Au bruit d'un moteur, Grace, à genoux dans une plate-bande de fleurs, releva les yeux. Une voiture qu'elle ne connaissait pas venait de s'arrêter devant la maison. Intriguée, elle ôta ses gants de jardinage, les posa à côté d'elle et se leva. Elle n'attendait pas de visiteur. La seule personne dont elle espérait une visite évitait la maison de Poplar Street depuis plus d'un mois.

Emma pouvait être têtue mais, d'habitude, ses crises ne duraient jamais si longtemps. Tant pis ! Quand elle aurait fini de bouder, elle reviendrait. Grace ne changerait pas d'opinion sur Paddy Quinn. Rien ni personne ne lui ferait dire qu'elle l'appréciait. C'était un homme sans avenir. Le métier de ses rêves l'éloignerait de chez lui plusieurs semaines d'affilée. Avec un mari, et un père, toujours absent, quelle vie auraient sa fille et ses petits-enfants ? Grace parlait d'expérience. Elle avait eu son lot de malheurs et de souffrances en matière de cœur et espérait que sa fille ne connaîtrait pas les mêmes tourments.

Un gentleman descendit de voiture et s'immobilisa sur le trottoir. Grace nota qu'il était grand et élancé et que ses cheveux noirs commençaient à grisonner sur les tempes. Il semblait avoir à peu près son âge, peut-être un peu plus.

Lentement, elle avança vers lui.

— Vous désirez quelque chose?

Il la fixa en souriant.

— Vous êtes Grace, je pense?

— Oui, dit-elle.

Il parlait un anglais parfait, avec le débit heurté propre aux aristocrates britanniques.

— Vous êtes jolie, dit-il.

— On se connaît? demanda Grace.

L'homme hocha la tête de gauche à droite.

— Non, nous ne nous sommes jamais rencontrés. Mais je sais beaucoup de choses sur vous.

Il marqua un temps d'arrêt.

— J'ai bien connu votre mari.

— Adam?

— Edward, dit-il.

— Oh! s'exclama Grace.

Le souffle coupé, les jambes flageolantes, elle plaqua la main sur son cœur.

— Je... je suis désolée. C'est que... Euh... personne ici ne sait que j'ai été mariée à Edward.

Elle inspira et reprit.

— Cela fait longtemps que je n'avais pas entendu prononcer son nom. Ni vu de photo de lui. Comment l'avez-vous connu?

— Nous avons combattu en Afrique du Nord ensemble. Je m'appelle Miles Fletcher.

Il lui tendit la main; Grace la serra.

— Pouvons-nous nous asseoir quelque part? dit-il. J'ai beaucoup de choses à vous dire.

— Je ne sais pas si c'est une bonne idée, répondit Grace. Il m'a fallu tellement de temps pour surmonter la mort d'Edward. Je ne suis pas sûre que ce soit judicieux de faire remonter tout ce passé.

— Votre fille ? Sait-elle qu'Edward était son père ?

Grace devint soucieuse.

— Comment savez-vous que j'ai une fille ?

Miles — il s'appelait ainsi — plongea la main dans sa poche et en sortit une enveloppe qu'il lui tendit. Grace reconnut aussitôt son écriture et l'ouvrit, en sortit la lettre. En un éclair, elle se retrouva quelque vingt-cinq ans en arrière, la nuit où elle avait rédigé cette missive.

— Je suis désolé mais je l'ai ouverte, dit Miles. Cela m'a paru nécessaire si l'on voulait vous retrouver.

— Me retrouver ? Pour quoi faire ?

— J'avais demandé à un détective privé de vous rechercher, Grace. Depuis longtemps. Il a retrouvé votre trace l'année dernière, peu de temps après le décès de votre mari, et il m'a parlé de votre fille. J'ai pensé qu'il valait mieux que j'attende un peu avant de prendre contact avec vous.

Elle leva les yeux de la lettre. Des images défilaient dans son esprit. Tout son passé était là, devant elle, avec sa charge d'émotion et ses démons.

— Puis-je vous offrir quelque chose à boire, monsieur Fletcher ? Un jus de fruits, une tasse de thé ?

Il sourit.

— Volontiers. Vous pouvez m'appeler Miles, vous savez. J'ai le sentiment de vous connaître depuis toujours.

— Miles, répéta-t-elle. Venez, suivez-moi.

Ils entrèrent dans la maison. Il y faisait frais. Elle précéda Miles dans le salon et s'éclipsa pour chercher quelque chose à boire. Quand elle revint, Miles, debout, passait en revue les photos de famille encadrées qu'elle avait accrochées aux murs et disposées sur la cheminée.

— C'est votre fille? demanda-t-il en regardant une photo de remise de diplôme.

— Oui. Elle s'appelle Emma.

— Emma, c'est charmant, surtout pour une jeune femme aussi jolie. Elle doit avoir...

— Elle a vingt-cinq ans. Elle a obtenu son doctorat il y a deux ans et travaille maintenant dans les sciences sociales. Elle s'occupe d'une maison de jeunes à Boston. Ce n'est pas la carrière dont j'avais rêvé pour elle mais, que voulez-vous, de nos jours ce ne sont plus les parents qui décident. Elle est très volontaire, et déterminée à sauver le monde! Péché de jeunesse! On ne peut pas lui en vouloir. Je pense qu'elle a hérité cette générosité de son père.

Grace souleva le broc de jus d'orange et servit Miles.

— Dites-moi, maintenant. Comment votre détective privé a-t-il fait pour me retrouver? Surtout, expliquez-moi pourquoi c'était si important.

Miles prit le verre qu'elle lui offrait mais refusa le biscuit à la cannelle.

— C'est une longue histoire. Je pense qu'il vaut mieux commencer par le commencement.

— Oui, dit Grace en s'asseyant.

Miles s'éclaircit la gorge.

— Edward et moi nous sommes connus au collège. A Harrow.

Comme si un souvenir agréable lui traversait l'esprit, il sourit et poursuivit l'histoire de leur rencontre.

A Harrow, quand leur amitié était née, ils n'étaient encore qu'adolescents.

— Je me rappelle très bien la première fois où Edward a évoqué votre nom…

Cela s'était passé dans un pub, non loin de la propriété de la famille Grantham où, avec d'autres amis, ils étaient venus passer un week-end.

Miles sauta ensuite à la guerre, parla de l'Afrique du Nord et de la deuxième fois où il avait mentionné son nom.

— A cette époque-là, Edward est retourné un certain temps en Angleterre, dit-il. Il accompagnait un officier supérieur sur un navire-hôpital.

Grace sourit.

— C'est à cette occasion que nous nous sommes mariés. Nous nous sommes retrouvés à Belfast pendant une permission.

— Avant de partir, il m'a dit qu'il allait vous demander de l'épouser et il m'a fait promettre de m'occuper de vous s'il lui arrivait quelque chose.

— Geneva, l'interrompit Grace. Savez-vous ce qu'il est advenu de sa mère?

— Oui. J'allais y venir.

Il s'arrêta pour rassembler ses idées.

— Quand on a appris que le navire sur lequel il faisait la traversée avait été coulé, je suis allé dans ses quartiers ranger ses affaires. J'ai trouvé vos lettres et d'autres effets personnels que j'ai mis dans une boîte que j'ai libellée à votre adresse, de sorte qu'elle vous soit envoyée s'il m'arrivait quelque chose avant que j'aie eu l'opportunité de vous la remettre en main propre. J'ai gardé cette boîte avec moi tout le reste de la guerre, sachant qu'un jour viendrait où je pourrais vous la remettre personnellement. Quelque temps plus tard, une autre lettre a fini par rattraper notre unité et elle a rejoint les autres dans la boîte.

— Vous avez la boîte avec vous ? demanda Grace.

Miles acquiesça.

— Elle est dans la voiture. Voulez-vous la voir tout de suite ?

— Oui, s'il vous plaît, dit-elle.

Quand il quitta la pièce, Grace resta assise en silence, ne sachant si elle souhaitait vraiment rouvrir cette porte sur le passé, une porte qu'elle avait gardée fermée à double tour depuis la disparition d'Edward. Edward avait été son premier amour, son premier homme et, pour tout dire, le seul homme de sa vie. Elle avait appris à apprécier Adam les dernières années de sa vie, elle le respectait et était sincèrement attachée à lui, mais elle ne l'avait jamais aimé comme elle avait aimé Edward : passionnément. Edward et elle étaient des alter ego, des âmes sœurs. Personne ne l'avait aussi bien connue que lui.

Miles revint dans le salon quelques minutes plus tard, une petite boîte dans les mains. Il la posa près de Grace sur le canapé et retourna s'asseoir. Le coffret était enveloppé dans du papier kraft et entouré d'une ficelle. Alors qu'elle défaisait l'emballage, Grace sentit son cœur battre plus vite, comme il le faisait autrefois chaque fois qu'Edward entrait dans une pièce.

La boîte était pleine des lettres qu'elle lui avait adressées, chronique de sa vie à Porter Hall pendant qu'il faisait la guerre. Elle contenait aussi des photos d'elle adolescente puis jeune fille et jeune femme, des photos dont elle ignorait qu'il les avait en sa possession.

Elle souleva un petit lacet de cuir et trouva dessous le médaillon en or qui avait appartenu à son père.

Un bout du lien de cuir était cassé, c'était sans doute pour cela qu'Edward avait rangé la médaille avec les lettres. Machinalement, elle porta la main à son cou mais se rappela qu'elle avait laissé la sienne dans l'écurie, la nuit où elle s'était enfuie.

— Je ne suis pas venu seulement pour vous rapporter ces objets, dit Miles. Je suis ici en tant que représentant de la fortune de lady Geneva Porter.

Perplexe, Grace le regarda.

— La fortune ?

Miles fit oui de la tête.

— Elle est décédée en 1961. Elle avait quatre-vingt-trois ans. Je l'ai connue à la fin de la guerre quand je suis venu à Porter Hall dans l'espoir de vous trouver. Son mari était très malade, il était alcoolique, ai-je compris. Il est mort en 46. Après le décès d'Edward, il a fallu hospitaliser lady Porter mais les médecins ont trouvé un traitement qui lui convenait et elle a fini ses jours à peu près heureuse et en bonne santé. Malcolm gérait les sociétés de son père. Hélas ! il a hérité son penchant pour l'alcool. Isabelle a demandé le divorce et est retournée vivre avec son fils en Angleterre en 1949. Malcolm s'est tué dans un accident de voiture en 1951, laissant toute la fortune des Porter entre les mains de Geneva. C'est à cette époque qu'elle m'a appelé à l'aide pour gérer ses affaires et qu'elle m'a demandé de vous retrouver.

— Elle savait qu'Edward avait sûrement un enfant ?

— Oui. J'avais ouvert la lettre. Je lui ai donc dit que vous étiez enceinte. Mais elle n'a jamais rien su de plus. Je pense qu'elle espérait, qu'elle priait le ciel pour qu'Edward ait un héritier quelque part.

— Un héritier ?

— Justement. C'est ce qui m'amène ici.

Miles fouilla dans la poche de sa veste et en sortit une épaisse enveloppe qu'il lui tendit.

— Voilà, dans leurs grandes lignes, vos avoirs en Irlande. Avant de décéder, lady Geneva avait pris des dispositions. Elle avait tout mis à votre nom avec la clause que tout ceci soit transmis à la fille ou au fils d'Edward si du moins cet enfant existait.

Ecrasée par le poids de la nouvelle, Grace fixa l'enveloppe.

— Non, ce n'est pas possible. Comment peut-on… Oh ! mon Dieu ! Je ne le crois pas. Pourquoi aurait-elle agi ainsi ? Et Malcolm ? Je veux dire, le fils de Malcolm ?

— Isabelle s'est remariée peu de temps après son divorce. Son second mari dispose d'une très grosse fortune et il a adopté le garçon. Elle était très amère et je ne pense pas qu'elle veuille avoir la moindre chose à voir avec les Porter et leur argent.

— Mais je ne connais rien aux mines et aux aciéries, dit Grace.

— C'est moi qui supervise les usines depuis le décès de Malcolm. Bien que les portefeuilles en actions ne soient plus aussi florissants que du temps de Henry Porter, ils vous permettront de vivre très confortablement, vous et votre fille Emma. Les mines et les aciéries sont en déclin en Irlande. Mais l'héritage compte d'autres formes d'investissements qui sont d'un bon rapport. Il comporte aussi une fondation qui a été créée pour l'entretien de la propriété et les salaires des personnels.

— Que dites-vous ? Que nous devons retourner en Irlande ?

— Je ne sais pas. C'est à vous de décider, Grace. A vous

et à Emma, je suppose. Porter Hall est là et vous attend toutes les deux si le cœur vous en dit. Sinon, vous pouvez le vendre. Le produit de la vente ira à Emma.

Il sourit et lui tapota la main.

— Je sais que tout cela fait beaucoup d'un seul coup. Je vais vous laisser y réfléchir. Si vous le souhaitez, nous pourrons en reparler plus en détail dans les jours qui viennent. Je suis aux Etats-Unis pour une semaine. Ma femme et moi-même avons décidé de visiter New York et de voir quelques spectacles sur Broadway. Nous avons des places pour *Un violon sur le toit.*

Il se leva, chercha une carte de visite dans sa poche et la tendit à Grace.

— Vous avez mon numéro de téléphone à l'hôtel au dos. Appelez-moi quand vous aurez digéré toutes ces nouvelles. Je vous apporterai alors les documents nécessaires au transfert de propriété à vous et à Emma.

Miles tendit la main mais, soudain, arrêta son geste pour tapoter ses poches.

— J'allais oublier. J'ai des lettres pour vous. De Sophie McCurdy, Cook si vous préférez, et de John Dennick. Quand je leur ai annoncé que j'allais venir vous voir, ils ont voulu vous écrire.

— Ils sont toujours à Porter Hall?

— Non. Sophie habite avec sa nièce à Watford. Elle a presque quatre-vingt-dix ans et se porte comme un charme. Quant à John Dennick, il a pris sa retraite et vit à Dublin. Son fils, John Junior, s'occupe de la propriété, et Grady le seconde.

La main tremblante, Grace prit les lettres que lui tendait Miles et les serra sur son cœur.

— Merci. Merci pour tout ce que vous avez fait.

Submergée par l'émotion, elle chercha des mots pour lui exprimer sa reconnaissance mais ils se noyèrent dans les larmes.

— Bien, je vais vous laisser maintenant. J'attends de vos nouvelles, Grace.

Grace resta assise dans le salon un long moment, abasourdie par les nouvelles qu'elle venait d'apprendre. Un doigt dans la boîte, tantôt elle caressait les lettres, tantôt elle enroulait le lien de cuir autour de son doigt. Tout cela lui semblait remonter à la nuit des temps et pourtant, cela ne faisait que vingt-cinq ans.

Elle ouvrit l'enveloppe qui contenait l'inventaire des biens et lut. Elle se rappelait tout. Les meubles anciens, les œuvres d'art, tout cet univers dans lequel s'était déroulée son enfance. Et tout cela leur appartenait maintenant, à elle et à Emma.

Un petit sourire retroussa ses lèvres. Lord Henry et Malcolm devaient se retourner dans leur tombe. Mais Geneva était sûrement heureuse. Lady Porter avait survécu à son alcoolique de mari et à sa brute de fils aîné et elle avait vécu assez longtemps pour contrecarrer les vœux de son mari et de son fils. En somme, elle les avait bien eus !

Grace secoua la tête. Elle ne l'avait jamais revue depuis qu'elle avait quitté l'Irlande avec Emma et elle le regrettait.

— Merci, Geneva, chuchota-t-elle. Merci de redonner vie à Edward, aux années que nous avons passées ensemble.

La route entre Boston et Marlborough lui parut plus rapide que d'habitude. Emma aurait presque aimé avoir plus de temps pour préparer ce qu'elle allait dire à sa mère. Avec Paddy, ils sortaient ensemble depuis presque quatre mois maintenant et il comptait pour beaucoup dans sa vie.

Au début, Emma n'avait pas pris leur relation très au sérieux. Elle militait pour la libération de la femme et n'avait que faire du mariage et de tout ce qui ressemblait à un engagement. Mais, récemment, elle avait réalisé que partager sa vie avec Paddy serait la chose la plus merveilleuse qu'elle pouvait imaginer.

Elle augmenta le son de la radio pour écouter un titre récent. Elle l'avait écouté hier soir à la radio quand Paddy et elle étaient allés faire un tour en voiture et il avait déclaré que ce serait leur chanson fétiche.

L'idée qu'elle puisse être l'âme et la muse de Paddy la fascinait. En apparence, ils formaient un couple improbable, l'immigrant irlandais de la classe ouvrière et la jeune fille de bonne famille, formée à l'université et fortunée de surcroît. Mais quand ils étaient ensemble, rien de tout cela n'existait.

Paddy était un garçon gentil et correct, qualités qui n'étouffaient pas ses anciens petits amis. Il la traitait comme une reine et soignait leur relation. Il y a peu, il lui avait dit qu'il était l'homme le plus heureux de la terre quand il était avec elle.

Ils s'étaient dit mutuellement qu'ils s'aimaient. Emma était certaine qu'il ne l'avait pas dit à la légère. Elle, elle hésitait encore. Ses sentiments étaient-ils profonds ? Etait-ce vraiment de l'amour qu'elle éprouvait pour lui ou aimait-elle l'idée d'être aimée ? A dire vrai, elle n'avait pas beaucoup d'exemples à admirer. Ses parents s'étaient mariés au bout d'une semaine alors qu'ils n'étaient qu'entichés l'un de l'autre. Ils avaient traîné cette précipitation comme un boulet toute leur vie, jusqu'à la mort de son père. Quant à ses grands-parents, leur union ressemblait plus à une alliance politicienne qu'à de l'amour. Avec de pareils exemples, que pouvait-elle savoir du véritable amour ?

Diane lui avait dit que c'était une histoire de choix. Comme elle ne comprenait pas, Diane lui avait expliqué. « C'est tout bête, lui avait-elle dit. Un jour, tu feras un certain choix et ce jour-là tu sauras que c'est Lui. Par exemple, tu décideras d'aller t'acheter une robe de la couleur qu'il aime ou de l'aider à gratter la peinture de sa coque au lieu de faire du lèche-vitrines avec tes amies. Cela pourra aussi prendre la forme d'un ultimatum : *aime-moi ou quitte-moi…* » Diane avait raison. Une relation était tout le temps en mouvement. Si elle n'avançait pas, elle mourait.

Emma arrêta sa grosse auto devant la maison de ses parents et resta assise un moment, les mains sur le volant. Sa mère lui devait des excuses et si elle ne les lui adressait pas, Emma partirait. C'était son intention.

« Quel dommage que papa ne soit plus là ! », se dit-elle. Les choses auraient été tellement différentes. Adam aurait adoré Paddy. Elle retrouvait beaucoup de traits de son père dans Paddy Quinn. Sa vivacité d'esprit, son humour, le charme du sourire et une affection indéfectible.

Elle se dirigea vers la porte et entra.

— Maman ?

Emma trouva sa mère dans la petite salle à manger. Elle était assise à table, des photographies étalées devant elle. Elle en fixait une qui représentait un soldat.

— Maman ?

Grace leva les yeux, l'air étonné, comme si elle tombait d'un nuage. Elle glissa la photo sous les autres et sourit.

— Bonjour.

— Tu vas bien ?

— Oui, dit-elle. Je suis heureuse que tu sois là. Je me demandais si tu viendrais.

— Il faut qu'on parle, dit Emma. On a des choses à se dire. Mais qu'est-ce que c'est que ça ?

Sa mère balaya des yeux le plateau de la table.

— Des souvenirs. Assieds-toi, dit-elle en tapotant la place à côté d'elle.

— Maman, qu'est-ce qu'il y a ? Tu me fais peur. Tu me téléphones, tu me dis qu'il faut que je vienne tout de suite. Je me précipite et je te trouve en train de regarder des vieilles photos.

Des nœuds à l'estomac, Emma s'assit près de sa mère. Il se passait quelque chose d'anormal. Cela se sentait.

Grace mit un vieux livre devant Emma qui le reconnut immédiatement. C'était le journal intime que sa mère lui avait déjà montré quand elle était plus jeune. Sa mère l'ouvrit à une page marquée d'un ruban et dit :

— Lis-le pour moi.

— *« 12 septembre 1847*
» La vie est devenue une épreuve permanente et je vis au jour le jour me demandant quand la fin va arriver. Elisabeth est malade et je ne peux rien pour elle. La maladie emporte ceux que la famine n'a pas ravis. La fièvre noire est arrivée à Wexford et des familles entières ont été retrouvées mortes ou mourantes au bord des routes. Il n'y a pas de cercueils, aussi les cadavres sont-ils jetés en vrac dans les fosses communes, ceux du moins que les rats et les chiens n'ont pas dévorés. La récolte de pommes de terre a tenu bon et Elisabeth

et moi aurons à manger cet hiver. Nous aurons aussi un toit sur nos têtes mais il a fallu que je bataille avec mon propriétaire. Finalement, j'ai troqué avec lui mais le prix à payer sera cher. Je n'en parlerai même pas dans ces pages. Je fais tout ce qui est en mon pouvoir pour que ma fille reste en vie et ne pas avoir à rougir de honte quand la famine sera finie. »

— Qu'est-ce que ça veut dire « troqué »? demanda Emma.

Grace haussa les épaules.

— Je crois qu'elle a fait ça pour sauver Elisabeth.

— Elle n'avait pas le choix, dit Emma tout bas. J'aurais sans doute fait la même chose.

— Alors, tu la comprends.

Sa mère prit une liasse de papiers et la posa sur la table devant Emma.

— Est-ce que tu te souviens de ça?

Emma feuilleta la pile rapidement.

— C'est le devoir que j'avais fait sur l'histoire de ma famille quand j'étais au lycée. Pourquoi l'as-tu gardé?

— Parce que je savais qu'un jour j'en aurais besoin pour tout t'expliquer, dit Grace.

Elle pointa du doigt une branche de l'arbre généalogique qui indiquait les ancêtres d'Emma du côté paternel.

— C'est faux, dit-elle très bas, presque dans un murmure.

Emma tourna la tête vers sa mère et la fixa. Son air absent lui fit peur.

— Qu'est-ce que tu dis?

— Adam Callahan n'est pas ton père, Emma. Ce n'est pas ton père naturel, même s'il s'est toujours comporté avec toi comme un père dans tous les sens du terme. Je lui en serai toujours reconnaissante. Mais tu as droit à la vérité, maintenant.

Elle tira la photo du soldat de dessous la pile et la tendit à Emma.

— Voilà ton père. Il s'appelle Edward Porter.

Emma poussa un petit cri puis, persuadée que c'était une plaisanterie, éclata de rire. Mais sa mère avait l'air très sérieux.

— Non, murmura Emma. Ce n'est pas vrai.

— Si, dit Grace. J'étais enceinte de toi quand j'ai épousé Adam.

Elle marqua un temps d'arrêt et reprit.

— Autant te dire toute la vérité puisque je sais que, de toute façon, tu vas me haïr. Je me suis servie de ton père. J'étais seule et enceinte et je n'avais pas d'autre choix. Il est tombé amoureux de moi et j'en ai profité.

Des larmes plein les yeux, Emma se leva de table et s'éloigna. Ce n'était pas possible. Ce n'était pas vrai. Adam Callahan était son père. Tout le monde disait tout le temps qu'elle lui ressemblait. Elle l'aurait su, l'aurait lu dans ses yeux. Il ne l'aurait pas aimée comme il l'avait aimée s'il n'avait pas été son…

Lentement, elle se retourna et fit face à sa mère.

— Il ne l'a jamais su, c'est ça? Tu ne lui as jamais dit la vérité.

Grace hocha la tête.

— Si, Emma, je le lui ai dit. Il savait. Et il a compris ma décision. Cela ne l'a pas empêché de t'aimer comme sa fille. Tu étais sa fille, Emma, et rien n'y changera rien.

— Comment as-tu pu lui faire ça? Comment as-tu osé… le tromper de cette manière? Tu as triché!

— Je l'ai fait pour toi, Emma, pour te protéger, te mettre

à l'abri comme Jane l'avait fait pour sauver son bébé. Tu étais tout ce qu'il me restait de l'homme que j'aimais. Je t'ai donné un père que tu as pu aimer.

Emma inspira profondément. Maintenant que le pire avait été dit, elle voulait savoir le reste. Elle voulait tout savoir.

— Pourquoi n'as-tu pas épousé l'autre, alors ? Il ne voulait pas de toi ? Il ne t'aimait pas ?

— Je l'ai épousé, dit Grace, recouvrant presque sa gaieté.

Elle souriait.

— Nous sommes restés mariés à peine un mois… et puis il a été tué à la guerre et je me suis retrouvée seule.

Elle inspira profondément, comme si le temps n'avait pas apaisé la souffrance et que la plaie saignait toujours.

— J'avais tellement peur. Je n'avais pas de famille et celle d'Edward ne m'aurait jamais acceptée. J'étais à leur service, petite domestique irlandaise, catholique et pauvre. Ils étaient très riches et très puissants. Et il y avait d'autres raisons encore qui m'ont obligée à partir, je te dirai quoi un autre jour. Je me suis enfuie à Dublin. Là je me suis réfugiée dans une belle église et ton père est venu s'asseoir à côté de moi. Il était si gentil.

— Et tu as décidé de profiter de sa gentillesse ?

— Je voulais surtout assurer ton avenir. J'aurais fait n'importe quoi pour cela.

— Que veux-tu que je pense de tout ça ? Tu m'as volé mon père. Comment vais-je penser à lui, maintenant ? Je ne peux plus le voir avec les mêmes yeux !

Elle gémit doucement puis traversa la pièce et vint se planter devant sa mère et la toisa.

— Pourquoi t'es-tu crue obligée de me raconter tout

ça ? Pourquoi ne m'as-tu pas laissée croire que c'était lui mon père ?

— Tu as raison, j'aurais peut-être dû, dit Grace. Mais maintenant tu vas pouvoir faire tes choix. Tu es une femme qui a des biens.

Emma se passa la main dans les cheveux.

— Qu'est-ce que tu racontes encore ?

— Tu es l'héritière de la fortune de lord Henry Porter. Tu as un manoir à la sortie de Dublin, des portefeuilles en actions, des fonds d'investissements, des affaires, des usines. Tu as une histoire qui remonte bien au-delà de ce journal intime. Je veux que nous retournions en Irlande pour en prendre possession.

Interloquée, Emma resta un instant bouche bée.

— Mais tu es folle ! Je n'irai pas en Irlande. Je vis ici, mon travail est ici. Tu ne peux pas m'obliger à tout quitter.

— Mais tu as des biens qui t'appartiennent là-bas, dit Grace. Ce sera facile de te bâtir une vie à toi avec tout ce qui t'attend. Le métier que tu as choisi de faire ici ne te mènera à rien ; quant à ton petit ami, aussi gentil soit-il, il n'aura jamais les moyens de t'entretenir sur un grand pied comme tu pourras le faire avec tout ce que tu possèdes maintenant.

— De me bâtir une vie à moi ? Avec qui ? riposta Emma. Tu as vécu ces vingt-cinq dernières années sans amour. Tu n'as aimé personne et personne ne t'aimait. Tu crois vraiment que cela m'incite à suivre tes recommandations ? Tu crois que ta vie me donne envie ? Allons, maman, ne me dis pas que c'est de cela que tu rêves pour moi !

— Non, dit Grace. Mais tu trouveras quelqu'un qui te conviendra mieux.

— Tu veux dire quelqu'un de mieux que Paddy Quinn ? Je suis sûre qu'il aurait plu à papa. Il est intelligent, il est gentil et travailleur. Et il réussira, tu verras.

— Ne gâche pas ta vie pour un homme qui ne sera jamais capable de te donner ce dont tu as besoin, dit Grace.

— Mais il m'aime et c'est tout ce qu'il me faut !

Emma pointa le menton.

— Tu peux tout prendre, je ne veux rien. Dis-leur d'apporter les documents et je les signerai. Ce sera à toi. Retourne en Irlande, maman, et vis là-bas la vie dont tu rêves pour moi. Je suis sûre que tu y seras très heureuse.

Sur ces mots, Emma pivota sur elle-même et sortit de la maison.

Sa mère n'essaya pas de la rattraper. Qu'aurait-elle ajouté ? En quelques mots, en quelques instants, elle venait de tout détruire. Tout ce en quoi Emma avait toujours cru venait de s'écrouler sous ses yeux. Disparu son passé, il ne lui restait que l'avenir.

Après un dernier regard à la maison de Poplar Street, Emma mit le contact et démarra.

Emma Callahan. Elle était bien vivante, en bonne forme et aujourd'hui était le premier jour du reste de sa vie. Son choix était fait : elle choisissait Paddy Quinn.

23

Paddy Quinn attrapa la bouteille de soda, en avala une longue gorgée et regarda de nouveau la coque de son bateau. Il pouvait poncer jusqu'à la nuit des temps, il y aurait éternellement de la peinture à gratter. Seule solution, louer une machine à sabler ou investir le peu d'argent qu'il lui restait dans des outils à lui. Sans compter qu'il y avait aussi le moteur à réparer et le gréement à acheter.

Il contourna l'arrière du navire soutenu par des béquilles et souffla. Il avait manœuvré des bateaux de pêche toute sa vie mais d'aussi grands que celui-ci, jamais. Il l'avait baptisé *L'Invincible*, comme le bateau que son père avait à Ballykirk, mais celui-ci était bien plus qu'un simple bateau de pêche. Il était équipé d'un long filin en acier.

Il l'avait acheté un bon prix et, bien qu'il ne puisse encore prendre la mer, il savait qu'il pourrait le remettre en état. Une main dans les cheveux, Paddy prit une nouvelle canette et la reposa par terre sur une caisse. Il avait pensé demander à son jeune frère Seamus de venir l'aider. A eux deux, ils pourraient mettre le bateau en état et le remettre à l'eau en un rien de temps. Mais sans Seamus, il n'y aurait personne pour diriger la pêcherie de leur père à Ballykirk. Seamus avait une femme à nourrir et un bébé en route. Peut-être qu'une fois le bateau à l'eau il réussirait à le persuader de venir.

L'attention happée par un crissement de pneus sur le gravier, Paddy jeta un coup d'œil vers l'entrée du chantier naval et reconnut la voiture d'Emma. Prenant son soda, il s'avança vers elle.

— Bonjour, vous, mademoiselle Callahan! Comme vous êtes belle!

L'air bougon, elle ne répondit pas mais avança vers lui, lui passa les bras autour du cou et enfouit la tête dans sa poitrine. Paddy la serra contre lui et comprit soudain qu'elle pleurait.

— Eh bien, qu'est-ce qui se passe?

Il lui caressa la tête et la repoussa doucement.

— Vas-tu me dire ce qu'il y a ou faut-il que je devine?

— Serre-moi dans tes bras, dit-elle.

Paddy sourit. Quand ils bavardaient ensemble, il s'amusait de la pointe d'accent irlandais qu'elle avait sans doute hérité de sa mère. Cela lui faisait du bien de l'entendre. Ainsi il se sentait moins loin de son pays.

— Si j'ai fait quelque chose de mal, tu n'as qu'à prendre un bâton et me battre.

— Ce n'est pas toi, dit-elle.

— C'est qui, alors?

Emma leva les yeux et prit son visage dans ses mains. Elle l'embrassa, un baiser profond, audacieux. C'était si bon qu'il ne chercha pas à savoir pourquoi elle était triste. Il se délectait et cela suffisait à son bonheur.

— Emmène-moi au lit, murmura-t-elle. Fais-moi l'amour.

— Ici? demanda Paddy.

Cela faisait plus de quatre mois, maintenant, qu'ils sortaient ensemble mais ils n'avaient encore jamais fait l'amour, la prudence leur imposant des demi-mesures... Paddy n'avait rien précipité. Il préférait attendre et être sûr qu'Emma l'aimait vraiment. Apparemment, elle était prête.

— Ce n'est pas très confortable, ici, Emma. Et tu sens cette odeur ?

Elle se tourna et s'en alla vers sa voiture. Sans doute le manque d'empressement dont il venait de faire preuve l'avait-il contrariée ?

Il s'apprêtait à la rejoindre quand il la vit ouvrir le coffre et en sortir une couverture. En quelques enjambées, elle était de retour près du bateau. Sans rien dire, elle grimpa à bord où Paddy la suivit. Une fois sur le pont, il la regarda déplier la couverture, s'agenouiller dessus et, lentement, commencer à déboutonner son chemisier.

Le cœur battant, Paddy s'approcha. Il s'agenouilla devant elle et acheva de défaire son chemisier. Alors, il caressa ses épaules nues.

Elle ne portait pas de soutien-gorge. Il prit ses seins dans le creux de ses mains et les caressa. Ils étaient tièdes et doux, comme toujours. Il le lui avait dit tout de suite, la première fois qu'ils s'étaient vus, et il le lui répétait chaque fois qu'il la voyait : il n'avait jamais vu de femme aussi belle.

Lentement, ils ôtèrent leurs vêtements. Une fois nus, ils se regardèrent. C'était la première fois qu'ils se déshabillaient complètement. Ils ne l'avaient jamais fait auparavant de peur de ne pouvoir résister.

— Tu es sûre ? lui dit-il.

Emma acquieça et, sans hésiter, prit son sexe dans sa

main. Paddy ferma les yeux et laissa échapper une plainte. Sentir la main d'Emma était un supplice délicieux. A la seconde même où il l'avait vue pour la première fois, il avait rêvé de ce supplice-là et eu envie de lui faire l'amour. Mais il avait tout de suite compris que la conquérir prendrait du temps.

Il glissa les mains sur ses hanches et, doucement, la renversa sur la couverture. Il faisait beau, en ce jour de mai, le ciel était bleu et le soleil chauffait. Les plats-bords du bateau les protégeaient du vent de mer et des regards des badauds.

Il se pencha sur elle, posa la bouche sur sa poitrine et traça un chemin de baisers jusqu'à son ventre. Là, il s'arrêta et, du bout de la langue, explora sa peau. Les nerfs à vif, elle ondula sous lui en murmurant son nom. Quand il approcha de sa toison, entre ses jambes, elle retint son souffle. Paddy la caressa, d'abord du bout des doigts, puis avec la langue.

Alors, sans frein, sans pudeur, elle ouvrit les jambes et se cambra pour l'encourager. C'était bon, chaud, moelleux, terriblement excitant.

Concentrée sur son plaisir, elle ondula encore, cherchant quelque chose d'inconnu mais de délicieux. Et puis, soudain, son désir l'emporta, irrépressible, lui arrachant de petits gémissements.

Haletante, elle vit vaguement Paddy se protéger. Elle le guida en elle. Comme il la possédait, il se pencha sur elle et l'embrassa à pleine bouche. Puis il lui empoigna les jambes et les serra autour de sa taille pour qu'elle s'y accroche. Ils s'accordaient à merveille. C'était vraiment comme si elle avait été faite pour lui.

Il commença à aller et venir, lentement d'abord, pour

savourer la moindre sensation. Emma lui murmura des mots à l'oreille : elle était bien, elle avait envie de lui, elle voulait qu'il jouisse avec elle, en même temps...

C'était si merveilleux... Il roula sur le côté et la hissa sur lui, la regarda le chevaucher. Elle était belle, sous le soleil, la peau perlée de sueur et les cheveux retombant sur son visage extasié...

Il aurait bien voulu se maîtriser, résister, pour que ce moment miraculeux ne cesse jamais. Il agrippa violemment les hanches d'Emma, essayant de se contenir. Mais elle protesta doucement. Elle voulait continuer, elle avait trop envie de jouir...

Eperdu, Paddy ne brida plus son ardeur. Vague après vague, le plaisir déferla, et les laissa terrassés. Une fois la tempête apaisée, il saisit Emma et la serra très fort contre lui.

— Comme je t'aime ! dit-il.

Elle roula dans ses bras sur le côté.

— Moi aussi, répondit-elle, se lovant au creux de son épaule, une jambe en travers de ses cuisses, une main sur sa poitrine.

— C'est pour cela que tu étais venue me voir ? demanda-t-il. Ou y a-t-il une autre raison ?

— Je suis allée voir ma mère, répondit Emma. Elle m'avait quasiment convoquée.

— Elle estimait qu'elle avait quelque chose d'important à te dire ?

— Elle ne s'est pas excusée, si c'est ce que tu veux savoir. Mais elle avait effectivement une nouvelle... stupéfiante à m'apprendre.

La sentant très émue, Paddy prit son menton entre ses doigts.

— Dis-moi quoi. Et je t'aiderai si je peux.

— Il semblerait que j'aie hérité une maison et encore bien d'autres affaires en Irlande.

— Je croyais que ta mère était orpheline ? dit Paddy.

— Ça vient du côté de mon père.

— Ah, les Callahan !

Emma secoua la tête.

— C'est justement ça, la nouvelle qu'elle tenait absolument à m'annoncer. Je ne suis pas la fille d'Adam Callahan. Avant de le connaître, ma mère avait été mariée à un certain Edward Porter qui est mort à la guerre. Ma mère était enceinte de moi quand elle a épousé Adam.

— Tu veux dire que ton père n'était pas vraiment ton père ?

— Si. Adam Callahan *est* mon père, dit-elle. Je le considérerai toujours comme mon père.

— Si je comprends bien, il y a eu des bonnes nouvelles et une mauvaise ?

— Attends, tu ne sais pas le pire. Ma mère veut que j'aille vivre avec elle en Irlande. Pour faire valoir mes droits à héritage.

Ahuri, Paddy laissa échapper un sifflement.

— Et tu vas y aller ?

— Non, dit Emma. Bien sûr que non. Ma vie est ici. Mon travail est ici.

Elle s'arrêta, réfléchit.

— Et tu es ici, reprit-elle.

— Mais je peux aller en Irlande, dit-il. Je peux te suivre partout où tu iras.

— Tu ferais ça pour moi ? Vraiment ?

— Mais je t'aime, Emma. Tu es l'amour de ma vie et je suis prêt à faire tout ce que tu voudras.

Emma sourit et lui caressa le visage.

— Comme j'aurais aimé que mon père te connaisse !
Il t'aurait adoré.

— Que vas-tu faire ? Tu vas aller là-bas ?

Elle fit non de la tête.

— C'est la vie de ma mère, pas la mienne. Si elle veut
retourner en Irlande, libre à elle. Moi, je refuse de m'en-
fermer dans le passé. Mon avenir est ici.

— Tu m'épouseras, alors ?

Emma se releva sur un coude et le regarda dans les
yeux. Il lui sourit et lui vola un baiser.

— Tu n'es pas obligée de me répondre tout de suite.
Tu peux prendre une minute ou un jour ou une semaine
pour y réfléchir.

— C'est tout réfléchi, répondit-elle, les larmes aux
yeux.

L'une d'elles dévala sa joue et il la recueillit sur le
pouce.

— Oui, je t'épouserai.

Alors qu'elle pleurait de plus belle, Paddy la serra dans
ses bras. Doucement, il lui caressa la tête, il lui dit des
mots doux, rassurants. Quand elle cessa de pleurer, il
lui refit l'amour, lentement cette fois, tendrement, et ils
atteignirent le paradis ensemble.

Quand il avait embarqué à bord de l'avion à destination
de l'Amérique, il avait cru qu'il emportait tous ses rêves
avec lui. Mais il découvrait maintenant qu'il y avait des
millions d'autres choses à désirer. Il aimait Emma et ferait
tout ce qui serait en son pouvoir pour la protéger et la
rendre heureuse. Ensemble, ils fonderaient une famille
et, chaque fois qu'il rentrerait chez lui, il la regarderait

en se disant qu'il avait la plus belle vie qu'un homme puisse rêver…

Arrêtée devant la maison de Poplar Street, Emma lut le panneau qui avait été planté dans la pelouse. *Cette maison a été vendue par…*
Elle n'en croyait pas ses yeux. Bientôt la maison de son enfance serait occupée par des inconnus.
Elle entra et s'arrêta. Comme tout était différent, maintenant que c'était vide. Tout ce qui faisait de la maison un cocon douillet avait été déménagé. Partis les bibelots, partis les meubles… Ceux qu'elle avait demandés avaient été stockés dans un coin du salon. A côté étaient entreposés des cartons avec son nom écrit dessus en grosses lettres noires.
— Tiens, tu es là?
Vêtue d'un joli pantalon et d'un chemisier de soie, sa mère venait d'entrer.
— Je suis venue avec la camionnette de Paddy. Je vais prendre les cartons et les petits meubles. Je ferai un autre voyage pour emporter les gros trucs.
— Il est avec toi?
— Non, maman. Il n'est pas plus chaud pour te voir que tu n'es chaude pour le voir.
Grace haussa les sourcils, réaction classique quand Emma levait le ton. Mais Emma n'était plus une enfant et elle pouvait se permettre de parler à sa mère sur le ton qui lui plaisait.
— Je n'ai rien contre cet homme, précisa sa mère. C'est certainement un compagnon agréable, je pense simplement qu'il n'est pas fait pour toi, Emma.

— Eh bien, justement, tu te trompes, dit-elle. Et inutile d'essayer de me convaincre du contraire. D'ailleurs, nous nous sommes mariés la semaine dernière.

Sa mère resta bouche bée puis ses traits se durcirent.

— Je ne te pensais pas capable d'une telle bêtise! Comment as-tu pu faire ça?

— Je n'ai pas d'explications à te donner, dit Emma. Je sais ce que tu penses, tu ne t'es pas privée de me le dire.

— Je pense que tu as commis une erreur, Emma.

— Je me moque de ce que tu penses. Et ce n'est sûrement pas à toi que je demanderai des conseils pour mener ma vie. Après le ratage de ton mariage avec mon père...

— Que sais-tu de notre mariage? rétorqua Grace.

— Je sais seulement que tu as réussi à vous rendre malheureux tous les deux. J'étais là, j'ai bien vu. Tu ne t'en souviens pas?

— Ça a été difficile, cela nous a pris des années pour nous adapter l'un à l'autre mais, à la fin, ton père et moi avons fait des efforts pour que notre couple soit vivable. Et maintenant je vois que tu commets la même erreur que nous et que tu t'enferres. Nous nous connaissions à peine quand nous nous sommes mariés. C'est la même chose pour toi, tu connais à peine Paddy.

— Comment peux-tu dire ça? Tu connaissais mon père depuis une semaine quand tu t'es mariée, moi je connais Paddy depuis des mois. C'est bien assez pour savoir que je veux passer ma vie avec lui.

— Je n'insisterai pas, Emma. De toute manière, quoi que je dise, tu n'en tiendras pas compte, je me trompe?

Emma secoua la tête.

— Je désapprouve ce mariage, dit Grace. Je tiens à ce que tu le saches.

— Ce n'est pas ton problème, maman. Va donc en Irlande, vis ta vie là-bas comme tu veux. Comme tu l'as toujours voulu. Moi je reste ici. Je mènerai la vie qui me plaît. Nous avons toutes les deux droit au bonheur. Moi je l'ai trouvé, je souhaite que tu le trouves de ton côté.

Grace hocha la tête.

— Quand la maison sera vendue, je demanderai à ce que l'argent soit versé sur ton compte. Fais-en ce que tu veux. Mais sois prévoyante, on ne sait jamais ce que l'avenir nous réserve et Paddy n'aura sans doute pas les moyens de t'entretenir correctement. Places-en une partie pour assurer tes vieux jours. N'oublie pas qu'on n'est jamais sûr qu'un mariage tienne une vie durant. Comme ce sera le cas, cela ne fait aucun doute, sache que Porter Hall te sera toujours ouvert. Ça reste ta maison comme ça l'était autrefois.

Sur ces mots, Grace quitta la pièce. Sans adieux, sans encouragements pour l'avenir.

Emma ravala la boule qu'elle avait dans la gorge. Comment sa mère pouvait-elle être aussi convaincue que son mariage avec Paddy était une erreur? De quel droit se permettait-elle d'affirmer qu'il ne durerait pas quand Emma savait qu'elle avait fait le bon choix? Comment pouvaient-elles voir les choses de façon si opposée?

Elle alla dans le salon et prit un des cartons. Il contenait tous ses souvenirs de lycée, ses petites broches de soie, les livres de l'année, les diplômes, les photos des amis. Elle fixa la boîte et la reposa. A quoi bon garder ces souvenirs d'un passé révolu? A quoi bon se rappeler sa vie dans cette maison ? Elle allait emporter les souvenirs de son père et ce serait suffisant.

Pour l'heure, sa vie était devant elle, il fallait penser à son avenir au lieu de s'attarder sur son passé. Elle devait penser à sa vie avec Paddy.

Emma fit demi-tour et se dirigea vers la porte.

Cette nouvelle vie avait commencé quand, les yeux dans les yeux de Paddy, elle lui avait dit *oui*.

Comme elle s'installait au volant de la camionnette de Paddy, Emma regarda une dernière fois la maison de son enfance. Une grande bouffée d'oxygène et elle démarra.

— Bye-bye, chère mère, murmura-t-elle. J'espère que tu finiras par trouver ce que tu cherches.

24

Le temps était passé trop vite, se dit Grace. Il lui semblait que ses petits-fils étaient arrivés à Porter Hall hier seulement. Ses trois grands garçons. Presque de jeunes hommes. Elle venait de les raccompagner à l'avion pour l'Amérique. Ian, Declan et Marcus avaient été confiés à ses bons soins pendant plus de huit ans et elle avait appris à les aimer comme s'ils avaient été ses propres fils.

Ils étaient bien les fils de leur père. Fougueux et forte tête, mais, dans le même temps, nostalgiques et rêveurs. Pour eux, rien n'était impossible. Chaque jour était une nouvelle aventure, chaque heure l'occasion de faire une nouvelle découverte.

Plus elle avait appris à les connaître, plus elle avait reconnu en eux des traits de personnalité d'Edward. Ian était le plus respectueux de la bande, toujours soucieux de bien faire. Declan possédait un charme insolent dont il usait et abusait — avec succès — pour se tirer des situations les plus scabreuses. Quant à Marcus, le plus jeune, c'était le sensible, l'âme tendre, souvent débordé par son trop-plein d'émotions.

Grace avait toujours su qu'il faudrait qu'elle les rende un jour. Chaque matin depuis des années, elle redoutait le coup de téléphone qui les réclamerait et les renverrait aux Etats-Unis. De même, chaque fois que grelottait la sonnerie du téléphone, elle redoutait d'entendre une voix lui annoncer que sa petite Emma avait perdu son combat contre le cancer. La maladie de Hodgkins la minait depuis huit longues années. Ces derniers temps, à la suite d'un nouveau traitement, le cancer semblait avoir cédé du terrain. Cela faisait un an maintenant qu'Emma était en rémission ; les médecins eux-mêmes n'en revenaient pas.

Grace aurait aimé appeler Emma, lui dire combien elle était heureuse de la savoir vivante ! Mais elle n'osait pas. Et si sa fille ne voulait pas lui parler ? Si elles ne trouvaient rien à se dire ? Essuyer un refus l'aurait dévastée. Au fil des ans, Paddy avait fait de son mieux pour transmettre régulièrement des nouvelles et Grace lui en était reconnaissante.

Vingt ans qu'elles ne s'étaient pas parlé, vingt ans qu'elles ne s'étaient pas vues… Chaque année qui passait ne faisait que prouver qu'elle s'était trompée sur Paddy Quinn. Mais elle avait toujours autant de mal à l'admettre. Pourtant, force était de constater qu'Emma et lui étaient toujours ensemble, et ce malgré ses prédictions sur l'avenir de leur union.

Ils avaient eu des enfants. Il la soignait depuis le début de la longue maladie qui la rongeait, restant à ses côtés aux pires heures de désespoir. Il avait tout sacrifié pour payer les traitements médicaux dont elle avait besoin. Et, maintenant qu'ils semblaient sur le point de triompher de ce cancer, ils souhaitaient que les garçons rentrent et que leur famille soit de nouveau réunie.

Debout derrière les baies vitrées du terminal de Dublin, Grace regarda l'avion sur le point de décoller. Elle s'était occupée de ses petits-enfants du mieux qu'elle avait pu, mais, à la fin, elle se demandait si elle les avait vraiment soutenus dans la vie. Etait-ce une bonne idée de les lui avoir confiés, à elle, une inconnue pour eux, déjà âgée alors qu'ils étaient encore trois gamins turbulents? Grace savait que la décision avait coûté à Paddy mais Emma l'avait convaincu qu'il n'y avait pas d'autre choix. Vers qui d'autre auraient-ils pu se tourner?

Insensiblement, un été s'était prolongé en une année, puis plusieurs... Que de fois Grace avait été tentée d'aller rendre visite à sa fille, pour la prendre dans ses bras, la bercer, la soigner elle-même comme seule une mère savait le faire. Mais c'était le rôle et la place de Paddy. Elles s'étaient dit des choses tellement affreuses, tellement aigres que Grace avait laissé Emma seul juge de ce qui était bon pour elle. Si elles devaient se revoir un jour, il fallait que la décision vienne d'elle. La balle était dans son camp.

— Ils vont me manquer, dit Grady, assis au volant de la Bentley.

Grace détourna les yeux du paysage qui défilait derrière sa vitre et capta le regard de son chauffeur dans le rétro-viseur.

— Oui. Il y a pourtant des jours, au début, où j'aurais payé cher pour qu'on me débarrasse d'eux. Mais je me suis attachée à eux.

Elle ravala les larmes qui menaçaient.

— Je les aime, ces garçons, comme s'ils étaient mes propres fils.

— Vous avez fait votre devoir en les élevant pendant que leur mère était malade.

— Je crois qu'ils ont détesté leur séjour ici, dit Grace. Ils avaient envie d'être chez eux.

— Vous pourriez aller les voir en Amérique, suggéra-t-il.

— Non, dit-elle. J'ai coupé tous les ponts depuis trop longtemps.

— Construisez-en d'autres ! insista-t-il.

— J'ai fait mon choix en venant ici, Emma a fait le sien en restant de l'autre côté de l'Atlantique. Si elle voulait me voir, elle me le ferait savoir ou bien elle viendrait à moi. Grands dieux, elle sait pourtant que Porter Hall lui est ouvert quand elle le souhaite !

— Avez-vous seulement invité Emma et Paddy, lorsque votre fille est tombée malade ?

— Pas franchement, mais c'était implicite. Je me suis dit qu'ils préféraient que je leur montre que je m'intéresse à leurs enfants.

Grady hocha la tête.

— La maison va être triste maintenant qu'ils sont partis. Fini les disputes et le bruit. Ça va être calme.

— Oui, murmura Grace. Ce sera calme.

Un quart d'heure plus tard, Grady arrêtait la Bentley devant le perron de Porter Hall.

— On dirait que M. Fletcher est venu vous rendre visite. Vous n'allez pas rester seule trop longtemps.

— Chut ! souffla Grace.

Heureuse en secret de cette visite inopinée, Grace sourit intérieurement. Son bon ami était là. C'était à croire que Miles sentait quand elle avait besoin de compagnie. Dans les moments cruciaux, il se trouvait toujours là, arrivant à point nommé pour lui prêter une épaule pour pleurer ou une oreille pour l'écouter. Il s'était aussi montré de bon conseil pour élever les garçons, lui prêtant à l'occasion main-forte pour les faire obéir. Ils étaient devenus grands amis et le décès de sa femme, quelque cinq ans plus tôt, les avait même rapprochés.

Grady donna un coup de Klaxon qui fit sortir Miles de la maison. S'avançant vers la voiture, il ouvrit sa portière à Grace et l'aida à descendre.

— Que voilà une surprise agréable !, dit-elle en déposant un baiser sur sa joue.

— J'ai appris que les garçons partaient aujourd'hui. Je me suis dit que j'allais venir te proposer de déjeuner en ville. Je peux t'emmener à Dublin, si cela te plaît. Ensuite nous pourrions aller au cinéma.

— J'ai eu une matinée très chargée, avec les garçons qu'il a fallu accompagner à l'aéroport. J'adorerais aller au cinéma mais une autre fois, si cela ne te froisse pas. Je préférerais aussi que nous déjeunions ici. Tu n'y vois pas d'inconvénient ?

— Ce n'est pas un problème, répondit Miles. J'accepte volontiers.

Ils traversèrent la maison et sortirent dans le jardin par la porte du fond. Grace avait fait quelques changements à Porter Hall. En prolongement du salon elle avait décidé de construire une terrasse qui donnait sur les pelouses.

A peine étaient-ils assis autour de la table de verre, la cuisinière apporta le thé.

Grace lui sourit.

— Quelle bonne idée ! Rien ne pouvait me faire plus plaisir.

— A quelle heure voulez-vous déjeuner ? demanda-t-elle.

Grace interrogea Miles du regard.

— Dans une demi-heure?

— Ce sera parfait, répondit Miles.

Grace versa le thé dans les tasses, en posa une devant Miles, déposa un morceau de sucre et une rondelle de citron sur la soucoupe.

— Pour combien de temps es-tu en Irlande? demanda Grace.

— Je pense rester une semaine. Si du moins, tu acceptes d'avoir un hôte.

— Je serai ravie d'avoir quelqu'un pour me tenir compagnie, dit-elle. Je vais en avoir besoin. Je viens de passer huit ans avec mes trois petits-enfants. J'ai dû m'occuper d'eux. Je me demande ce que je vais faire de moi, maintenant qu'ils sont partis.

Miles prit son thé et en avala une gorgée.

— J'ai une suggestion à te faire. Pourquoi ne voyagerais-tu pas? J'ai un voyage en Inde en vue. Cela te plairait-il de venir avec moi?

Grace resta interdite.

— Moi? En Inde?

— Ce serait une grande aventure. C'est un des rares endroits du monde que je ne connais pas. Maintenant que je suis officiellement à la retraite, j'ai du temps pour faire le tour du monde. Je pense faire une incursion au Tibet pendant ce voyage.

Immanquablement, Grace pensa aux promesses qu'Edward et elle s'étaient faites de vivre une vie riche d'aventures et d'expériences. Elle n'avait jamais tenu cette promesse. Elle avait dû élever Emma puis les fils d'Emma. Entre-temps, elle avait eu quelques années tranquilles avec Adam dans leur maison de Poplar Street.

Elle avait soixante-sept ans et était encore en excellente santé. Miles avait quelques années de plus qu'elle et une énergie de jeune homme. Pourquoi ne pas avoir au moins une aventure digne des promesses qu'elle avait faites à Edward ?

— D'accord, dit Grace. En avant pour l'Inde et banco pour le Tibet.

Interdit, Miles la regarda, les yeux agrandis de surprise.

— Tu… tu es sérieuse ?

— On ne peut plus sérieuse, dit-elle en riant. J'ai de l'argent en banque, grâce à toi d'ailleurs. Il est grand temps que je fasse des folies. Tu sais, j'ai toujours eu envie d'aller à Paris.

— Tu as raison, c'est une belle ville, dit Miles, de l'excitation dans la voix. C'est la ville des lumières, de l'amour. C'est une ville très romantique, ça on peut le dire. J'ai lu quelque part que l'Orient-Express a repris du service. Il relie Paris à Venise et offre, paraît-il, le summum du luxe en matière de chemins de fer. On pourrait repousser le voyage en Inde et commencer par Paris. Après tout, l'Inde n'est peut-être pas la destination idéale pour un voyage de noces. Mais le train de Paris à Venise, c'est autre chose… Tellement plus romantique.

— Que racontes-tu là ? De quel voyage de noces parles-tu ? Le voyage de noces de qui ?

— Le nôtre, dit Miles. Cela fait plusieurs années maintenant que nous nous connaissons, que nous nous fréquentons. Je pense qu'il serait temps d'officialiser notre relation. Si nous ne le faisons pas, nous serons dans l'obligation de prendre deux chambres d'hôtel et tu sais comme je suis devenu avare avec l'âge.

— Si je comprends bien, c'est une demande en mariage intéressée ?

— J'ai une vraie tendresse pour toi, Grace. Et je suis sûr que tu ressens la même affection pour moi. Nous avons connu tous les deux une belle histoire d'amour. Ce n'est pas trop tard pour en avoir une autre, plus modeste et moins compliquée, dit-il en riant. Je suis un homme âgé, je peux donc te promettre que l'époque où je courais après les petites filles est révolue. Aujourd'hui, j'aime autant me rabattre sur les femmes d'expérience !

Grace éclata de rire.

— Et c'est comme cela que tu me présentes la chose ! Singulière demande en mariage, avoue-le.

— Je ne peux pas m'agenouiller, très chère. Je risque de ne pas pouvoir me relever.

— Présente-moi une demande en bonne et due forme et j'étudierai ta proposition.

— Mary Grace Byrne Porter Callahan, voulez-vous être ma femme ?

Grace but une petite gorgée de thé, reposa la tasse sur sa soucoupe, et le tout sur la table basse.

— Je crois que oui, monsieur Fletcher.

Content, il rit, se pencha et déposa un baiser léger sur ses lèvres.

— Si je ne me trompe pas, tu as rougi, ma chère.

— Que vont dire tes enfants ?

— C'est le cadet de mes soucis, dit-il. J'ai fermement l'intention de finir mes jours en vivant comme il me plaît. Je crois que je n'ai pas volé ce droit, ne penses-tu pas ?

Grace regarda Miles, qui avait été un si bon ami ces vingt dernières années. Pas une fois elle n'avait imaginé qu'un jour il lui demanderait sa main. C'était pourtant ce qu'il venait de faire. Miles Fletcher avait tout pour faire un excellent mari. Avec Edward, elle avait connu la passion. Avec Adam, elle avait trouvé le respect. Avec Miles, elle partagerait une très fidèle amitié.

Emma regardait par la vitre les panneaux annonçant l'aéroport international de Logan. Elle jeta un coup d'œil à Paddy et sourit.

— Je suis énervée. Je ne sais pas pourquoi je suis énervée comme ça.

— Normal, c'est un grand jour pour nous tous, dit-il.

Comment pouvait-il rester si calme quand elle était si excitée ? Elle n'avait pas dormi de la semaine, depuis que ses fils avaient leurs billets d'avion, en fait.

— Nous aurions peut-être dû apporter des cadeaux ou quelque chose ?

Il secoua la tête.

Emma posa la main sur l'épaule de son mari.

— Tu n'es pas énervé, toi ?

— Un peu. Ça fait huit ans, tu te rends compte ? C'est difficile de jouer les parents au téléphone. Je ne sais pas si je réussirai encore à me faire écouter. Ian est un homme et Declan n'est pas loin derrière. Il y aura peut-être encore Marcus qui aura besoin de moi.

— Ils auront tous besoin de toi, dit Emma. Tu es leur père.

— Je sens que ça va être rude, Emma. Il va y avoir une période d'ajustement qui risque de ne pas être évidente. Je serais étonné que tout file comme sur des roulettes.

Elle ferma les yeux et bascula la tête en arrière.

— Quand nous les avons envoyés en Irlande, c'était en principe juste pour l'été. Et puis, en fait, l'exil a duré une éternité. J'ai peut-être été égoïste ?

— Non, je crois que tu as surtout voulu les protéger, dit Paddy. On a tous les deux voulu les protéger.

— De quoi ? De la réalité de ma maladie ? Parfois je me dis qu'il aurait mieux valu qu'ils sachent ce que c'est, qu'il n'aurait pas été mauvais qu'ils voient ce que j'ai enduré.

— C'est trop tard, c'est fait, dit Paddy. On ne peut pas revenir en arrière. Ils ont eu une vraie enfance comme ils n'en auraient pas eue s'ils étaient restés à la maison. Tous ceux qui ont traversé cette épreuve le disent, c'est très dur pour les enfants. Ça les traumatise. Chaque matin, pendant huit ans, ils se seraient réveillés en se demandant si c'était le jour où leur mère allait mourir. Autant éviter ce supplice quand c'est possible, tu ne crois pas ?

— Tu as raison, dit-elle. J'espère seulement qu'ils comprendront.

Un silence s'installa. Chacun se perdit dans ses pensées. Effarée par la rapidité avec laquelle les années avaient passé, Emma était songeuse. Elle avait perdu huit ans de la vie de ses fils.

— Je pense que tu devrais écrire à ta mère, dit Paddy.

Emma fit la moue. Il avait déjà mis cette conversation sur le tapis mais elle avait refusé de l'aborder ; tant que sa mère n'accepterait pas son mari, elle n'aurait rien à lui dire.

— Elle me doit des excuses. Elle *te* doit des excuses.

— Tu ne penses pas que ça a assez duré, maintenant ? Elle a pris tes enfants en pension, Emma. Elle n'était pas obligée de le faire. Elle leur a donné ce que nous ne pouvions pas leur offrir. Nous lui devons au moins des remerciements.

— D'accord, répondit Emma. Je vais lui écrire. Mais c'est tout. Et si elle ne me répond pas, je t'assure que je ne lui écrirai plus jamais. Mais je vais le faire.

— C'est tout ce que je te demande, dit Paddy.

Suivant les panneaux qui indiquaient des places libres, Paddy descendit au deuxième étage du parking. Le moteur éteint, il s'étira puis laissa le bras sur le dossier d'Emma. Elle se pencha vers lui et lui chatouilla la poitrine du bout du nez.

— Il y a des jours où je me suis dit que ce moment n'arriverait jamais.

— Ça ne m'a jamais inquiété, dit Paddy en lui embrassant les cheveux.

— C'est grâce à toi si je m'en suis sortie, dit Emma.

Elle releva la tête et l'embrassa.

— Allez, je suis prête ; allons chercher les garçons.

Paddy sortit de la voiture et fit le tour pour lui ouvrir sa portière. Ils entrèrent dans le terminal, main dans la main, émus. Discrètement, Emma sécha une larme furtive. Des sentiments contradictoires chahutaient dans sa tête et dans son cœur. Elle était à la fois pleine d'espoir et anxieuse, mal à l'aise et exaltée. Pendant huit ans, un morceau de son cœur l'avait désertée, parti avec ses trois garçons en Irlande. Et maintenant tout reprenait sa place. Tout rentrait dans l'ordre.

Le temps qu'ils arrivent à la porte, l'avion s'était posé et, déjà, les premiers passagers sortaient. Emma se demanda si elle reconnaîtrait ses fils. Sa mère leur avait fait parvenir des photos tous les ans, de sorte qu'Emma les avait plus ou moins vus grandir. Mais les voir là devant elle, en chair et en os, c'était différent. Elle allait pouvoir les toucher, les serrer dans ses bras, écouter leurs voix.

Debout derrière elle, les mains posées sur les hanches d'Emma, le menton sur son épaule, Paddy ne le montrait pas mais il était impatient.

— Tu es prête? dit-il.

Emma opina. Un instant plus tard, elle aperçut un trio de garçons chevelus, grands et minces et aux épaules larges. Bouleversée, elle laissa échapper une petite plainte et essuya ses yeux en cachette. C'est Declan qui les vit le premier. Il attrapa ses frères par la manche et se précipita vers leurs parents.

Brusquement, Emma se retrouva le centre d'une immense effusion, avec des bras partout, de beaux visages, des sourires lumineux et des voix curieusement devenues graves. Elle ferma les yeux et laissa ses larmes couler, des larmes qui exprimaient toute la joie qu'elle éprouvait.

— Vous m'avez tellement manqué...

Le monde était redevenu bon et le cœur d'Emma débordait de bonheur. Peu importait ce que leur réservait l'avenir : ses fils étaient là et ils allaient enfin vivre tous ensemble.

Comme ils sortaient de l'aérogare, elle pensa aux choix que sa mère avait faits. Ce n'était pas toujours facile de bien faire pour ses enfants, se dit Emma, songeuse. Il lui avait fallu tout ce temps pour le comprendre. Elle regarda ses fils. Ce soir, elle allait fêter leur retour; et demain, elle s'assiérait et écrirait une lettre... d'une mère à une autre mère.

Épilogue

— Voilà le courrier.

John Dennick Junior lâcha un paquet de lettres sur le bureau de Grace.

— Il y a une lettre de Providence. La grosse enveloppe.

Grace sourit et ajusta ses verres de lecture puis chercha la grosse enveloppe dans la pile de courrier.

— Voulez-vous votre thé ici ou dans le jardin ?

— Miles taille les rosiers ?

Dennick fit oui de la tête.

— En ce cas, je le prendrai dehors.

Le valet hocha la tête et sortit de la pièce. Grace porta alors toute son attention sur l'enveloppe. Elle était épaisse, il devait y avoir des photos à l'intérieur. Un doigt passé sous le rabat, elle brisa le sceau.

La première lettre était arrivée quelques semaines après le départ des garçons. Et maintenant, treize ans plus tard, il en arrivait tous les trois ou quatre mois, pleines de nouvelles des enfants et des petits-enfants d'Emma. Quelquefois, elle y glissait des photos et des coupures de presse. D'autres fois, les enfants ajoutaient un post-scriptum aux missives.

Il avait fallu du temps pour réparer les dommages et panser les blessures mais les garçons avaient jeté des passerelles entre Emma et Grace. Celle-ci les avait tous invités à venir la voir, mais, chaque été, Emma avait poliment décliné. Ils payaient encore des frais médicaux, expliquait-elle, et ne pouvaient se permettre de s'offrir des billets. Quand Grace avait proposé de les aider, Emma avait tout aussi poliment refusé et, pendant quelque temps, il n'y avait plus eu de lettres...

Grace avait donc été forcée d'accepter que ses relations avec sa fille se limitent à quelques lettres occasionnelles et un coup de téléphone à Noël. Elle avait beau regretter cette froideur, c'était sans doute ce qu'elle méritait pour avoir maltraité Paddy.

Elle sortit une carte de vœux de l'enveloppe et réalisa alors qu'il ne s'agissait pas de vœux. Du bout du doigt, elle effleura le texte gravé en lettres d'imprimerie sur la première page.

— Oh ! mon Dieu ! souffla-t-elle en sortant son mouchoir de sa manche.

— Grace, le thé est servi. Viens-tu ?

Elle leva les yeux et vit Miles dans l'embrasure de la porte de la bibliothèque.

— Que se passe-t-il ? demanda-t-il.

Grace lui montra le faire-part et sourit.

— C'est une invitation à un mariage. Celui de Marcus. Il se marie le mois prochain.

— Et cela te fait pleurer ?

— Oui. Parce que j'aurais aimé y aller.

— En ce cas nous irons, dit Miles.

Grace balaya une larme de sa joue.

— J'ai quatre-vingt ans, Miles. Je ne vais pas traverser l'océan pour assister à un mariage.

— On l'a bien fait l'année dernière, ma chère. En fait, je crois même que nous avons survolé plusieurs océans.

— Et si Emma ne veut pas de moi là-bas ?

Il traversa la pièce et, posté derrière le dos de Grace, lut l'invitation par-dessus son épaule.

— A ma connaissance, les mères des mariés donnent leur accord pour la liste des invités, n'est-ce pas ? Il me semble bien me rappeler ce détail du mariage de ma fille.

Elle tendit le bras vers Miles et lui tapota la joue.

— Tu as le chic pour faire taire mes peurs et mes doutes.

— Parce que tu as des peurs et des doutes ?

— Oh oui, j'en ai ! murmura-t-elle. Plus j'avance en âge, plus j'en découvre. Quant aux regrets, j'en ai à revendre.

— Les regrets, ça s'arrange.

— Je regrette d'avoir maltraité Paddy. Et je regrette de m'être entêtée dans mon refus de m'excuser ; mais ce que je regrette avant tout, c'est de m'être éloignée d'Emma. Je veux revoir ma fille, je veux la regarder dans le fond des yeux et lui dire combien je l'aime et l'ai toujours aimée.

— Eh bien, tu n'as qu'à faire ce qu'il faut pour réparer tes erreurs, dit Miles.

Il prit l'enveloppe de ses mains et en sortit la carte-réponse.

— As-tu un crayon ?

Elle ouvrit son tiroir et en sortit un stylo qu'elle lui tendit.

Miles se pencha sur le bureau et écrivit sur la carte-réponse.

— Mme Grace Fletcher se fait une joie d'accepter votre

invitation, dit-il tout haut. Ainsi que son mari, Miles. Voilà, il n'y a plus qu'à la poster.

— Tu penses vraiment que c'est une bonne idée d'y aller ?

— Absolument, ma chère. Nous avons passé ces treize dernières années à courir le monde, mais nous avons toujours évité les Etats-Unis. Je pense que tu l'as fait exprès sachant que tu ne pouvais pas, décemment, t'y rendre sans aller voir ta fille. Mais maintenant que nous avons une invitation, plus de dérobade !

Grace se leva et lui prit la carte-réponse des mains. Elle la glissa dans l'enveloppe.

— Je vais la donner à Dennick pour qu'il la poste. Tu peux réserver nos billets d'avion. Si tu es d'accord, je souhaiterais partir le plus vite possible. J'aimerais passer quelques jours à New York. Je sais que tu adores les spectacles de Broadway et moi j'aimerais visiter quelques musées et aller à l'opéra.

Elle sortit de la bibliothèque, la tête pleine de tout ce qu'elle voulait dire à Emma, monta l'escalier qui menait à sa chambre, s'assit au bord de son lit. Puis, elle ouvrit le tiroir de sa table de chevet. Elle en sortit le journal intime et caressa la couverture de cuir de plus en plus fatiguée. Il était temps de le transmettre à sa fille, songea-t-elle, de lui passer le flambeau. Ce petit livre renfermait toute l'histoire de ses ancêtres, celle de Jane et des autres. Charge à Emma de la perpétuer et de la confier à sa descendance.

Existait-il rien de plus précieux que l'amour d'une mère ? se demanda Grace. Non, sans doute. Ainsi, même si ses choix n'avaient pas toujours été justes, ils avaient été dictés par le souci de bien faire, pour le bonheur de sa fille, pour la protéger et la mettre à l'abri de tous les malheurs, matériels et moraux.

Elle ouvrit le journal intime à la dernière page et, le visage illuminé d'un sourire enfin serein, elle lut :

— « *31 décembre 1851*

» *Ces lignes sont les dernières d'un chapitre de ma vie. Aujourd'hui, il s'en ouvre un autre. Une année nouvelle commence demain, et avec elle une nouvelle vie. Enfin, l'Irlande est sortie de la famine. Je garderai éternellement en moi la profonde tristesse des jours de désespoir et le souvenir de tous ceux que la faim et la maladie ont ravis à nos cœurs. L'Irlande ne sera plus jamais comme avant…*

» *Dieu merci, certains ont survécu. Elisabeth et moi en sommes. Elle est en bonne santé. Quant à moi, j'ai rencontré un homme et je vais accepter de l'épouser. Grâce à lui, nous aurons une maison confortable et l'assurance de manger à notre faim. Je croyais que je ne pourrais plus jamais aimer, mais je me trompais et l'espoir renaît. Mais je n'oublie pas Michael, je vois son visage chaque fois que je regarde ma fille dans les yeux. Je le porterai toujours dans mon cœur.*

» *Je prie le ciel que l'Irlande se relève et que je voie ce redressement de mon vivant. En attendant ce jour miraculeux, je lirai cette histoire à ma fille et à ses filles et, ainsi, elles sauront la vraie force de l'amour d'une mère.* »

DANS LA MÊME COLLECTION

Par ordre alphabétique d'auteur

JINA BACARR	*Blonde Geisha*
MARY LYNN BAXTER	*La femme secrète*
MARY LYNN BAXTER	*Un été dans le Mississippi*
JENNIFER BLAKE	*Une liaison scandaleuse*
BARBARA BRETTON	*Le lien brisé*
BENITA BROWN	*Les filles du capitaine*
MEGAN BROWNLEY	*La maison des brumes*
CANDACE CAMP	*Le bal de l'orchidée*
CANDACE CAMP	*Le manoir des secrets*
CANDACE CAMP	*Le château des ombres*
CANDACE CAMP	*La maison des masques*
MARY CANON	*L'honneur des O'Donnell*
LINDA CARDILLO	*Le tourbillon d'une vie*
ELAINE COFFMAN	*Le seigneur des Highlands*
ELAINE COFFMAN	*La dame des Hautes-Terres*
ELAINE COFFMAN	*La comtesse des Highlands*
JACKIE COLLINS	*Le voile des illusions*
JACKIE COLLINS	*Reflets trompeurs*
JACKIE COLLINS	*Le destin des Castelli*
PATRICIA COUGHLIN	*Le secret d'une vie*
MARGOT DALTON	*Une femme sans passé*
EMMA DARCY	*Souviens-toi de cet été*
CHARLES DAVIS	*L'enfant sans mémoire*
SHERRY DEBORDE	*L'héritière de Magnolia*
BARBARA DELINSKY	*La saga de Crosslyn Rise*
BARBARA DELINSKY	*L'enfant du scandale*
WINSLOW ELIOT	*L'innocence du mal*
SALLY FAIRCHILD	*L'héritière sans passé*
MARIE FERRARELLA	*Une promesse sous la neige*****
ELIZABETH FLOCK	*Moi & Emma*
CATHY GILLEN THACKER	*L'héritière secrète*
GINNA GRAY	*Le voile du secret*
GINNA GRAY	*La Fortune des Stanton*

... / ...

DANS LA MÊME COLLECTION
Par ordre alphabétique d'auteur

JILLIAN HART	*L'enfant des moissons*
METSY HINGLE	*Une vie volée*
KATE HOFFMANN	*Destins d'Irlande*
FIONA HOOD-STEWART	*Les années volées*
FIONA HOOD-STEWART	*A l'ombre des magnolias*
FIONA HOOD-STEWART	*Le testament des Carstairs*
FIONA HOOD-STEWART	*L'héritière des Highlands*
LISA JACKSON	*Noël à deux***
RONA JAFFE	*Le destin de Rose Smith Carson*
PENNY JORDAN	*Silver*
PENNY JORDAN	*L'amour blessé*
PENNY JORDAN	*L'honneur des Crighton*
PENNY JORDAN	*L'héritage*
PENNY JORDAN	*Le choix d'une vie*
PENNY JORDAN	*Maintenant ou jamais*
PENNY JORDAN	*Les secrets de Brighton House*
PENNY JORDAN	*La femme bafouée*
PENNY JORDAN	*De mémoire de femme*
BRENDA JOYCE	*L'héritière de Rosewood*
MARGARET KAINE	*Des roses pour Rebecca*
HELEN KIRKMAN	*Esclave et prince*
ELAINE KNIGHTON	*La citadelle des brumes*
ELIZABETH LANE	*Une passion africaine*
ELIZABETH LANE	*La fiancée du Nouveau Monde*
CATHERINE LANIGAN	*Parfum de jasmin*
RACHEL LEE	*Neige de septembre*
RACHEL LEE	*La brûlure du passé*
LYNN LESLIE	*Le choix de vivre*
MERLINE LOVELACE	*La maîtresse du capitaine*
JULIANNE MACLEAN	*La passagère du destin*
DEBBIE MACOMBER	*Rencontre en Alaska*****
DEBBIE MACOMBER	*Un printemps à Blossom Street*
DEBBIE MACOMBER	*Au fil des jours à Blossom Street*
DEBBIE MACOMBER	*Retour à Blossom Street*
DEBBIE MACOMBER	*La baie des promesses*
DEBBIE MACOMBER	*Les secrets de Rosewood Lane*
DEBBIE MACOMBER	*Un Noël sous le givre******

... / ...

DANS LA MÊME COLLECTION
Par ordre alphabétique d'auteur

MARGO MAGUIRE	*Seigneur et maître*
ANN MAJOR	*La brûlure du mensonge*
ANN MAJOR	*Le prix du scandale**
KAT MARTIN	*Lady Mystère*
ANNE MATHER	*L'île aux amants****
CURTISS ANN MATLOCK	*Sur la route de Houston*
CURTISS ANN MATLOCK	*Une nouvelle vie*
CURTISS ANN MATLOCK	*Une femme entre deux rives*
MARY ALICE MONROE	*Le masque des apparences*
CAROLE MORTIMER	*L'ange du réveillon*****
DIANA PALMER	*D'amour et d'orgueil****
DIANA PALMER	*Les chemins du désir*
DIANA PALMER	*Les fiancés de l'hiver*****
DIANA PALMER	*Le seigneur des sables*
DIANA PALMER	*Une liaison interdite*
DIANA PALMER	*Le voile du passé*
PATRICIA POTTER	*Noces pourpres*
MARCIA PRESTON	*Sur les rives du destin*
MARCIA PRESTON	*La maison aux papillons*
EMILIE RICHARDS	*Mémoires de Louisiane*
EMILIE RICHARDS	*Le testament des Gerritsen*
EMILIE RICHARDS	*La promesse de Noël***
EMILIE RICHARDS	*L'écho du passé*
EMILIE RICHARDS	*L'écho de la rivière*
EMILIE RICHARDS	*Le refuge irlandais*
EMILIE RICHARDS	*Promesse d'Irlande*
EMILIE RICHARDS	*La vallée des secrets*
EMILIE RICHARDS	*Du côté de Georgetown*
EMILIE RICHARDS	*Un lien d'amour******
NORA ROBERTS	*Retour au Maryland*
NORA ROBERTS	*La saga des Stanislaski*
NORA ROBERTS	*Le destin des Stanislaski*
NORA ROBERTS	*L'héritage des Cordina*
NORA ROBERTS	*Love*
NORA ROBERTS	*La saga des MacGregor*
NORA ROBERTS	*L'orgueil des MacGregor*
NORA ROBERTS	*L'héritage des MacGregor*
NORA ROBERTS	*La vallée des promesses*
NORA ROBERTS	*Le clan des MacGregor*
NORA ROBERTS	*Le secret des émeraudes*
NORA ROBERTS	*Un homme à aimer**

… / …

DANS LA MÊME COLLECTION
Par ordre alphabétique d'auteur

NORA ROBERTS	*Sur les rives de la passion*
NORA ROBERTS	*La saga des O'Hurley*
NORA ROBERTS	*Le destin des O'Hurley*
NORA ROBERTS	*Un cadeau très spécial***
NORA ROBERTS	*Le rivage des brumes*
NORA ROBERTS	*Les ombres du lac*
NORA ROBERTS	*Un château en Irlande*
NORA ROBERTS	*Filles d'Irlande*
NORA ROBERTS	*Pages d'amour*
NORA ROBERTS	*Rencontres*
NORA ROBERTS	*Une famille pour Noël*****
NORA ROBERTS	*Passions*
NORA ROBERTS	*La promesse de Noël*
NORA ROBERTS	*Contre vents et marées******
ROSEMARY ROGERS	*Le sabre et la soie*
ROSEMARY ROGERS	*Le masque et l'éventail*
ROSEMARY ROGERS	*La maîtresse du rajah*
JOANN ROSS	*Magnolia*
JOANN ROSS	*Cœur d'Irlande*
MALLORY RUSH	*Ce que durent les roses*
EVA RUTLAND	*Tourments d'ébène*
PATRICIA RYAN	*L'escort-girl****
DALLAS SCHULZE	*Un amour interdit*
DALLAS SCHULZE	*Les vendanges du cœur*
KATHRYN SHAY	*L'enfant de l'hiver*
JUNE FLAUM SINGER	*Une mystérieuse passagère*
ERICA SPINDLER	*L'ombre pourpre*
ERICA SPINDLER	*Le fruit défendu*
ERICA SPINDLER	*Trahison*
ERICA SPINDLER	*Parfum de Louisiane*
ERICA SPINDLER	*Un parfum de magnolia*
ERICA SPINDLER	*Les couleurs de l'aube*
LYN STONE	*La dame de Fernstowe*
CHARLOTTE VALE ALLEN	*Le destin d'une autre*
CHARLOTTE VALE ALLEN	*L'enfance volée*
CHARLOTTE VALE ALLEN	*L'enfant de l'aube*
SOPHIE WESTON	*Romance à l'orientale****
SUSAN WIGGS	*Un printemps en Virginie*
SUSAN WIGGS	*Les amants de l'été*
SUSAN WIGGS	*L'inconnu du réveillon***
SUSAN WIGGS	*La promesse d'un été*
SUSAN WIGGS	*Un été à Willow Lake*
SUSAN WIGGS	*Le pavillon d'hiver*

... / ...

DANS LA MÊME COLLECTION
Par ordre alphabétique d'auteur

SUSAN WIGGS	*Retour au lac des Saules*
SUSAN WIGGS	*La maison du Pacifique*
SUSAN WIGGS	*Neige sur le lac des Saules*
SUSAN WIGGS	*Rendez-vous sous le gui******
LYNNE WILDING	*L'héritière australienne*
LYNNE WILDING	*Les secrets d'Amaroo*
BRONWYN WILLIAMS	*L'île aux tempêtes*
REBECCA WINTERS	*Magie d'hiver***
REBECCA WINTERS	*Un baiser sous le gui*****
JOAN WOLF	*Le blason et le lys*
SHERRYL WOODS	*Refuge à Trinity*
SHERRYL WOODS	*Le testament du cœur*
SHERRYL WOODS	*Le rêve de Noël******
LAURA VAN WORMER	*Intimes révélations*
KAREN YOUNG	*Un vœu secret***
KAREN YOUNG	*L'innocence bafouée*
KAREN YOUNG	*La mémoire blessée*

* *titres réunis dans un volume double*

** *titres réunis dans le volume intitulé :* Magie d'hiver 2007

*** *titres réunis dans le volume intitulé :* Passions d'été

**** *titres réunis dans le volume intitulé :* Magie d'hiver 2008

***** *titres réunis dans le volume intitulé :* Magie d'hiver 2009

7 TITRES À PARAÎTRE EN FÉVRIER 2010